MÁS ALLÁ DEL MAR

MÁS ALLÁ DEL MAR

Amor, descubrimiento, pérdida y penuria

Tamara McKinley

Traducción de María Mistral

Título de la edición original: *Lands Beyond the Sea*

Primera edición en esta colección: febrero, 2008

Avenida Diagonal, 520, 4.°, 1.ª - 08006 Barcelona

Printed in Spain
ISBN: 978-84-935789-2-3
Depósito legal: B. 47212-2007

Fotocomposición: gama, sl
Arístides Maillol, 9-11 - 08028 Barcelona

Impreso por LIBERDÚPLEX, S. L. U.
Ctra. BV 2249 Km. 7,4. Polígono Torrentfondo
08791 Sant Llorenç d'Hortons (Barcelona)

TGV 578923

Para Eric John Ivory,
en memoria de un hombre a quien llamaba Padre

Agradecimientos

Este libro no hubiese sido posible sin la ayuda, el apoyo y los consejos de las numerosas personas que tuvieron la generosidad de hacerme partícipe de sus conocimientos.

Wilfrid Gordon es Anciano y dueño tradicional de Nugalwarra. Me llevó a hacer un viaje increíble por el monte del norte de Queensland y me habló de las tradiciones del *Dreamtime*,[1] de las comidas autóctonas de las que se alimentan los aborígenes australianos y de la historia de su propia familia. Su compañía agradable y los relatos que me contó han sido una auténtica fuente de inspiración, y espero de todo corazón que la labor que está realizando con las generaciones jóvenes de su pueblo prospere, pues sin hombres como él, la juventud indígena de Australia se quedará sin sostén.

El doctor Andrew Griffiths (MA, MD, FRCP), por sus extensos conocimientos de las marcas cutáneas hereditarias, entre otras mu-

1. Las tradiciones y el saber popular de los pueblos indígenas de Australia. Pertenecen a lo que podría ser una de las culturas continuas más antiguas de la Tierra (unos cincuenta mil años). El *Dreamtime* (o *Dreaming*) narra el viaje y las acciones de los Seres Ancestrales que crearon el mundo natural. El *Dreamtime* es infinito y une el pasado con el presente para determinar el futuro. El mundo natural, sobre todo la tierra o la zona a la que pertenece una persona, proporcionará el vínculo entre los seres y las historias del *Dreamtime*. Estas abarcan muchos temas y asuntos, dado que hablan de la creación de lugares sagrados, características geomórficas, personas, animales y plantas, leyes y costumbres. Se trata de una red compleja de sabiduría, fe y prácticas que proviene de las historias de la creación, una red que informa y se extiende por todos los aspectos físicos y espirituales de la vida de los aborígenes australianos. El *Dreamtime* se expresa de muchas maneras, a través de la pintura, la danza, la música y las narraciones orales. *(N. de la T.)*

chas cosas. También quisiera dar las gracias a su esposa, Elizabeth, por su simpatía y por la maravillosa cena.

Gracias también a Ashley y a Debbie del Panorama Hotel en West Looe por llevarme a Mousehole. Os agradezco vuestra magnífica hospitalidad y amistad. Estoy convencida de que durará.

Al equipo de Hodder, especialmente a Sara Kinsella, cuyo entusiasmo y confianza en esta historia la ha convertido en una realidad. Gracias por tu infinito buen humor y apoyo.

Mis agradecimientos más cálidos a mi agente, Teresa Chris, que nunca ha dejado de creer en mí, ni siquiera cuando las cosas se han puesto difíciles.

Por último, pero no por ello menos importante, quisiera dar las gracias a Tina, Val y Ann por su amistad y por las comidas de amigas, siempre tan necesarias después de salir con cara de sueño del despacho.

Cronología

1500-1700: Unos pescadores de *trepang* (pepinos de mar) indonesios visitan el norte de Australia.

1606: El holandés Willem Jansz explora la costa occidental de Cape York y entra en conflicto con los nativos.

1623: Jan Carstenz llega a la costa septentrional y se producen varios enfrentamientos armados con los aborígenes.

1688: William Dampier se convierte en el primer inglés que explora y traza los mapas de algunas zonas de Australia.

agosto 1768: James Cook y el *Endeavour* zarpan de Inglaterra rumbo a Tahití, donde anclan en abril de 1769.

octubre 1769: Cook fondea en Poverty Bay en la costa oriental de la Isla Norte de Nueva Zelanda. La tripulación se encuentra por primera vez con los maoríes, un pueblo aparentemente hostil.

noviembre 1769: Cook empieza a trazar el mapa de la Isla Norte y la Isla Sur de Nueva Zelanda. Las condiciones meteorológicas extremas dificultan su tarea.

mayo 1770: Cook parte de Nueva Zelanda con intención de llegar a la Isla de Van Diemen (Tasmania). Una serie de tormentas obliga al *Endeavour* a fondear en Botany Bay (bahía Botánica).

junio-agosto 1770: El *Endeavour* sufre unos desperfectos importantes tras quedarse atrapado en la Gran Barrera de Coral. Anclan en un pequeño estuario de río poco profundo donde intentan reparar el *Endeavour* y encontrar una forma segura de atravesar el arrecife. Ese lugar ahora se llama Cooktown. Durante su estancia, la tripulación aprende las técnicas de supervivencia de los aborígenes nativos. Finalmente, encuentran una ruta que los llevará de nuevo a mar abierto.

julio 1771: El *Endeavour* ancla en Inglaterra después de perder parte de su tripulación (entre ellos Sydney Parkinson y Robert Molyneaux) debido a una epidemia de disentería, y otras enfermedades.

1786: El gobierno británico decide fundar una colonia penal en Botany Bay.

1788: Unos aborígenes observan la llegada del capitán Arthur Phillip y la Primera Flota (once buques que llevaban 778 presidiarios, 191 infantes de la Marina y diez oficiales, tanto militares como civiles) a Botany Bay antes de zarpar de nuevo rumbo a Port Jackson. Solo sobreviven 717 presidiarios y las flotas siguientes también sufren, a causa del hacinamiento, enfermedades e inanición.

El francés La Pérouse llega con otros dos buques a Botany Bay.

Se produce la primera resistencia y los primeros conflictos entre las armadas británica y francesa y los nativos aborígenes.

1788-1789: Un brote de viruela diezma la población aborigen de Port Jackson, Botany Bay y Broken Bay y se extiende hacia el interior y por toda la costa.

1790: La Segunda Flota, que consiste en seis buques, llega a Port Jackson. Han fallecido 278 presidiarios. El buque de abastecimiento zozobra en el hielo, privando de comida a toda la colonia.

1791: La Tercera Flota, que consta de once buques, llega a Port Jackson con dos mil presidiarios a bordo, entre ellos, los primeros convictos católicos irlandeses. La cifra de víctimas asciende a 194 hombres y cuatro mujeres.

1791-2: A los presidiarios que ya han cumplido su pena se les otorga unos terrenos en el área de Parramatta mientras que las propiedades de los colonizadores se extienden rápidamente a las zonas de Prospect Hill, Kissing Point, Northern Boundary, los Ponds y Field of Mars.

1798: Despojan a los aborígenes de sus tierras en las marismas del Georges River y Bankstown.

1799: Dos niños aborígenes mueren a manos de cinco colonos de Hawkesbury, aunque estos reciben luego el indulto del rey gobernador suplente. Este incidente será el inicio de un largo período de conflicto entre los indígenas y los colonos occidentales, un período que más adelante se conocerá como la Guerra Negra.

Viajé entre hombres desconocidos
En tierras más allá del mar

WORDSWORTH (1770-1850)

Prefacio

Esta novela es una obra de ficción y no debe ser tomada como otra cosa, aunque haya hecho todo lo posible por ceñirme a los hechos históricos con respecto al descubrimiento de Australia y su historia posterior. Los personajes ficticios son testigos del nacimiento penoso de la Colonia del Sur y se mueven entre los verdaderos pioneros que convirtieron a Australia en lo que es hoy. Las familias Cadwallader y Collinson son ficticias y cualquier parecido que pueda haber con cualquier persona viva o difunta es puramente fortuito.

William Cowdry era el carcelero jefe de la prisión flotante *Dunkirk*.

El capitán Cook, Joseph Banks, Daniel Solander y el joven artista botánico Sydney Parkinson son figuras históricas reales. El cocinero manco a bordo del *Endeavour* existió y es cierto que Banks se llevó tres galgos a bordo, uno de los cuales cazó un pequeño ualabi durante su estancia en Cooktown.

Arthur Phillip fue el primer gobernador de Australia y el reverendo Richard Johnson fue el primer pastor.

Los horrores de la Segunda Flota han sido ampliamente relatados.

Donald Trial, capitán del *Neptune*, fue acusado junto a su primer oficial de asesinato en el Old Bailey en el año 1792. Ambos fueron absueltos.

Prólogo

Velos del amanecer

Kakadu, hace cincuenta mil años

Se llamaba Djuwe, tenía trece años y era bellísima. Djanay observó cómo se reía junto a las otras chicas, fijándose especialmente en la curva de su espalda y la promesa de sus nalgas cuando la joven se volvió y se alejó, al tiempo que apoyaba sensual la cesta de juncos en la cadera. La había deseado desde el primer momento en que la vio.

Como si presintiera su mirada, Djuwe atisbó por encima del hombro, posando sus pupilas ámbar en las de Djanay en actitud descaradamente retadora. Con los ojos centelleantes y una sonrisa, se giró de nuevo y segundos después desapareció entre las sombras moteadas de los árboles.

Djanay se dio la vuelta y se acostó sobre la hierba alta, reprimiendo un gemido de frustración. Jamás iba a ser suya, pues semejante unión iba en contra de sus leyes sagradas, su *mardayin*, y violarlas supondría el destierro, incluso la muerte. ¿Por qué lo provocaba de esa manera? Cerró los ojos. Porque tenía poder sobre él, lo sabía, y no le daba ningún miedo ejercerlo.

—Levántate, holgazán.

Una fuerte patada en las costillas lo sobresaltó y lanzó una mirada de odio a su hermanastro.

—No soy holgazán —replicó, poniéndose en pie rápidamente.

Malangi era varias estaciones más mayor, casi veinte años. Sus cabellos tenían reflejos plateados y en su torso delgado lucía los grabados profundos de las cicatrices de iniciación. Era un cazador experimentado y un Anciano respetado, así que era mejor no contrariarlo.

—Te duermes al sol como las abuelas —espetó Malangi—. Hay que salir a cazar antes de iniciar el viaje.

Djanay asintió con la cabeza, poco dispuesto a mirarle a los ojos. Quizá leyera en su mirada las ansias que despertaba en él su joven esposa. Se alejó a grandes zancadas con el corazón confundido, consciente por completo de que los ojos de Malangi lo seguían como una lanza apuntada directamente a su espalda desnuda.

El sol daba de pleno y la laguna reflejaba las sombras de los árboles circundantes. Djanay se dirigió hacia el monte, hacia las cumbres imponentes de los precipicios granas que descendían hasta el río serpenteante. Empezó a escalar una de las vertientes; el sudor arrastraba consigo su anhelo de lo inaccesible. Su constitución física era la propia de su clan: alto y delgado con una piel de ébano grabada con marcas tribales. Solo llevaba un cinturón fino de juncos y un collar de dientes de canguro. Tenía los ojos de color ámbar y sus cabellos formaban un halo enredado de rizos negros que caían por su rostro ovalado. En su ancha nariz lucía un hueso de pájaro; los labios se curvaban hacia arriba, justo sobre la primera pelusa que había irrumpido en su barbilla. A sus catorce años, había sido iniciado recientemente en la edad adulta y todos esperaban que se ganara el mismo respeto que habían obtenido su padre y su hermano por su destreza como cazadores.

No tardó en alcanzar el saliente liso y plano que sobresalía de la pared del precipicio y que le brindaba una vista magnífica de los extensos bosques, las montañas recortadas y el destello del agua mucho más abajo.

Esta era la tierra que los Espíritus Ancestrales habían dejado al cuidado de su clan. Se trataba de un lugar sagrado, con la presencia de los Espíritus de la Creación en cada piedra y roca, en cada recodo del río y cada susurro del viento. Igual que el resto de su clan, Djanay tenía el deber de custodiarlo hasta que sus huesos se redujeran a polvo. La Madre Tierra era proveedora, consoladora y tutora y era imprescindible que él aprendiera a armonizar con las estaciones, el compás variable de las criaturas que caminaban a su lado, pues cada uno dependía del otro y había que proteger su espiritualidad a toda costa.

Los Kunwinjku habían llegado a este lugar cuando los Espíritus Ancestrales de Djanay vivían en el *Dreamtime*, un tiempo anterior a todo conocimiento del hombre, un tiempo en el que los Espíritus se habían dejado ver y habían guiado al clan hasta esta tierra prometida. Los condujo el Anciano Bininuwuy, que hacía ya muchísimos años había partido a vivir junto a los Seres Espíritu en el cielo, pero la historia de su viaje seguía viva en las narraciones de los Ancianos y en las pinturas dibujadas en los muros de la cueva que tenía justo a su espalda.

Reinaba el silencio en lo alto del precipicio, y mientras flexionaba los músculos, Djanay sintió el peso de las expectativas de sus antepasados. Le resultaba una carga casi insostenible el obedecer las leyes cuando todo su ser clamaba por estar junto a Djuwe. Pensó en la chica que le había sido prometida desde que tenía cinco años. Aladjingu era de la tribu de los Ngandyandyi, que vivían al noreste, y era hija del tío de su madre. Solo se habían conocido de forma fugaz, pero después del *corroboree*[1] iba a convertirse en su esposa. Pensar en ella nunca prendió fuego a sus ijares, como lo hacía Djuwe.

Con un suspiro de angustia, penetró en la cueva sagrada esperando encontrar consuelo. Las mujeres y los chicos no iniciados tenían prohibida la entrada, pero Djanay había soportado la ceremonia con honor mientras le cortaban la piel de su hombría y la afilada piedra trazaba líneas sagradas en su pecho y sus brazos. Ahora ya conocía todos los ritos secretos que allí se celebraban y había experimentado los peligros de sobrevivir solo en esa enorme tierra salvaje llamada Kakadu.

De pie ante las pinturas ocres que cubrían las paredes de la cueva, Djanay contempló la leyenda que habían dejado los Antepasados.

La primera pintura representaba la enorme tierra que los Ancia-

1. *Corroboree:* reunión ceremonial de los aborígenes, en la que intentan unirse con el *Dreamtime* a través de la música, el baile, la indumentaria y representaciones de leyendas. *(N. de la T.)*

nos llamaban Gondwana. Retrataba la vida de su pueblo al lado de otras tribus, y la lluvia blanca y gélida que heló el suelo y dificultó la caza. La segunda mostraba cómo se escindía la tierra de Gondwana, permitiendo que una capa de agua poco profunda la separase de una masa mayor repleta de árboles y animales. La tercera retrataba a los miembros de muchísimas tribus cruzando esa agua en canoas y a pie, y una última pintura plasmaba su expedición por la gran extensión de terreno donde ahora vivía Djanay.

Estallaron guerras entre las tribus y muchos murieron. Mujeres raptadas; guerreros asesinados por doquier. También habían celebrado bodas y alianzas, a medida que más tribus emprendían el viaje hacia el sur. Pronto la caza se hizo cada vez más ardua, la comunicación entre los clanes era casi imposible debido a los roces entre tribus y la gran cantidad de idiomas y dialectos. Finalmente se habían dispersado hacia todos los rincones de esta tierra nueva e inmensa, dejando a los Kunwinjku al cargo de Kakadu.

Djanay se preguntaba qué había más allá de las tierras de caza que tan bien conocía, pero se resignaba a no saberlo nunca. Existían límites no definidos —senderos del *Dreaming*— alrededor del territorio kunwinjku que solo podían cruzarse con el permiso de los Ancianos, y eso únicamente tendría lugar durante un *corroboree*. Sin ese permiso, hallaría la muerte.

Después de murmurar las tradicionales bendiciones delante de los huesos sagrados de los Ancianos antecesores, empezó el largo y rocoso descenso. Era tiempo de caza.

Los patos resultaron ser presa fácil. El delicioso aroma a varano y ualabi asado ascendía con el humo desde la hoguera del campamento y sus tripas rugieron con anticipación cuando ofreció a su madre las veinte aves.

—Lo has hecho muy bien, Djanay.

El rostro de Garnday se arrugó en una amplia sonrisa, al tiempo que acomodaba con más firmeza en el pliegue del codo al bebé que amamantaba.

Djanay se irguió y procuró no mostrarse demasiado satisfecho ante los elogios de su madre, pero no pudo evitar un rápido vistazo hacia Djuwe para comprobar si se había dado cuenta de su habilidad.

Djuwe permanecía inclinada sobre las bayas que estaba preparando, pero una mirada de soslayo a través de sus cabellos le indicó que estaba pendiente de él.

—Tu padre te espera —dijo Garnday entre dientes y con la mirada viva—. Harías bien en apresurarte.

Djanay advirtió que debía andar con cuidado: los ojos de su madre no perdían detalle. Se unió a los demás chicos iniciados, manteniéndose a una distancia respetuosa de los Ancianos, que descansaban bajo los árboles acompañados por el mismo grupo de perros de siempre. Los *dalkans* de pelo amarillo proporcionaban calor en el invierno, sustento en épocas de hambruna, los protegían contra el peligro y, aunque no eran para nada dóciles, parecían tener cierta afinidad con los hombres del monte.

El padre de Djanay se sentó en el suelo con las piernas cruzadas junto a los otros Ancianos, sus cabellos canos y su rostro arrugado daban testimonio de su avanzada edad y sabiduría. A Djanay todavía le incomodaba encontrarse en presencia de hombres tan venerables. Sin ellos, no habría ceremonias de iniciación, ni narraciones del *Dreamtime* y la vida de los Kunwinjku, un pueblo tan espiritual y respetuoso de la ley, carecería de cohesión.

Echó un vistazo al campamento y se sintió satisfecho. Las mujeres y las chicas jóvenes cotorreaban como pájaros mientras preparaban el banquete nocturno, ahuyentando los perros curiosos que se acercaban demasiado. Los bebés se aferraban a los pechos de sus madres y algunos niños jugaban en el suelo con un lagarto que habían apresado. Los miró divertido sin poder reprimir una leve sonrisa. Su madre, como de costumbre, estaba dando órdenes a todo el mundo, aunque solo fuera una segunda esposa y no le correspondiera para nada mandar.

Entonces posó la mirada en la primera esposa de su padre, la madre de Malangi, una mujer vieja, delicada y arrugada. Pronto le llegaría la hora de oír los cantos de los Seres Espíritu que la guiarían hasta las estrellas. Quizá Garnday lo percibiera también y estaba poniendo a prueba su autoridad. Debería ser más sutil, pensó, pues la esposa mayor era una mujer respetada y ejercía una fuerte influencia sobre su marido.

La cabeza de Garnday no paraba de dar vueltas. No sabía qué hacer con Djanay. Era una insensatez mirar a Djuwe con esos ojos tan ardientes y tarde o temprano alguien lo iba a pagar con sangre: Malangi era un marido celoso. Djanay ya era todo un hombre y tenía la obligación de atenerse al *mardayin*. Se sentía tan orgullosa de él y había puesto tantas ilusiones en su hijo más querido, porque su inminente unión con Aladjingu lo acercaría a los Ancianos dirigentes, y un día, si todo iba bien, confiaba en verlo como jefe de la tribu, pues Malangi ya tenía treinta y cinco años y llevaría muchos años muerto cuando Djanay alcanzara la edad de liderazgo. Ahora sus ambiciones se habían visto truncadas, y todo por culpa de esa Djuwe, la intrusa, la enredadora.

Miró a la chica con el ceño fruncido. Djuwe había sido prometida a Malangi desde la primera infancia. Era hija de uno de los Ancianos de los Iwadja, y aunque la diferencia de edad entre ellos resultaba notable, aquello no estaba fuera de lo común. La alianza entre las dos tribus era importante dado que compartían tierras de caza y luchaban hombro con hombro cuando atacaban las tribus invasoras.

De repente, Garnday se dio cuenta de que la anciana la estaba mirando y se estremeció, presintiendo que Djanay corría un grave peligro. Solo era cuestión de tiempo antes de que se llevara a la muchacha al monte, y la madre de Malangi no iba a tardar en castigarlo. A pesar de su avanzada edad, también ella tenía ambiciones y quería ver a su hijo a la cabeza de la tribu.

Las dos mujeres se miraron desafiantes. No podían ni verse y Garnday sabía que su juventud y su capacidad de dar a su marido muchos hijos vivos era motivo de resentimiento. Sin embargo, siendo la segunda esposa, tenía que mostrarse respetuosa con ella, tenía que aprender los secretos especiales de supervivencia de la anciana, ceder ante sus deseos y cuidar de ella en la vejez. Se enderezó, se echó la melena hacia atrás con gesto retador y volvió rápidamente a la hoguera.

Ya hacía diez lunas enteras que Djuwe estaba con ellos y todavía no había el menor indicio de que estuviera encinta. Garnday la observó con odio. Sospechaba que consumía la mezcla de hierbas y bayas que purgaban a las mujeres de toda nueva vida.

Todas las mujeres lo tomaban porque era imposible amamantar a más de un hijo y a la vez seguir siendo un miembro útil para el clan. Si una mujer daba a luz a gemelos, uno debía morir en el acto, pues durante las estaciones secas, a menudo tenían que emprender largos viajes, atravesando llanuras áridas en busca de agua y solo los más fuertes podían sobrevivir.

—No hay ningún motivo para que no tenga un hijo —masculló—, a menos que sea infecunda, y eso lo dudo. —Vio cómo la chica lanzaba una mirada provocativa a Djanay—. No —pensó—, tiene otros motivos.

El ritual de la cena la devolvió a la realidad y puso atención al reparto de la comida.

Primero se servía a los hombres y a los chicos iniciados, que recibían los cortes de carne más selectos. Luego las mujeres jóvenes servían a sus hijos pequeños y finalmente a sí mismas, dejando que los Ancianos escarbaran entre las cenizas en busca de los restos. Esta costumbre no se debía a una falta de respeto: pronto los Ancianos se adentrarían en la Tierra de los Espíritus y no debían derrochar la comida con ellos. Era preferible alimentar a los cazadores y a los recolectores, y dar fuerzas a la próxima generación.

Mientras comía la carne caliente, Garnday siguió observando furtivamente a Djuwe. La chica reía junto a las otras jóvenes. Los labios le brillaban con la grasa de las aves y no paraba de lanzar miraditas a Djanay. Era bellísima, reconoció a regañadientes, pero Malangi ya empezaba a desconfiar y observaba cada uno de sus movimientos. Aguardaban terribles consecuencias si Garnday no conseguía evitarlo.

Finalmente acabaron de cenar. Echaron más leña al fuego para que diera luz y calor y mantuviera alejados a los posibles predadores. Se oía la voz del narrador contando la leyenda del *Dreamtime* que explicaba por qué los búhos cazan de noche. Las familias se habían tumbado juntas en la blanda tierra rojiza bajo las pieles de ualabis y wombats y pronto el campamento quedó en silencio salvo los ronquidos y algún que otro gemido de uno de los bebés inquietos.

Garnday se acurrucó junto a la curva del cuerpo huesudo de su marido. Los dos niños pequeños y el bebé se arrimaron a su vientre y los perros se acostaron a su lado. La anciana se arrimó a la espalda de su marido y extendió un brazo sobre su cintura como si reivindicara su superioridad.

Garnday sabía que le iba a costar dormirse. Djanay estaba con los otros chicos solteros en el lado opuesto del campamento y aunque distinguía su silueta postrada a la luz de la hoguera podría jurar que aún permanecía despierto. Malangi y sus tres esposas se habían acostado a cierta distancia, y Garnday se percató de que Djuwe se había colocado en el perímetro exterior del enredo de mujeres y niños que lo rodeaba. En el aire había una quietud que no auguraba nada bueno y el corazón de Garnday latía con fuerza. Permaneció tumbada, tensa y atenta mientras las sombras de la luna bailaban bajo los árboles.

Djanay tenía el estómago lleno pero no podía dormir. Se alejó sigilosamente hasta perderse en las sombras más profundas, pues ya no soportaba ver a Djuwe acostada junto a su marido y necesitaba huir de la mirada vigilante de su madre.

Sus pies descalzos apenas hacían ruido y se dirigió a la soledad de la orilla del río donde el agua se arremolinaba cada vez que pasaba por encima de las rocas y bajaba por los desniveles. Djanay se acuclilló sobre una roca todavía caliente por el sol del día, y contempló su reflejo en el agua. Vio un hombre en la cúspide de su virilidad y sin embargo nunca había estado con una mujer. Las leyes tribales lo prohibían hasta que estuviera casado. Sabía que Djuwe jamás iba a ser suya, pero la excitación que prometía le había nublado la razón. Sumergió las manos en el agua y bebió a grandes tragos, con la esperanza de que el *Wanjina*, el espíritu del agua, lo ayudara.

El susurro salió de la oscuridad:

—¿Djanay?

Alzó la vista, asustado. Su resolución se evaporó.

Se puso de pie, embelesado por la forma en que la luz de la luna se movía por su hermoso cuerpo. El roce de su mano lo llenó de fuego y la siguió en silencio hasta el monte.

Permanecieron de pie mirándose el uno al otro. El único sonido que oían era su propia respiración. Los dedos de Djuwe trazaron una línea de fuego desde su sien hasta sus labios, bajando por el pecho hasta el estómago y más allá. Le sonrió a través de las pestañas, y Djanay vio cómo le aparecía un hoyuelo durante apenas un segundo cuando se acercó y le susurró:

—Por fin.

Djanay apenas podía respirar. Le tocó los pechos tímidamente, maravillándose de que le llenaran las palmas de las manos, de cómo los pezones oscuros se endurecían cuando los recorría con sus pulgares de sus manos.

La mano de Djuwe le acarició el vientre y bajó hasta el pulso doloroso y palpitante de su hombría.

—¡Rápido! —jadeó—. Antes de que nos descubran.

Finalmente descargó todo el deseo reprimido que había contenido desde el primer momento en que la había visto.

Agotados, se tendieron en el suelo con las piernas y los brazos entrelazados, el sudor cubriéndoles la piel, esperando recobrar el aliento. Pero ya habían probado la fruta prohibida y cuando empezaron a explorarse de nuevo, la necesidad volvió con más urgencia que nunca.

Estaban tan absortos en su amor carnal que ni siquiera se fijaron en la figura silenciosa y atenta que finalmente se alejó y desapareció entre las sombras.

Todavía no había amanecido y Garnday apenas podía abrir los ojos. Se puso a amamantar a su bebé y mandó a los otros dos niños a buscar leña. Su marido todavía dormía, pero la anciana ya estaba atizando las ascuas de la hoguera. Garnday bostezó y se rascó la cabeza, atrapando las garrapatas y los piojos entre los dedos con destreza y aplastándolos entre las uñas. Había conseguido mantenerse despierta hasta oír los ronquidos de la anciana, pero al despertarse a altas horas de la noche, una sola mirada le había bastado para saber que era demasiado tarde para prevenir lo inevitable.

El único consuelo que tenía era que la anciana había seguido durmiendo y Malangi no había dejado de roncar, ajeno al adulterio de su joven esposa. Garnday sabía que debía hablar con su hijo antes de que otra persona se diera cuenta de lo que pasaba. Tenía que comprender el peligro que corría. Hablaría con él cuando el resto del clan estuviera ocupado en otras tareas.

Se puso en cuclillas al lado del fuego, cogió la piedra majadora y empezó el pesado proceso de machacar semillas y hierbas con harina, que mezcló con agua y amasó para luego hacer unas empanadas que cocería en las brasas. Este pan ácimo era un alimento básico de su dieta y lo comían con carne y pescado antes del alba y al atardecer, si les había ido bien la caza.

Djuwe se acercó a la hoguera con un cesto de mimbre repleto de pescado fresco y lo dejó al lado de Garnday.

—Soy buena pescadora —dijo—. Siempre los pesco grandes.

La mirada de triunfo en sus ojos rayaba en la insolencia, y sus palabras contenían un claro doble sentido. Garnday tuvo que reprimirse para no dar un guantazo a esa cara tan descocada y se mordió el labio para no decir nada. Permaneció en silencio, envolviendo cada uno de los peces en hojas y hierbas y cociéndolos en las ascuas al lado del pan. Aguardaría el momento oportuno, pero tarde o temprano Djuwe iba a conocer la fuerza de su ira.

Tampoco podía echarle todas las culpas a la chica. Djanay era insensato, obstinado y débil, pero había que tener en cuenta que era un hombre y no podía evitarlo. Por muy hábiles que fueran a la hora de ir a cazar y por mucho que se jactaran de sus proezas, los hombres no podían sobrevivir sin las mujeres: tenían sus necesidades, y en eso consistía su debilidad.

El sol acababa de asomarse por encima del horizonte y el frío de la noche todavía resplandecía en la hierba alta. Se respiraba un aire de emoción mientras todos hablaban de sus planes. Una vez se hubieron llenado el estómago hasta casi explotar, apagaron las llamas y los hombres fueron a buscar sus lanzas, bumeranes, *woomeras*[1] y escudos.

La primera esposa empezó su ritual anual de ir a recoger huevos de emú. Mientras escupía ordenes, Garnday y las otras mujeres los llevaron cuidadosamente al río. La carne del *ngurrurdu* era muy dura y tenía poco valor nutritivo, pero los huevos intactos cuyo contenido se había evaporado hacía años eran recipientes excelentes para transportar agua. Hacían un agujero en cada huevo con una piedra afilada y después de llenar los cascarones, los obstruían con tapones de hierbas anudadas.

—Ya tenemos suficientes —declaró la anciana con voz áspera—. Hay que repartirlos. Nadie debe beber de los huevos excepto en caso de emergencia. Hay otras fuentes de agua en el desierto.

Garnday subió su bebé a la cadera, colocando los huevos y el niño de forma más cómoda, se apoyó en su bastón macizo y esperó a que los Ancianos cantaran a los Espíritus antes de emprender el viaje. No había tenido la oportunidad de hablar con Djanay. Tendría que esperar.

Una bandada de pájaros pequeños y coloridos se lanzó en picado encima del campamento formando una gran nube, acercándose y alejándose del agua antes de posarse finalmente en los árboles. Era un buen presagio: los pájaros habían vuelto a casa y ellos también lo harían.

Una vez acabadas las canciones y rituales de rigor, los Ancianos dieron unas patadas en el suelo, levantaron los escudos y lanzaron un grito de triunfo. Había llegado la hora de partir.

1. Un *woomera* es un instrumento nativo que sirve para impulsar lanzas. *(N. de la T.)*

El clan dejó atrás las sombras largas y frescas de los precipicios y entraron en unas tierras de fuertes contrastes. El suelo era rojo como la sangre, los árboles raquíticos y marchitos, el calor formaba ondas sobre la tierra agostada. Las erupciones habían abierto cañones profundos y oscuros y cumbres rocosas altísimas rojas y negras. Unos hormigueros gigantescos montaban guardia en el camino y poco a poco, el clan se dirigió lentamente hacia el sur. El cielo era de un azul nítido, oscureciéndose en el horizonte, donde se alzaba una columna grisácea, en la morada del Espíritu de la Montaña Hueca que escupía fuego y humo para advertir a los intrusos. Pero Garnday sabía que no iba a cruzar las tierras del espíritu iracundo, pues su camino seguía hacia el sur, hasta el corazón del *Dreaming* y las montañas sagradas de Uluru y Kata Tjuta.

A los días sofocantes les siguieron noches gélidas, y la expedición hacia el sur ya había durado el ciclo entero de una luna cuando Garnday por fin encontró un momento para hablar a solas con su hijo. Hasta entonces, Djanay había conseguido esquivarla.

Habían llegado al corazón abrasador de su gran isla, donde el suelo era más blando y se levantaba el polvo con cada paso que daban hacia el campamento tradicional. Desparramados a su alrededor había unos inmensos cantos rodados, redondos y lisos como un huevo. El lugar se llamaba Karlwekarlwe y los cantos rodados eran los huevos que la Serpiente Arco Iris había dejado durante el *Dreamtime*. Era un lugar sagrado con un aura especial que silenciaba las voces y hacía que los niños se agarraran a sus madres, pues unos espíritus malvados vivían entre los huevos. A veces adoptaban una forma humana para atraer a los pequeños. Los niños perdidos desaparecían para siempre a no ser que se cantaran las canciones especiales, y a veces ni siquiera así, pues una vez los espíritus se los hubieran llevado, eran reacios a devolverlos.

Garnday cantó junto a las otras mujeres a la Serpiente Arco Iris. La hechicera agitó su calabaza seca mágica y los hombres golpearon sus escudos con sus lanzas para ahuyentar los espíritus malvados. Finalmente, se declaró que el lugar era seguro.

En su camino, los hombres habían atrapado un par de ofidios y un lagarto grande, y los pusieron a cocer. Garnday fue a coger unas hojas anchas y carnosas que crecían a la sombra de los huevos de la serpiente. Las hojas contenían agua y savia y, una vez machacadas, servían como bálsamo para las picaduras de insectos, cortes y rasguños. Pero el motivo por el que abandonó la hoguera era mucho más urgente: había visto alejarse a Djanay, que se adentraba en la oscuridad.

—Tenemos que hablar —dijo Garnday.

—No tengo nada que decirte —replicó ásperamente Djanay—. Déjame en paz.

—Tengo ojos —espetó su madre, procurando no alzar la voz por si los demás estaban escuchando—. Sé lo que tú y Djuwe estáis haciendo.

Djanay se resistió a mirarla.

—No sabes nada —masculló.

Entonces Garnday lo agarró de la barbilla, obligándolo a mirarla.

—Lo sé todo —dijo—, y tenéis que parar. ¡Ahora! Malangi la vigila y os matará a los dos.

Esta vez Djanay clavó los ojos en ella.

—Ve a cuidar de tus hijos, madre. Ahora soy un hombre.

Estaba a punto de volverse cuando Garnday lo agarró del brazo.

—Pues como hombre que eres, conocerás los castigos que se imponen por violar el sagrado *mardayin*. Djuwe solo te traerá problemas.

Era imposible adivinar los pensamientos de Djanay. Se apartó bruscamente de su madre y con dos pasos, desapareció en la oscuridad.

A Garnday le temblaba el labio inferior y sintió cómo los ojos se le llenaban de lágrimas. Las enjugó con rabia, recogió las preciadas hojas y se volvió para mirar el resplandor del fuego. Había perdido a su hijo.

—¿Qué puedo hacer? —gimió.

Cerró los ojos y rezó a la Serpiente Arco Iris para que la ayudara, pero en el fondo sabía que ni siquiera el Gran Espíritu sería capaz de ofrecer resistencia ante la lujuria de su hijo y las artimañas de una chica lasciva.

Una vez la cena llegó a su fin y hubo terminado el cuento ritual, Garnday acostó a sus hijos al lado de su marido. Se sentía acongojada y sabía que iba a dormir poco esa noche, a pesar de la fatiga que arrastraba del viaje, pues Djuwe había vuelto a colocarse en la periferia de su grupo familiar y la excitación de Djanay era casi palpable. Viendo que sus hijos ya dormían, los cubrió con las pieles de canguro y alentó a los *dalkans* a acercarse para compartir su calor. Satisfecha al saberlos a salvo, se deslizó hacia la oscuridad.

La luna de primavera ya había realizado casi una tercera parte de su recorrido nocturno cuando Djuwe se incorporó y se despojó de la piel que la cubría.

Garnday se puso tensa, y miró rápidamente hacia Djanay. Fingía dormir, pero podía ver el brillo del fuego mortecino en sus ojos entreabiertos.

Djuwe se desperezó, bostezó y comprobó que su marido aún dormía. Acto seguido se desenredó del resto del grupo y se dirigió sigilosamente hacia los matorrales.

Garnday se quedó helada.

Malangi acababa de incorporarse y estaba mirando cómo se alejaba su esposa.

De nuevo la mujer dirigió la mirada hacia el lugar donde descansaba su hijo. Su corazón latía con fuerza. Djanay aún fingía dormir.

Malangi se subió la piel de canguro hasta los hombros con una expresión adusta, las pupilas clavadas en Djanay, luego volvió la cabeza hacia el otro lado del círculo de fuego.

Garnday contuvo la respiración.

Djanay se estaba moviendo, quitándose la piel de wombat lentamente y apoyándose en el codo, listo para ir tras la chica.

Malangi se puso tenso, atento al movimiento.

Garnday quiso gritar, advertirlo, pero el destino de Djanay ya no estaba en sus manos.

La mirada penetrante de Malangi se posó sobre su hermano y, como si la percibiera, Djanay se quedó inmóvil.

Durante unos instantes interminables permaneció apoyado en el codo. Después volvió a moverse como si tratara de acomodar su postura y se tapó una vez más con la piel.

Garnday suspiró aliviada, pero su corazón seguía palpitando con fuerza y tenía la boca reseca. Había estado muy cerca. Se levantó en silencio de su puesto de observación. Tenía que encontrar a la chica y hacerle comprender el peligro que corrían ahora que habían despertado las sospechas de Malangi.

Los huevos se perfilaban imponentes e inquietantes contra el cielo nocturno. Su tamaño y majestuosidad la turbaban, pero siguió caminando cautelosamente por los senderos antiguos iluminados por las estrellas. Su corazón latía con violencia y tuvo que reprimir un grito cuando un lagarto pasó rozando sus pies.

Un ruido apagado y ajeno a los sonidos de la noche la hizo vacilar. Se detuvo para escuchar, pero no lo oyó de nuevo. Negó con la cabeza, armándose de valor para seguir caminando, pero la tensión era tan grande que se estremecía con cada suspiro del viento.

Dio la vuelta a la curva voluptuosa de uno de los huevos gigantes y se quedó paralizada.

—Vete de aquí —le dijo entre dientes la primera esposa—. Nadie te ha invitado a presenciar esto.

Garnday avanzó dando traspiés hacia el otro lado de la roca y se acercó a la figura desplomada en el suelo.

—¿Qué has hecho? —susurró.

La anciana tenía una roca pesada en la mano y los ojos fijos en el lugar donde yacía Djuwe. A Garnday le sorprendió que hubiera tan poca sangre, teniendo en cuenta el enorme agujero abierto en su cráneo.

—Ha violado las leyes —dijo—. Debía ser castigada.

Garnday miró otra vez el cadáver con una fascinación horrorizada. Se le revolvió el estómago y acudió a su boca un sabor amargo, pero consiguió sobreponerse.

—Corresponde al marido decidir el castigo —musitó.

Guardó la piedra dentro de la bolsa de pieles de ualabi que colgaba de su cintura.

—Tenemos que deshacernos de ella.

Garnday dio un paso atrás. Matar a otro miembro de la tribu estaba prohibido, y hacerlo en un lugar sagrado iba a provocar la ira de los Espíritus, que desatarían su furia contra todos. Era obra de una perturbada y no deseaba involucrarse en todo eso.

La primera esposa la agarró del brazo con fuerza. Le apestaba el aliento.

—Ha violado las leyes con tu hijo. Ha deshonrado al mío y a toda nuestra familia. Mejor que la saquemos de aquí antes de que se enteren los Ancianos. Te conviene hacer lo que te diga.

Su tono era claramente amenazador; sin embargo, a Garnday le daba más miedo lo que podían hacer los Espíritus.

—Pero lo que tú has hecho es peor —espetó.

Intentó liberarse de la mano de la mujer, que todavía apresaba su brazo, pero la fuerza de la anciana era sorprendente.

—¿Por qué no lo has dejado en manos de Malangi? Él sabía que ocurría algo extraño entre ellos. Lleva toda la noche vigilándola y ya debe de haber salido a buscarla.

—Entonces hay que darse prisa —dijo la anciana soltándola por fin—. Somos madres de nuestros hijos y tenemos el deber de defender su honor, no importa lo que hagan.

Su rostro arrugado y sus ojos apagados parecían una máscara mortuoria.

—Pronto se va a casar tu hijo y tienes otros que lo siguen. Yo solo tengo uno y está destinado a dirigir la tribu. Esta chica lo hubiese estropeado todo. ¿Vas a ayudarme?

No se lo estaba pidiendo. No había escapatoria.

—¿Y dónde vamos a esconderla?

—Conozco un lugar. Vamos, rápido.

Garnday tomó los pies de la chica y la anciana la levantó por los brazos y se puso delante. Garnday se dio cuenta de que conocía bien el lugar sagrado, pues la llevó a una fisura en una de las rocas que daba a una caverna estrecha y secreta.

—¡Deprisa! —siseó con urgencia, viendo que Garnday todavía vacilaba—. Aún tengo cosas que hacer. No tenemos tiempo.

Garnday obedeció y poco después estaban en el interior de un largo y estrecho túnel. El eco de su respiración resonaba contra las paredes y a la mujer le pareció sentir los ojos de los espíritus malos observándola a medida que avanzaban por la cueva con su carga.

—Ya hemos llegado.

La oscuridad era total. Garnday soltó los pies de la chica y dio un paso vacilante hacia atrás. Tenía los nervios de punta y estaba convencida de que las paredes de la cueva se estrechaban.

La voz de la anciana resonó en la oscuridad.

—Aquí hay un hoyo muy profundo.

Agarró de nuevo el brazo de Garnday con su mano huesuda y la arrastró hacia delante hasta que percibió el borde del abismo oculto con los dedos de los pies.

El puro pánico ante el peligro en el que se sabía hizo que Garnday comenzara a temblar, pero era consciente de que más le valía obedecer si deseaba salir con vida de ese lugar tan atroz.

Siguiendo las instrucciones de la anciana, balancearon el cuerpo de Djuwe y lo dejaron caer al vacío, escuchando cada golpe que daba contra las paredes oscuras, como una pieza de fruta madura, arrancando piedras y rocas a su paso. Hubo algo obsceno en esa caída silenciosa, en la ausencia del grito, en el tiempo que tardó en llegar al fondo.

La anciana tiró la piedra detrás de la chica.

—Bueno —murmuró—. Ya está.

Garnday dio media vuelta y se puso a correr por el túnel. Entró en la cueva y a pesar de los cortes y rasguños de las piedras afiladas y las plantas espinosas, se empujó por la fisura y salió al exterior. Se deslizó por la curva empinada del huevo y se dejó caer al suelo, arañando la suavidad de la tierra rojiza con gratitud y aspirando a fondo el aire nocturno fresco y dulce.

El deslizarse de unos pies y la caída de algunos guijarros anunciaron el descenso de la mujer mayor y Garnday oyó un grito ahogado seguido de un gemido de dolor al tiempo que la mujer se desplomaba en el suelo junto a ella.

—¿Qué ocurre? —preguntó—. ¿Te has hecho daño?

La otra la rechazó con un gesto imperioso de la mano.

—No es nada. Vuelve con los demás.

Garnday no necesitaba que se lo repitiera. Corrió hacia el resplandor acogedor de la hoguera y se metió silenciosamente bajo las pieles de canguro. Acostada en el suelo, sin poder dejar de temblar, presintió el sigiloso regreso de la anciana. Se movía como una sombra. No le extrañaba que hubiese conseguido espiar a los amantes.

—¡Ha desaparecido! ¡Mi hija! ¡Mi bebé!

Un grito desconsolador rasgó el silencio.

Garnday se levantó de un salto. El corazón le latía con fuerza y se abrazó a sus pequeños. Todo el mundo se despertó, los hombres se incorporaron rápidamente con las lanzas alzadas para atacar.

El rostro de la joven estaba cubierto de lágrimas mientras tiraba de su cabello.

—¡Ha desaparecido! ¡Los Espíritus se han llevado a mi hija!

—¿Cuánto hace?

—¡Cuando me he despertado ya no estaba!

Malangi se acercó al grupo.

—También falta mi esposa —anunció—. Llevo casi toda la noche buscándola. —Miró a Djanay—. Quizá también la tengan los Espíritus.

Djanay tenía el rostro desencajado.

—Es demasiado mayor para los Espíritus —bramó—. Solo se llevan a los niños.

Se oyó un murmullo de conformidad, roto solo por el gemido de la desconsolada madre.

—¡Estamos perdiendo el tiempo! —gritó ella—. ¡Tenemos que encontrarlas!

La primera esposa se abrió paso a codazos hasta colocarse en el centro del grupo.

—Buscad entre las rocas y por los senderos escondidos —ordenó—. Si no las encontramos, tendremos que cantar para que vuelvan.

Garnday la miró con dureza. ¿Tendría la anciana algo que ver con la pequeña desaparecida? ¿Habría llegado tan lejos para disimular sus maldades? Y si ese era el caso, ¿qué había hecho con ella?

—¡Vamos! ¿A qué esperas, Garnday?

Garnday observó cómo se alejaba cojeando, procurando no forzar la cadera derecha. Quizá fuera un castigo de los Espíritus por la vileza que había cometido contra los suyos: una herida podría significar la muerte si no era capaz de seguir el ritmo del clan.

Conforme el sol proseguía su ascensión, las mujeres formaron un corro y comenzaron a cantar. Tenían que aplacar a los Espíritus de Karlwekarlwe si querían que les devolvieran con vida a sus seres perdidos.

Malangi se sentó con sus otras mujeres, con la mirada de su rostro pétreo clavada en las llamas de la hoguera. Los ojos de Djanay estaban enrojecidos, pero se había armado de la fuerza necesaria para disimular la intensidad de sus sentimientos. Garnday se centró de nuevo en las canciones. El castigo impuesto por los espíritus iba a ser mucho peor si no encontraban a la pequeña.

Las palabras que cantaban eran muy antiguas, transmitidas de madre a hija desde el *Dreamtime*. Una por una, las mujeres abandonaron el corro para pasear entre las rocas sagradas, implorando a los Espíritus que liberaran a sus seres queridos. Todos los ojos se centraban esperanzados en las mujeres que regresaban y las voces se quebraban cuando las veían aparecer solas.

El sol ya caía a plomo y los cantos se tornaron cada vez más fervientes, pero aún no había rastro del bebé ni de la joven esposa de Malangi. Garnday volvió con el grupo y observó a la anciana, que había estado aguardando su turno. Tardó mucho en aparecer y un escalofrío de esperanza recorrió el círculo. Finalmente lo hizo, pero sus manos estaban vacías. Garnday la contempló con recelo. Hubiese jurado que veía una mirada de triunfo en su rostro. Pero ¿cómo podía ser si había vuelto sin la pequeña?

Un grito tembloroso rasgó el aire.

Todos guardaron silencio al instante y se volvieron hacia el ruido, confiando más allá de toda esperanza oírlo una vez más. Y ahí estaba, fuerte, furioso y resuelto.

La madre chilló y corrió hacia los gemidos con las demás mujeres a la zaga. Encontraron a la niña en el saliente de una roca, ilesa, pero hambrienta y asustada. Hubo gritos de alegría cuando la madre abrazó a su hija y a nadie se le ocurrió volver la vista atrás, hacia las dos mujeres que no se habían unido a la estampida.

En ese mismo momento, Garnday comprendió la astucia y la fuerza de la primera esposa y supo que ella y Djanay corrían un grave peligro.

Las celebraciones fueron alegres, pero forzosamente breves dado que todos eran muy conscientes de que los Espíritus no habían devuelto a Djuwe. Los rituales debían comenzar de inmediato para liberar a su espíritu y dejar que entrara en el Gran Mas Allá.

Garnday abrazó a sus hijos a la vez que observaba cómo Malangi untaba su cuerpo con cenizas frías de la hoguera antes de ponerse a cantar la larga y repetitiva canción para los muertos. ¿En qué pensaba? Era imposible adivinarlo. Por lo general, el viudo debía guardar duelo durante doce lunas, dejando a sus esposas e hijos al cuidado de sus familiares mientras él vagaba por el monte, pero debido al *corroboree,* Malangi tendría que aplazar su expedición solitaria.

Garnday se escabulló y fue en busca de Djanay. Finalmente lo encontró entre las sombras cada vez más alargadas.

—¿Por qué se la han llevado?

Garnday supo que debía responder con sabiduría.

—Suscitó la ira de los Espíritus.

El joven asintió con la cabeza, la mirada perdida en las llanuras.

—Entonces deberían haberme llevado con ellos, en vez de coger a la niña.

Garnday se acuclilló a sus pies.

—Han optado por devolver a la pequeña —dijo en voz baja—. No está en nuestra mano el cuestionar sus motivos, sino el limitarnos a dar las gracias por su oportuno aviso.

Hubo un largo silencio mientras Djanay digería sus palabras.

—Intentaste advertirme, pero mi orgullo me impidió escucharte.

Ahora hemos perdido a Djuwe. —Se giró hacia su madre con un miedo terrible en los ojos—. Violamos el sagrado *mardayin*. ¿Y ahora qué será de mí?

—Recibirás un castigo —dijo con cautela—, pero parece que por ahora los Espíritus han aplacado su ira.

Djanay miró por encima de su cabeza hacia el grupo que seguía cantando.

—¿Qué debo hacer, madre?

Había muchos peligros y demasiados secretos. Garnday tenía que escoger sus palabras con prudencia.

—Debes olvidar a Djuwe —dijo con una convicción que ocultaba sus propios miedos—. Guarda luto como el resto de nosotros y luego prosigue tu camino hasta Uluru y tu ceremonia de matrimonio.

—¿Cómo voy a hacerlo sabiendo el terrible castigo que los Espíritus han impuesto a Djuwe?

—Lo harás porque eres un hombre y tienes una responsabilidad hacia tu familia, tu clan y tu prometida. Los Espíritus te observarán, Djanay. Debes andar con cuidado para no volver a encolerizarlos.

—¿Me están observando? —preguntó asustado, mirando a su alrededor.

Garnday insistió:

—Siempre. Por eso después de la ceremonia, Aladjingu y tú no debéis volver con los Kunwinjku —dijo, haciendo caso omiso del jadeo horrorizado de su hijo—. Tenéis que poner rumbo al viento del norte y haceros un lugar entre los Ngadyandyi. Son familiares del tío de la madre de Aladjingu y seréis bien recibidos.

—Pero mi lugar está entre los Kunwinjku —protestó—. Soy hijo del jefe del clan y mi destino es formar parte del Consejo de los Ancianos.

Ella negó con la cabeza.

—Los Espíritus son muy vengativos —le dijo—, pero también son justos. Si aceptas el destierro y la pérdida de tu verdadero lugar entre nosotros, estarán satisfechos.

Djanay calló y Garnday percibió la energía nerviosa de su hijo, que no paraba de andar de un lado para otro, inquieto, mientras mordía la uña de su dedo gordo. Cuando se giró para mirarla, parecía un hombre derrotado.

—No tengo otra alternativa, ¿verdad?

Garnday negó de nuevo. Los hombros de Djanay se abatieron.

—He escuchado tu sabiduría, madre.

Inclinó la cabeza y Garnday estuvo a punto de extender los brazos para tocar sus rizos negros y salvajes, pero sabía que ya no tenía edad para las caricias de su madre y que lo único que necesitaba de ella era su fuerza para ayudarlo a superar este período nefasto. Al menos había conseguido garantizar su seguridad ante la venganza de Malangi y su demoníaca madre; no supondría ninguna amenaza para ellos una vez hubiese abandonado el clan.

Después de que la Diosa Sol cruzara diez veces el cielo, llegaron a su destino. La antigua montaña de Uluru se alzaba majestuosa entre los bosques circundantes, con sus curvas, paredes picadas y pliegues ensombrecidos por el ocaso. Un aura de poder emanaba de las pendientes rojas e inclinadas y la grandiosidad extensa del más espiritual de todos los lugares. El clan observó sobrecogido cómo el sol bruñía su color ocre y daba paso al dorado y al naranja, seguidos de unas tonalidades rojizas cada vez más intensas y oscuras hasta llegar al negro azabache. Habían regresado a su hogar espiritual y era el turno de presentar sus respetos a los guardianes de Uluru, el pueblo Anangu.

Se trataba del *corroboree* más importante del año y asistirían todos los hombres, mujeres y niños capaces de aguantar el largo viaje. Ya ardían las hogueras cuando desaparecieron los últimos rayos del sol y una miríada de dialectos e idiomas flotaba en el aire como el humo. Sin embargo, todos compartían la misma emoción, olvidándose de las viejas rencillas y enemistades mientras se preparaban para las ceremonias.

Los Kunwinjku montaron el campamento y empezaron a cambiar sus puntas de lanza y herramientas de piedra por bumeranes, bramaderas,[1] máscaras ceremoniales y tocados. Con la caída de la noche, los Ancianos y chicos iniciados pintaron sus cuerpos con ocre y arcilla y se vistieron las máscaras y los tocados, arreglándose para el primer ritual, que tendría lugar al pie de la montaña.

Los zumbidos vibrantes de una docena de bramaderas rasgaron la oscuridad. Las piezas llanas, alargadas y ornamentadas de madera giraban en el aire, sujetas a finas trenzas de cabellos. El volumen subía y bajaba, pasando en un instante de viento poderoso a gemido, como las voces de los espíritus difuntos. Las ceremonias estaban a punto de comenzar.

Garnday contempló cómo se alejaba Djanay y se sintió orgullosa de que hubiera aceptado sus sabias palabras y hubiese comenzado a prepararse para su matrimonio. Se volvió hacia la hoguera, donde estaba la anciana. Los días que siguieron a la muerte de Djuwe no la habían tratado bien. La lesión de su cadera la había obligado a caer cada vez más atrás mientras cruzaban el desierto, y Garnday había presenciado el esfuerzo que le suponía continuar andando.

Se miraron fijamente. Garnday leyó el miedo en los ojos de la otra mujer y lo comprendió. La madre de Malangi sabía que los Espíritus la llamaban y que su castigo final ya estaba cerca. Sin embargo, en sus ojos vio también la resolución acérrima, que había convertido su vieja boca en una línea fina, y el brillo ardiente de su miedo, que reflejaba su actitud desafiante, pues sabía que tenía poder sobre Garnday y aún no estaba dispuesta a renunciar a él.

El *corroboree* duró quince viajes del carro del sol a través del cielo. Los presentes celebraron los rituales ancestrales con bailes y canciones, formaron alianzas, concertaron matrimonios y compartieron grandes banquetes. Los narradores cautivaron a sus oyentes con dis-

1. Instrumento utilizado solamente en rituales, hecho de tablas finas de madera de forma romboidal con un agujero en un extremo para atar una cuerda. Hay que agarrar esta con la mano y girar la madera en el aire. Esto produce unas vibraciones que producen un sonido grave o agudo según la velocidad de los giros. *(N. de la T.)*

tintas interpretaciones del *Dreamtime* y los artistas grabaron el acontecimiento en las paredes consagradas de Uluru.

La boda entre Djanay y Aladjingu, la unión de dos tribus poderosas, iba a celebrarse durante la medianoche de la última jornada. El pueblo de la joven estaba acampado a una distancia adecuada del clan de Djanay y, justo antes de que se pusiera el sol, hicieron una gran hoguera y el suave zumbido de las bramadoras lanzó una cautivadora llamada.

Conforme se aproximaba la medianoche, los tíos de Aladjingu comenzaron a entonar la declaración, anunciando a todos que se iba a celebrar una boda. Cada miembro de las dos tribus portaba una antorcha y desfilaron creando la forma de una punta de lanza. En el momento de juntarse, unieron también las antorchas y las llamas se alzaron en el aire claro y sin viento.

Djanay y Aladjingu se aproximaron a sus tíos. Djanay tenía los nervios de punta. Malangi estaba de pie, un poco apartado de la multitud, el semblante adusto bajo la arcilla blanca y las cenizas de duelo. Solo una palabra de la boca de su hermano podía poner fin a la ceremonia y Djanay no se atrevía a mirarlo a la cara.

—Hijos —intervino el tío mayor—, el fuego simboliza la severidad del *mardayin*. No debéis abusar ni restar importancia al privilegio de convertiros en marido y mujer, padre y madre. Es la voluntad del Gran Espíritu que honréis y respetéis los lazos matrimoniales. Igual que el fuego consume, así destruirán las leyes de vuestros padres a todos aquellos que deshonren estos lazos.

Djanay tembló cuando oyó el grito ensordecedor de los presentes y el estruendo de los cientos de lanzas golpeando contra los escudos. Todos arrojaron sus antorchas a la hoguera e iniciaron los cantos y las danzas. Los votos que había sellado esa noche eran un terrible recordatorio de lo cerca que había estado de sentir la ira de los Espíritus Ancestrales. Miró a Aladjingu mientras sentía cómo aún resonaban en sus oídos las palabras poderosas de sus votos matrimoniales.

La chica también lo miró tímidamente y le cogió la mano.

—Esposo —murmuró—, juntos nos dirigiremos hacia el viento

del norte y un día guiarás a mi pueblo con sabiduría, pues he oído los susurros de los Antepasados.

Djanay se dio cuenta de que había tenido la suerte de encontrar una mujer que compartía la misma sabiduría ancestral que su madre.

—Esposa —dijo—, juntos seremos fuertes.

La gran reunión de las tribus había llegado a su fin y se dispersaron. Los Kunwinjku iniciaron su larga expedición hacia el norte, pero a los pocos días se hizo evidente que la primera esposa no sería capaz de seguir el ritmo de los demás. Indulgente, el clan aflojó el paso y descansó durante un día entero junto a una charca para permitirle recobrar las fuerzas. Sin embargo, poco después acordaron que era un impedimento: se apoyaba tanto en el brazo de su marido que obligaba a todos a avanzar a paso de tortuga.

El cuarto día, el día que habían creído que tendrían que dejarla atrás, Garnday se le acercó.

—Permíteme que te ayude —dijo suavemente, aguantando el peso de la anciana en un brazo.

Aun así al atardecer estaban ya tan rezagados que les iba a resultar casi imposible alcanzar el resto del clan. Con un suspiro, su marido ayudó a Garnday a acomodar a su esposa agonizante en el suelo, bajo un árbol.

—Esta será su última noche —afirmó con tristeza.

Garnday cogió uno de los huevos de emú llenos de agua más pequeños y, siguiendo la costumbre, se lo presentó como última ofrenda a la primera esposa.

—Ahora debemos marcharnos —susurró—. Me despido, *kabbarli.*

La anciana aceptó tanto el título respetuoso de «abuela» como la ofrenda, pero sus ojos ya reflejaban la sombra de la muerte.

Su marido le tocó la frente surcada por última vez. Sus lágrimas inundaron las grietas y arrugas de su rostro mientras se despedía de la mujer con la que llevaba casado más de treinta años. Luego se volvió y caminó rápidamente siguiendo la misma senda que el resto de la tribu. No miró hacia atrás.

Garnday se apoyó en su bastón de escarbar[1] y pensó en todos los ratos que habían pasado juntas y en todo lo que habían vivido. Después se alejó para asumir su posición legítima de primera esposa.

Djanay y Aladjingu se establecieron en el noreste del país. La tierra era exuberante: los prados atraían a los animales de pastoreo y los árboles protegían del calor. Era fácil pescar y recoger ostras de las profundidades del océano cristalino. Además, gozaba de buenas tierras de caza. Junto a su esposa, Djanay vio crecer a su familia y reconoció que le habían dado una segunda oportunidad.

La fuerza y sabiduría adquiridas en su juventud lo convirtieron en uno de los Ancianos más queridos y cuando llegó su momento de dirigir a los Ngadyandyi, resultó ser uno de los más sabios. Siglos después de su muerte, su leyenda siguió viva en las pinturas rupestres escondidas en la zona que acabó llamándose Cooktown.

Cuando vino la gran sequía una vez más, Garnday ya tenía casi cuarenta años, pero los Espíritus le habían hablado en sueños y guio a su tribu diezmada en una expedición hacia el sur a un lugar donde encontraron tierras de caza lozanas, ríos caudalosos y los mares embravecidos de Kamay y Warang. Se establecieron allí siguiendo las tradiciones estrictas pero sencillas invariables desde el *Dreamtime*.

Sin embargo, mientras crecía la voracidad del mundo por encontrar nuevos países y riquezas, la naturaleza de la vida del clan estaba a punto de extinguirse. Kamay pronto se convertiría en el seno de la invasión del hombre blanco y su nombre adquiriría muy mala fama en todo el mundo: Botany Bay.

1. Unos bastones que las aborígenes empleaban en Australia. Con una de las puntas muy afilada y la otra más ancha y plana, las mujeres los empleaban para extraer tubérculos y raíces comestibles, pequeños marsupiales y reptiles, y para abrir termiteros. También servían para descortezar árboles y cavar agujeros. *(N. de la T.)*

PRIMERA PARTE

Las tierras desconocidas del sur

1

Cornualles, junio de 1768

Jonathan Cadwallader, conde de Kernow, reprimió un bostezo y procuró mantener la calma. Habían acabado de almorzar hacía rato, pero su tío Josiah parecía empeñado en hablar toda la tarde. Disfrutaban de un día soleado, seguramente Susan estaría esperándolo y Jonathan se moría de ganas de reunirse con ella.

—Haz el favor de estarte quieto, Jonathan —le reprendió su madre con un chasquido de impaciencia.

—Deja al chico en paz, Clarissa —intercedió Josiah Wimbourne—. ¿Cómo quieres que se esté quieto con diecisiete años? Imagino que preferiría salir fuera y no quedarse aquí escuchando a un fósil como yo y sus teorías sobre las ventajas que supuso para Gran Bretaña la victoria en la guerra de los Siete Años.

—Con diecisiete años ya debería saber comportarse, hermano —replicó Lady Cadwallader, mientras abría su abanico de encaje con un gesto brusco para subrayar su desagrado—. Si su padre estuviera vivo, estaría horrorizado. Cualquiera diría que Jonathan no ha aprendido nada durante su estancia contigo en Londres.

Jonathan miró de reojo a su tío y reprimió una sonrisa. Los dos sabían que no era cierto, pero para desviar la atención de su madre, el muchacho animó a su tío a continuar.

—¿Y cuáles son las ventajas, tío? —preguntó, al tiempo que clavaba su mirada en la despreocupación habitual de su atuendo.

Josiah lo miró con un brillo en los ojos y se rascó la cabeza, desplazando su peluca desaliñada que se deslizó hacia un lado y se quedó torcida, cubriéndole media oreja. Era un hombre directo que decía lo que creía, no soportaba a los tontos y dedicaba poco tiempo a su aspecto. A la edad de cuarenta y cinco años seguía siendo un soltero resuelto. Tampoco era que no le gustaran las mujeres, como había tenido que explicar muchas veces a su exasperada hermana. El problema era que no las entendía y prefería la compañía más sobria de un buen libro o un estudioso.

—A diferencia de las guerras anteriores, fue un conflicto global que se luchó no solo en Europa sino en América, India y las Islas Caribeñas. Con su victoria, Gran Bretaña ha conseguido que el equilibrio estratégico del poder la beneficie considerablemente.

Jonathan miró con cariño la levita anticuada y raída de su tío, con los botones a punto de saltar en la zona de la panza, y tan larga que le llegaba hasta sus tobillos macizos.

—Sé que con la derrota Francia se ha visto forzada a ceder casi todas sus posesiones norteamericanas y gran parte de su territorio en la India a los británicos, pero ¿qué ha pasado con España?

—Hemos demostrado una superioridad naval sin precedentes comparada con nuestros viejos enemigos —bramó Josiah, a la vez que unía las manos detrás de la espalda de forma que quedaba obligado a sacar todavía más su formidable barriga—. Nuestra victoria ha sido tan completa que ahora podemos fijarnos en el Pacífico y en las reivindicaciones de España en toda esa zona.

Josiah se balanceó hacia adelante y hacia atrás, apoyándose en los talones de sus zapatos con hebilla. Sus ojos brillaban de emoción y en la peluca estaba a punto de taparle toda la frente.

—El atractivo de los territorios sureños y las riquezas de la India y de los mares del sur son como imanes para los exploradores, bucaneros y aquellos que buscan la gloria. Estamos viviendo unos tiempos apasionantes, hijo.

Hacía poco que había cumplido los diecisiete, pero Jonathan siempre había sentido mucha curiosidad por el mundo en que vivía, un mundo que no paraba de crecer y que estaba en plena época de exploración e invención. A pesar de haber pasado los últimos cuatro años metido en las aulas sombrías y el entorno adusto de un colegio londinense, era natural de Cornualles y los años formativos que había vivido en su tierra habían infundido en él la pasión por el mar y el deseo de embarcar en un gran buque de vela e ir a descubrir qué había más allá del horizonte. Cómo envidiaba a aquellos bucaneros y cuánto deseaba poder acompañarlos.

Desde la expedición de Marco Polo, la leyenda de *Terra Australis Incognita* y los rumores de un continente austral casi inexplorado de asombrosas riquezas habían estimulado la curiosidad de todo escolar intrépido. Portugal, Holanda, España, Francia e Inglaterra se habían echado a la mar en busca de imperio, comercio y botín, pero los holandeses y los españoles habían sido los primeros en establecer la existencia de semejante tierra.

—Según los que han navegado las orillas occidentales, es un lugar inhóspito —dijo—. Esa opinión también ha sido confirmada por la desgraciada tripulación inglesa del *Triall*, que naufragó en el arrecife frente a las Islas Monte Bello en 1622. Tuvieron que pasar sesenta años antes de que William Dampier pusiera el pie en Nueva Holanda y sobreviviera para contarlo.

Jonathan sonrió y dijo:

—Tampoco le impresionó, o sea que ¿por qué me imagino yo que sería una auténtica aventura ir en busca de la misteriosa Nueva Holanda?

Josiah pasó por alto la mirada de reproche que le lanzó su hermana y dedicó unos instantes a prender su pipa de cerámica. Su rostro rubicundo estaba iluminado de interés, pues no había nada que le estimulara más que una discusión animada con su querido sobrino.

—Los expertos y los geógrafos sostienen que Nueva Holanda se encuentra en las mismas latitudes que las regiones conocidas por su fertilidad y riqueza mineral. ¿Por qué iba a ser distinto? Los marineros solo han visto una parte muy pequeña de lo que parece ser un continente enorme. ¿Quién dice que lo que han contemplado sus ojos sea representativo de lo que hay tierra adentro?

—A la Compañía Holandesa de las Indias Orientales no le interesó fundar una colonia allí, a pesar de los consejos de Jean Purry —recordó Jonathan.

Josiah le dio varias caladas a la pipa, viciando el aire y haciendo caso omiso de los abanicazos frenéticos de su hermana.

—Purry no era explorador —dijo—. Basó sus consejos en lo que había leído acerca de la geografía y el clima. Además, la Compañía de las Indias Orientales ya había colonizado Sudáfrica, un emplazamiento muy útil para hacer escala en la ruta comercial a Indonesia y Batavia.

Jonathan se levantó de la silla y tiró de su chaleco bordado. En su mente, ya navegaba por el océano.

—Ojalá tuviera la posibilidad de explorar los mares del sur.

—Tu deber está aquí —entonó su madre. Lucía unas manchas coloradas en su rostro empolvado e imperioso que nada tenían que ver con un colorete bien aplicado ni con el calor del hogar—. Tu título supone una responsabilidad, Jonathan, y no puedes esperar que sea yo quien lleve la carga de tu herencia durante más tiempo.

Era una discusión familiar por todos, pero carecía de fuerza: la propiedad estaba en manos de Bradlock, un administrador eficiente, y un ejército de criados. Además, a pesar de su apariencia frágil, Clarissa Cadwallader llevaba un estricto control de su hogar.

—¿No te parece que quizá me convenga explorar el mundo más allá de la finca, mamá? —preguntó en voz baja, mirando su reloj de bolsillo. Susan estaría preguntándose dónde se había metido—. Con una buena educación y un buen conocimiento del mundo viene la madurez, y estoy seguro de que ambas cosas mejorarían mi competencia aquí.

La nariz patricia de Clarissa pareció estrecharse y sus ojos pálidos lo miraron sin rastro de afecto.

—Deberías contentarte con el tiempo que has pasado en Londres —dijo finalmente—. Pero veo que todavía no has comprendido las restricciones de tu título y de tu línea de sangre. Y la impropiedad de relacionarte con las clases bajas.

El pecho de Clarissa se hinchó y se encogió bajo las olas de encaje.

Jonathan se sonrojó. Su amor por Susan Penhalligan era otro motivo de discusión entre ellos y parecía que no había forma de ablandar la actitud de su madre. Estaba a punto de contestar cuando interrumpió su tío:

—Hermana, querida —bramó en su tono habitual—, eres demasiado dura. El chico es joven y aún tiene que divertirse. Su afición por las pescadoras decaerá pronto. —Seguramente notó la mirada de aversión de su hermana pero continuó—: De todas formas, a la finca no le va a pasar nada si permites que se escape durante otra temporadita.

Jonathan aguzó los oídos. Hacía tiempo que sospechaba que el motivo de la fugaz visita de su tío no era sencillamente ver a su hermana y ahora sabía que se traía algo entre manos.

Clarissa frunció los labios y arqueó sus cejas minuciosamente depiladas bajo su muy elaborada peluca.

—¿Escaparse? ¿Qué necesidad tiene de escaparse?

Josiah dio unos pasos arrastrando los pies y carraspeó antes de atreverse a mirarla a los ojos:

—Voy a hacerte una proposición, querida —empezó, lanzando una mirada a Jonathan—. Aunque no pueda ofrecerle la emoción y la aventura de zarpar hacia la remota Terra Australis, puedo prometerle una oportunidad irrepetible.

Jonathan se tensó y su imaginación lo transportó lejos de la sala sofocante y la irritación de su madre.

—Hablas en clave —dijo, enojada.

—Como respetado astrónomo y miembro de la Royal Society que soy, me han pedido que me incorpore a la expedición a Tahití para trazar el recorrido de Venus. Me gustaría que Jonathan me acompañara.

Jonathan apenas podía respirar. ¡Tahití! Y la oportunidad de navegar en alta mar sin el estorbo de las restricciones de su vida en Inglaterra era un sueño hecho realidad. Miró el rostro de su madre, deseando con toda su voluntad que diera su consentimiento.

—¿Se supone que es una expedición educativa?

—Sin duda —respondió Josiah, evitando la mirada de su hermana.

—¿Correrá peligro?

La tensión era casi insoportable. Jonathan tuvo que apoyarse en la repisa de la ventana para disimular el temblor de sus piernas mientras su tío describía los detalles del viaje. Su madre era incapaz de entender la importancia de un eclipse lunar, pero la única persona capaz de convencerla de que lo dejara marchar era su tío Josiah.

—Tú quieres que el muchacho adquiera una comprensión madura del lugar que ocupa en el mundo, Clarissa —dijo este—. Mi cometido como tío y tutor del muchacho es asegurarme de que no le pase nada. —Calló un momento para vaciar el contenido de su pipa en la chimenea. Luego continuó—: Durante varios años has permitido que me encargue de su educación y su cuidado. Lo que te pido es que me permitas que siga haciéndolo un tiempo más. Me comprometo a devolvértelo preparado y dispuesto para asumir sus funciones.

Jonathan casi podía adivinar el pensamiento de su madre. Clarissa había enviudado joven y la tarea de criar a su hijo la abrumó. Lo había dejado en manos de varias niñeras hasta que cumplió la edad adecuada para mandarlo a Londres con Josiah. Agradecía tanto la ayuda de su hermano que le costaba negarle lo que le pedía. Además, su madre ya había advertido el amor que sentía su hijo por Susan Penhalligan. Se debatía entre el deseo de pasarle a este la gestión de la finca y la probabilidad de que el tiempo y la distancia consiguieran poner fin a un idilio que ella consideraba indecoroso.

Su mirada se cruzó con la de Jonathan desde el otro lado de la sala. Clarissa Cadwallader había dado un heredero al difunto conde y consideraba que ya había cumplido. No amaba a su hijo; para ella, era una forma de asegurar la línea de sangre y el título, y la persona que se encargaría de la enorme propiedad en cuanto llegara a la mayoría de edad.

Escogió un dulce de la bandeja plateada que había en una mesita a su lado. Con la delicadeza de una dama de alcurnia, comenzó mordisqueando los lados y se limpió la boca con una servilleta antes de hablar:

—Comprendo las ventajas, hermano, pero el gasto de un viaje tan largo...

La muerte del conde había revelado numerosas deudas de juego por las que el patrimonio había sufrido mucho.

—De eso me encargo yo, hermana —declaró Josiah—. Deduzco, pues, que tenemos tu consentimiento.

Jonathan se puso de pie. El pulso le retumbaba en los oídos. Observó a su madre, que había seleccionado otro dulce y lo estaba mordisqueando. Su impaciencia era tan grande que le entraron ganas de ir hasta el otro lado de la sala y arrancárselo, pero ella era muy consciente del rol principal que desempeñaba en todo ese pequeño drama y estaba empeñada en disfrutarlo al máximo.

Acabó el confite y asintió con la cabeza.

—Sí, pero a su regreso tendrá que encargarse completamente del patrimonio de su padre y encontrar una esposa apropiada que aporte una dote generosa.

Jonathan sabía a la perfección a qué se refería, pero no quiso morder el anzuelo. Era una batalla que lucharía cuando volviera. Susan era el amor de su vida, su único amor, y nada de lo que dijera o hiciera su madre iba a cambiarlo.

—Así que ya está decidido.

Josiah abrazó con tanta fuerza a su sobrino que lo dejó sin aliento.

Jonathan miró a su madre por encima del hombro sólido de su tío, pero estaba demasiado absorta en la bandeja de dulces.

—¿Cuándo zarpamos? —preguntó con un jadeo.

—En cuanto la Royal Society decida quién va a encabezar la expedición —respondió su tío—. Sin embargo, mañana debemos partir hacia Londres para prepararlo todo. Tenemos muchas cosas que hacer. —Soltó a su sobrino y dio un paso hacia atrás, mirando a Jonathan con una expresión burlona, y a la vez comprensiva—. Ve, hijo —concedió en voz baja—. Ya hablaremos esta noche.

«La gente como él no se casa con gente como nosotros y eres boba si piensas lo contrario.»

Susan Penhalligan se desvió de la callejuela adoquinada y empinada y comenzó a subir la pendiente que llevaba del pueblo de Mousehole a la cima del acantilado, pasando por las altas hierbas que crecían por el camino. Las palabras de su madre resonaban en sus oídos y aunque intentó acallarlas, no se fueron.

—No lo entiende —jadeó, al tiempo que salvaba la parte más escarpada del camino—. Nadie lo entiende, pero un día demostraremos que todos están equivocados.

Llegó a la cima y se detuvo, permitiendo que el viento apartara los cabellos de su rostro y le revolviera la falda mientras recobraba el aliento. Quedaba un trecho y Jonathan ya debía de estar esperando. Respiró hondo, agradeciendo el aire salado. Todo era tan limpio y fresco allí arriba, lejos del hedor a pescado, y nunca se cansaba de escaparse de la casa estrecha donde vivía y del muelle bullicioso para dejarse vigorizar por el silencio y la majestuosidad de la vista que se abría a sus pies.

Mousehole parecía un pueblo en miniatura con sus casitas apiñadas al lado del precipicio, protegido del mar por un muelle de piedra y una playa estrecha. Los barcos pesqueros permanecían anclados en las aguas menos profundas del puerto con las redes extendidas para secarse, las langosteras apiladas y listas para salir a faenar el lunes por la mañana. El ahumadero y los barriles de arenques estaban vacíos durante el día de descanso, pero el siguiente, el muelle se llenaría de los gritos de los pescadores y pescadoras que luchaban para ganarse la vida.

Susan se envolvió los hombros con el chal andrajoso que llevaba y metió las puntas dentro de la pretina. Luego comenzó a caminar, descalza, por las colinas. El canesú le iba un poco ajustado y la falda apenas le llegaba a los tobillos, pero era su traje de domingo y se había esmerado en lavarlo y arreglarlo. Con el poco dinero que entraba en casa, tendría que esperar antes de poder permitirse un traje nuevo, aunque con dieciséis años, toda la ropa se le había quedado pequeña. Pero no importaba. Hoy no importaba nada salvo su reunión con Jonathan.

La cueva era su escondite especial. Llevaban años jugando en ella, desde que eran niños. Se encontraba en la base de los acantilados, detrás de unas rocas caídas que casi la tapaban. La única forma de acceder a ella consistía en descender por una pendiente peligrosamente escarpada, pero la familiaridad dio alas a sus pies descalzos mientras bajaba y se deslizaba por el poco frecuentado sendero.

Susan se detuvo unos instantes para sacudirse el polvo de la ropa y arreglarse el pelo. No había rastro del caballo de Jonathan así que tenía algo de tiempo para prepararse antes de su llegada. Se abrió camino cuidadosamente entre las rocas y los charcos y entró en la oscuridad fría de la cueva. La marea estaba baja y eso no cambiaría hasta dentro de una hora, así que estarían seguros.

La cueva se extendía hasta el seno del acantilado. El techo era tan alto como el de una iglesia y las paredes sólidas estaban cubiertas de líquenes y manchas de color granate y ocre de los minerales que se extraían de la zona de Newlyn y Mousehole. Susan encendió la vela que había traído consigo, dejó caer unas gotas de cera fundida encima de una repisa y la clavó. Después se sentó a esperar.

Con el corazón latiendo descontroladamente, Jonathan maneó su montura y se deslizó por el camino del acantilado hacia la cueva. Entonces la vio: su esbelta figura perfilada contra la oscuridad, los cabellos claros enmarcando su rostro y cayéndole por los hombros casi hasta la altura de su delgado talle. Era tan hermosa.

—Creí que nunca iba a poder escaparme —dijo con la voz entrecortada—, pero tengo tantas cosas que contarte que no sé ni por dónde empezar.

—Entonces no te hará ningún daño guardarlas para ti un ratito más —susurró Susan, alzando la vista y sonriendo—. Todavía no me has besado.

Jonathan le cogió las manos y miró aquellos ojos que parecían encerrar los humores cambiantes del mar. Desde el verde más profundo hasta el azul más cristalino, le hablaban de una forma que jamás alcanzarían las palabras. La atrajo hacia sí hasta que notó el latido de su corazón contra el pecho y cuando ella levantó el rostro, capturó sus labios con un beso con el que esperaba transmitir la intensidad de su amor.

Tardaron unos momentos en separarse para recobrar el aliento y mirarse maravillados, sin apenas atreverse a creer en la fuerza de sus sentimientos.

—¿Cómo pueden decir que no estamos hechos el uno para el otro? —suspiró Jonathan.

Susan apretó la cara contra la palma de la mano del chico y él la acarició.

—No tienen ni idea —respondió, y al sonreír, se le dibujaron hoyuelos en las mejillas y sus ojos pasaron a reflejar un azul oscuro—. Pero no vayamos a estropear este momento pensando en ellos. Bésame otra vez, Jon.

Deslizó sus dedos entre los oscuros cabellos de su amado.

Esta vez, él la abrazó con fuerza y la besó profundamente, ansiando hacerle el amor, aunque sabía que no sería justo. Susan no era una fulana barata sino la chica con la que deseaba casarse algún día. Su amor era perfecto, y para que continuara así, sería preciso obtener la aprobación de sus padres. Pero un día lograrían superar esos prejuicios nimios y demostrarían al mundo entero que estaban destinados a permanecer juntos para siempre.

Susan se sentó a su lado en una roca lisa a la entrada de la cueva y él le habló del viaje a Tahití. Nunca había oído mencionar la isla, pero comprendió que estaba al otro lado del mundo y que tardaría mucho en llegar. También comprendió que la travesía supondría correr ciertos riesgos, entre ellos la muerte. Lo miró detenidamente mientras hablaba y observó su emoción. Se dio cuenta de que, por mucho que la amara, ella jamás podría retenerlo hasta que hubiera saciado su sed de aventuras. La vida en Cornualles junto a ella iba a parecerle insulsa después de un viaje semejante y Susan temía perderlo.

Jonathan pareció percibir su inquietud, pues la abrazó de nuevo y la besó.

—Volveré por ti, Susan —murmuró—. Te lo prometo.

Se apoyó en él, deseando creerlo. Sus palabras eran sinceras, no le cabía ninguna duda, pero ¿seguirían siendo tan sinceras tras probar las emociones que siempre había anhelado? Se apartó de él y lo escudriñó. Con aquellos cabellos oscuros y sus ojos azules, era un chico apuesto, a pesar de la marca de nacimiento rojiza en forma de lágrima que tenía en la sien. Jonathan le había dicho que en cada generación de la familia Cadwallader, nacía un niño con idéntica marca en algún lugar del cuerpo y que él apenas la notaba. Para ella, era una parte preciada más del hombre que amaba y la besó.

Lo miró a los ojos y recordó el niño que había venido a su casa con una criada a jugar con ella entre las redes y las langosteras. Luego vio el chico de once años que se quitaba esas ropas tan formales y rígidas para poder caminar por el agua junto al resto de los vecinos del pueblo cuando avistaron los enormes bancos de sardinas que venían hacia la orilla. Y recordó también esa mañana tan especial hacía apenas un año cuando se habían dado cuenta de que eran algo más que amigos, que el cariño de su infancia se había convertido en algo infinitamente más apasionado.

—¿Cuándo te marcharás?

—He de volver a Londres mañana —dijo, rodeándole la cintura con el brazo—. Tenemos que hacer los preparativos —Jonathan alzó su barbilla con un dedo y la miró a los ojos—: Pero te he enseñado a leer y escribir, así que podremos comunicarnos, al menos hasta que zarpemos.

Susan asintió con la cabeza, incapaz de decir ni una sola palabra. Sus conocimientos eran muy básicos y sus cartas no serían capaces de paliar su ausencia.

La marea había cambiado; el mar avanzaba rápidamente por la playa y ya lamía las rocas. El sol estaba a punto de ponerse y las rocas y el agua se teñían de un precioso color dorado. Había llegado la hora de abandonar la cueva y volver a sus vidas tan dispares. Jonathan ensilló su caballo y le ofreció la mano:

—Monta conmigo.

Susan colocó el pie sobre su bota polvorienta, su mano en la de él. Jonathan la levantó y la ayudó a sentarse a su espalda. Abrazándole la cintura con fuerza, la joven tuvo que contener las lágrimas. Guardaría este recuerdo en el corazón hasta su regreso.

2

Plymouth, agosto de 1768

Jonathan se asomó por encima de la barandilla del buque, apenas capaz de contenerse mientras observaba el ajetreo del muelle y los pasajeros que embarcaban con su equipaje, enormes baúles y maletas llenas de instrumentos. Reconoció al botánico Joseph Banks y al naturalista Daniel Solander. Todavía le costaba creer que estuviera allí, aunque el ruido que procedía del muelle y el crujido de las tablazones bajo sus pies le confirmaban que era cierto.

Habían zarpado de Deptford el 30 de julio y habían llegado a Plymouth trece días después para recoger al resto del grupo de científicos que iba a trazar el tránsito de Venus por delante del sol. Después de mirar el reloj de bolsillo ornamentado que llevaba siempre consigo desde la muerte de su padre, metió su sombrero de tres picos bajo el brazo y se preguntó cuánto iba a tardar todo el proceso de embarque. Ya llevaban cinco días en Plymouth y daba la impresión de que el torrente de cosas que subían a bordo no tenía fin.

Alzó el rostro hacia el sol y cerró los ojos, respirando el olor salobre del mar y escuchando los chillidos de las gaviotas. La paciencia estaba muy bien, pero le costaba mucho apaciguar las palpitaciones de su corazón y la inquietud que sentía en los pies. Abrió los ojos y contempló las verdes colinas del sur de Inglaterra sin poder evitar preguntarse cuándo volvería a ver el paisaje de Cornualles y a Susan. No había tenido la oportunidad de ir a casa desde el día de la cueva, y ella aún no se atrevía a escribirle más que algunas palabras. Cómo le gustaría estar aquí, pensó. Trató de no darle más vueltas. Su amor resistiría la prueba del tiempo, de eso estaba seguro, y aunque la iba a echar de menos, era su obligación centrar todas sus energías en esta aventura. Se volvió de nuevo para observar el bullicio del muelle y captar todos los detalles del entorno.

No era ni mucho menos el más imponente de los buques que había visto, y Jonathan se sintió desilusionado al observarlo por vez primera en Deptford. Sin embargo, tras dar la lata a los oficiales con sus preguntas, interrogar a su tío y explorar el buque de proa a popa, llegó a la conclusión de que era sobradamente adecuado para la travesía que los aguardaba.

El Almirantazgo británico había comprado el *Earl of Pembroke* para la expedición. Era un barco carbonero, pequeño y fuerte, construido en Whitby y acondicionado en los astilleros navales de Deptford con tablazones ligeras adicionales y camarotes para los pasajeros prestigiosos. Además, había sido rebautizado con un nuevo nombre: el *Endeavour*.

—Es un buque más que aceptable.

La voz ronca irrumpió en sus pensamientos y Jonathan se volvió para mirar a su tío.

—Justo estaba pensando lo mismo —dijo, contemplando el atuendo de este.

El muchacho llevaba una camisa y unos calzones blancos, había limpiado sus zapatos de hebilla y lucía un pañuelo inmaculado encima de su chaleco bordado y abrochado. Había recogido sus cabellos largos, prescindiendo de una peluca para poder sentir el viento en el cuero cabelludo. Disimuló una sonrisa al observar cómo su tío tiraba de la crin empolvada que amenazaba con dejarle en ridículo. Más habituado a estudiar el sistema solar o a perderse en los libros de su enorme biblioteca, su tío no sabía alternar en sociedad. No obstante, su carácter esquivo no le había impedido avanzar con sus estudios ni había disminuido el gran concepto que de él tenía la Royal Society en su papel de miembro destacado.

Josiah abandonó la lucha con su molesta peluca y la guardó en el amplio bolsillo de su abrigo. Luego dirigió una agresiva mirada al hombre alto y moreno encargado de supervisar las provisiones.

—Esperemos que nuestro nuevo teniente resulte ser tan fiable como el barco —comentó.

Jonathan sabía que lo mejor que podía hacer era guardar silencio. La decisión del Almirantazgo de proclamar comandante de la expedición al teniente James Cook había provocado un debate violento entre los miembros de la Royal Society y su tío aún opinaba que Augustus Dalrymple era el único hombre con la experiencia necesaria para encabezar semejante empresa.

—Es una vergüenza —gruñó, mientras tiraba del dobladillo de su chaleco largo y hacía saltar otro botón—. Aunque la Royal Society haya financiado el viaje, el Almirantazgo no quiere que contemos con Dalrymple. ¿Por qué Cook? Ese hombre es un don nadie. ¿Qué va a saber el hijo de un granjero de Yorkshire acerca de la astronomía o, lo que es más importante, del mar?

Jonathan sabía que su tío no esperaba que respondiera y jamás iba a aceptar que el Almirantazgo hubiese nombrado a Cook antes que a Dalrymple, por mucho que dieran vueltas al tema. Este último se había ofendido, y se había negado a formar parte de la expedición una vez se juzgó definitiva la decisión del Almirantazgo, con lo que el debate, desde el punto de vista de Jonathan, había llegado a su fin de una vez por todas.

A raíz de sus propias indagaciones había descubierto que, a pesar de carecer de contactos importantes y de proceder de una familia humilde, la destreza de Cook en alta mar lo había hecho famoso durante la Guerra de los Siete Años. Había trazado el mapa del río de San Lorenzo en Canadá y había dirigido la expedición de Wolfe en la que acabaron arrebatando Quebec a los franceses, de modo que era obvio que se trataba de un marino competente y experimentado.

Jonathan permaneció de pie al lado de su tío y observó cómo el sobrio teniente daba órdenes a la tripulación y a los pasajeros con un aire de autoridad que sugería una confianza absoluta en sus propias capacidades. Se dijo que James Cook iba a ser un comandante formidable, aunque seguía deseando que las cosas se aceleraran un poco y pudieran zarpar de una vez antes de que cambiara de nuevo la marea.

Waymbuurr (Cooktown, Australia), diciembre de 1768

La playa en forma de media luna se encontraba entre los brazos protectores de dos acantilados boscosos donde crecían las mismas palmas pandanáceas y helechos exuberantes que cubrían la bahía por completo y bordeaban toda la costa septentrional. Más allá estaban los cazaderos, las extensiones de pastos lozanos que quemaban regularmente para estimular una nueva vegetación capaz de atraer a los animales que venían a pastar cada año. Los árboles eran más finos en esa zona, de corteza pálida y hojas plateadas, pero sus ramas no solo daban cobijo a las aves, sino también a los koalas y possums cuya carne era una auténtica delicia. Era el hogar de los Ngandyandyi, y estos habían sido sus guardianes desde que sus antepasados recorrieron la tierra.

Anabarru estaba en cuclillas a la orilla del mar, esperando que bajara la marea para poder recoger los crustáceos que se agarraban a las rocas. Solo un estrecho cinturón de cabellos trenzados, un collar de conchas y un fino hueso que le atravesaba la nariz adornaban su cuerpo desnudo. Con quince años, ya había sido iniciada y su piel negra como el ébano lucía las decoraciones de las cicatrices profundas y las laceraciones de las ceremonias. Llevaba dos años casada con Watpipa, el hijo mayor de uno de los Ancianos, y eso quería decir que sus hijos serían descendientes directos del gran antepasado Djanay, cuyo sabio y exitoso liderazgo se recordaba en las paredes de las cuevas sagradas.

Estaba satisfecha con su vida. Miró el carro de fuego de la Diosa Sol, que pronto iba a completar su recorrido por el cielo, y pensó en el banquete de la noche. La playa estaba tan desierta como el agua y los invasores no habían profanado la tranquilidad y la belleza atemporal de su entorno. Su familia vivía en paz ahora que había acordado una tregua con el pueblo Lagarto, morador de unas tierras lindantes con las suyas, y hacía generaciones que nadie había vuelto a ver a aquellos recolectores de conchas y pescadores de piel blanca que en su extraño barco alcanzaron estas orillas muchos años atrás procedentes del norte. En los *corroboree*s se hablaba de unos hombres fantasmales que habían aparecido en el norte y suroeste del país. Los rumores describían unas inmensas canoas con alas blancas naufragadas cerca de las rocas, pero nadie podía afirmar haberlas visto, así que la mayoría aceptaba que formaban parte de un mito.

Anabarru miró el horizonte y dejó flotar sus pensamientos mientras las olas lamían la arena bajo sus pies. Cuando vio que el sol estaba a punto de desaparecer detrás de unos árboles y que los pájaros revoloteaban sobre sus copas en busca de una buena rama donde dormir, se estremeció. No tenía frío. Era una extraña sensación de inquietud y no supo cómo interpretarla.

Oteó la playa y la penumbra cada vez más oscura de la selva que tenía a su espalda. No veía a nadie, aunque era extraño que no hubiera niños jugando en la arena ni hombres arponeando peces desde sus canoas. Se irguió de espaldas al mar y contempló la puesta de sol con los ojos entrecerrados. Las sombras se habían alargado, pero no veía ningún movimiento, ningún rastro de su familia.

Cuando oyó las voces y las risas de los suyos al otro lado de los árboles, reconoció que se estaba comportando como una boba. Le tranquilizaba saber que su familia se encontraba cerca, así que cogió a su hija en brazos y la acomodó en su cadera. Birranulu se agarró a ella. Había cumplido un año y su sonrisa alegró el corazón de su madre. Anabarru le dio un beso y se metió en el agua. Estaba fría y refrescaba su piel; la niña reía encantada cada vez que las olas salpicaban sus piernas y subían hasta su tripa.

Mientras el sol empezaba a rayar el cielo de vetas naranjas y rojas de fuego, Anabarru volvió a dejar a su hija en la arena y le dio unas conchas para distraerla mientras iba a recoger moluscos. Armada con una herramienta de cortar hecha de piedra y una bolsa de juncos trenzados colgando de la muñeca, se acercó a los charcos que la marea había dejado entre las rocas y comenzó a arrancar los mejillones negros y brillantes. Mientras llenaba la bolsa se decía que pronto llegaría la estación de las ostras y podría recoger piedrecitas blancas para hacerle un collar a Birranulu.

Regresó a la playa y cantó a su hija soñolienta. Estaba a punto de agacharse para coger a la pequeña cuando una mano le tapó la boca y otra la levantó de la arena.

Intentó gritar, pero la mano le apretaba la boca con fuerza y el brazo le oprimía el pecho. Mientras su secuestrador corría por la arena hacia los árboles, Anabarru forcejeó, dando golpes y patadas, tirándole de los pelos, intentando meterle los dedos en los ojos. Pero tanto él como su propósito eran demasiado fuertes para ella y Anabarru debía luchar no solo contra el hombre, sino contra el terror que la paralizaba.

La llevó hasta las sombras oscuras de los árboles donde ella sabía que si conseguía gritar, la oirían, pues estaban cerca de su familia, a tiro de sus lanzas. Siguió forcejeando mientras sorteaban los árboles y enormes helechos que medían más que un hombre. Entonces oyó el gemido de su hija y aumentó su esperanza: quizá ahora Watpipa se extrañara y acudiera a salvarla.

Al oír los gritos de Birranulu, que resonaban entre los árboles, Anabarru multiplicó sus esfuerzos por escaparse y trató de desequilibrar a su secuestrador dando patadas a los troncos cercanos y agarrándose a las ramas. Aquella mano sofocó sus gritos y los oídos le zumbaban con el sonido apagado de estos en su garganta mientras intentaba desesperadamente respirar a través de sus dedos cerrados.

De repente el hombre apartó la mano. Antes de que pudiera aspirar el aire necesario para gritar, Anabarru recibió un violento puñetazo en la cabeza y el mundo se volvió negro.

Anabarru lo miró a través de las pestañas mientras la violaba una vez más. Su tacto y su olor le ponían los pelos de punta, pero sabía que si se resistía, iba a recibir otra paliza, si no la mataba esta vez. A pesar del terror que sentía tras haberse dado cuenta de quién era, adoptó una actitud sumisa y se concentró en encontrar una forma de salir de allí.

Era un miembro del pueblo Lagarto. Lucía las cicatrices tribales de iniciación en su rostro y en su cuerpo, y al verle tan seguro de su poder sobre ella, Anabarru imaginó que se la había llevado a sus tierras. Luchó por contener el pánico que sentía. El pueblo Lagarto tenía fama de comer carne humana y si no conseguía escaparse, sabía que iba a morir en cuanto se hubiera cansado de ella.

Apretó los dientes y pensó en su familia. Watpipa era el mejor rastreador del clan. No podía estar muy lejos. Pero ¿se atrevería a desobedecer las leyes sagradas y adentrarse en el territorio de los Lagartos? Debía confiar en que lo haría, debía confiar en que sería lo bastante importante para él.

Desvió la mirada del hombre que tenía encima y, con los ojos entrecerrados, intentó ubicarse. Advirtió que la había arrastrado hasta el fondo de una cueva. Los rayos de sol en la entrada eran finos y tenues, pero brillaban de forma extraña en las paredes rocosas, como si la luz estuviera atrapada en su interior. Sin embargo, había suficiente claridad para distinguir las pinturas en el techo bajo y los restos de huesos y cenizas en el suelo de piedra.

Apartó la vista rápidamente. No podía contar con Watpipa. Tenía que encontrar la forma de escapar por sí sola. También debía mantener la calma si no quería morir ahí mismo entre los restos de los muertos y los espíritus malvados que moraban la cueva. Anabarru miró de nuevo la cara de su torturador, que seguía hundiéndose una y otra vez en su interior, desgarrándola por dentro. Sabía que para salir viva de ahí tendría que matarlo. Pero antes necesitaba encontrar un arma.

Empezó a escarbar con los dedos. Cada vez que tocaba algún pedazo de carne podrida, un escalofrío recorría todo su cuerpo. El suelo de la caverna estaba cubierto de ramitas rotas y hojas secas, pero con eso no iba a hacer nada y se desesperó. De repente encontró un objeto duro, frío y áspero.

Notó el ritmo cada vez más acelerado de la lujuria del lagarto y agarró la roca con firmeza. No le quedaba mucho para terminar. Tenía que actuar con rapidez.

La roca le llenaba la palma de la mano. La apretó y, respirando hondo, reunió todas las fuerzas que le quedaban. Entonces, con un tremendo golpe, le abrió la sien.

Él gruñó, se quedó inmóvil y los ojos se le pusieron en blanco.

A Anabarru le latía el corazón con fuerza y el sudor casi la cegó al darse cuenta de que solo había conseguido dejarlo sin sentido, de manera que asió la roca con más fuerza aún y lo golpeó de nuevo en la cabeza. El terror que sentía le proporcionó la fuerza de un hombre y la roca atravesó la piel y el cráneo, dejándole un agujero del tamaño de un puño en la sien.

Contuvo la respiración. El hombre permaneció encima de ella durante un rato que le pareció una eternidad. Estaba a punto de darle una vez más cuando finalmente se encorvó y se desplomó sobre ella, aplastándola. Exhaló el último suspiro y Anabarru notó su aliento apestoso en la cara. Dejó de moverse por completo.

Se lo sacó de encima y se apartó de él con la roca todavía alzada por si tuviera que usarla de nuevo. Retrocedió buscando el consuelo de las paredes sólidas y la oscuridad. Le dolía todo el cuerpo y su estómago se rebeló, pero siguió buscando señales de vida, por si acaso. Debía asegurarse de que no vendría por ella, pues no tenía fuerzas para echar a correr.

Tardó un buen rato en armarse del valor necesario para acercarse a él y tocarlo con el pie. El lagarto ni se movió ni abrió los ojos. Salía un chorro de sangre de la herida en su cabeza, y descendía por su rostro feo y cicatrizado hasta formar un charco rojo en el suelo.

Sin soltar la roca, salió tambaleándose de la cueva y se sumergió en el sofocante calor del día. Se deslizó por el afloramiento rocoso hasta llegar al fondo del valle, donde cayó desplomada entre la hierba. Se sentía como si tuviera la cabeza llena de plumas y estaba sedienta. No había bebido nada desde el día anterior y los oídos aún le zumbaban por la paliza que había recibido. Miró sus piernas. Seguían temblando como consecuencia de lo que había pasado en la cueva y reparó en unas manchas secas de sangre. Tenía más en el resto del cuerpo y se estremeció solo de pensar que la sangre era de él.

Anabarru gimió. Estaba muy dolorida y lo único que deseaba era dormir, pero todavía se encontraba en territorio de los Lagarto, y por lo tanto estaba en peligro. Debía huir. Aferró la roca que se había convertido en el símbolo de su libertad y fue cojeando por la hierba hasta alcanzar la relativa seguridad de los árboles.

No le costó desandar el camino que había seguido el lagarto y después de caminar varios kilómetros a través de la espesa maleza, cayó de rodillas al lado de un arroyo y bebió. Cogió una hoja ancha y plana de un arbusto cercano y se limpió, estremeciéndose cada vez que la savia curativa penetraba en sus rasguños y heridas. Solo pensar que podía llevar su descendencia le daba ganas de devolver y después de curarse las magulladuras y lavarse de su hedor, fue a buscar las plantas especiales que adelantarían la sangre de la luna, matando cualquier nueva forma de vida que pudiera llevar dentro.

Le llevó más tiempo del que hubiera imaginado. Sabía que todavía no estaba a salvo de los Lagarto, así que avanzó con el oído aguzado, alerta a cualquier sonido extraño procedente de entre los árboles. El camino la condujo hacia el este y, a pesar de la cojera, Anabarru realizó un esfuerzo sobrehumano por llegar a sus tierras y a su familia, que se había establecido en el camino del sol naciente.

No se fijó en los reflejos centelleantes ni en las vetas amarillentas que recorrían la superficie áspera de la roca. Y aunque lo hubiera hecho, no habría sabido qué era ni cómo apreciar su valor. Para Anabarru era la roca que le acababa de salvar la vida, no una enorme pepita de oro que llevaría la destrucción a las futuras generaciones de su pueblo.

Por fin salió tambaleándose de la selva y alcanzó los cazaderos seguros de la tribu. La alta hierba resultaba agradablemente refrescante debido al rocío nocturno, sin embargo, cuando salió el sol el calor se tornó tan intenso que la cabeza empezó a darle vueltas y todo se volvió borroso. Aún se encontraba lejos del campamento, pero ya no podía seguir. Con la roca todavía en la mano, buscó cobijo bajo un arbusto y cerró los ojos. Necesitaba descansar un poco antes de seguir.

Cuando los abrió, estaba rodeada de rostros conocidos. Lavaban sus heridas y moratones con agua fresca y los trataban con hojas curativas. Solo oía palabras de consuelo.

—¿Cómo he llegado hasta aquí? —susurró.

—Watpipa iba a la cabeza de la cacería. Te encontró y te trajo a casa hace dos lunas —le dijo la primera esposa, masajeándole las piernas—. Ahora duerme.

Perdió toda noción del tiempo y entró y salió de la oscuridad acogedora, pero finalmente percibió un cambio en las voces que la rodeaban. Ya no se oían palabras suaves y tranquilizadoras sino los tonos discordantes de una discusión. Abrió los ojos y se incorporó.

—¿Dónde está Birranulu? —preguntó asustada.

—Con las otras mujeres —respondió la esposa mayor.

—Necesito verla.

La esposa mayor ordenó a las demás que se marcharan. Después movió la cabeza con tristeza:

—Ahora que te has recuperado debes abandonar el campamento. No puedes entrar en contacto con la niña ni con Watpipa hasta que te hayas purificado.

Anabarru la miró perpleja. De repente comprendió la horrible realidad.

—Llevo la semilla del lagarto.

—Debes irte hoy mismo.

Las dos mujeres se miraron en silencio durante un buen rato mientras asimilaban lo que estaba pasando. Entonces Anabarru asintió con la cabeza. Formaba parte de las leyes tribales. Si no se libraba de la descendencia ajena, iba a contaminarlos a todos. Se levantó lenta y dolorosamente.

—Vendré a la cueva de alumbramiento a ayudarte cuando llegue la hora —dijo la esposa mayor—. ¿Ya sabes lo que debemos hacer antes de que puedas volver con nosotros?

Anabarru asintió de nuevo con la cabeza. Al pensar que iba a ser expulsada cuando en realidad era inocente y recordar que la aguardaban muchas lunas lejos de la seguridad del campamento y de su familia, le entraron ganas de suplicarle que le permitieran quedarse.

Pero sabía que sus palabras serían desoídas. El sagrado *mardayin* era inmutable.

Observó cómo la anciana se alejaba del refugio de ramas y hierbas que habían construido para que no estuviera a la vista del resto de la tribu y supo que no volvería a verla hasta que empezaran los dolores. Contempló de nuevo la roca que había salvado su vida y la guardó en el interior de la bolsa de juncos que le había dejado la esposa mayor. Estaba repleta de pescado y bayas para aliviar sus primeros días de soledad y Anabarru se lo agradeció. Todavía se sentía débil y carecía de fuerzas para cazar y pescar.

El sol daba de pleno encima de los árboles, creando unas sombras moteadas en el suelo de la selva y haciendo resplandecer las hojas de los eucaliptos. Anabarru oía los ruidos distantes del campamento, que estaba al otro lado de la selva, lejos de la vista. Apesadumbrada, cogió su bastón de escarbar y una lanza delgada y emprendió su viaje al destierro.

3

Tahití, abril de 1769

El *Endeavour* ya llevaba casi nueve meses en alta mar y aunque algunos de los tripulantes cayeron enfermos, Cook había ordenado que ingirieran cítricos y vinagre con regularidad y ninguno de ellos padeció el temible escorbuto.

Jonathan había disfrutado de las aguas tormentosas del Cabo de Hornos. Había sido uno de los pocos pasajeros que, a pesar de los cabeceos del buque y de la espuma congelada del agua, osaron salir a cubierta para ver cómo la brumosa silueta del golfo pasaba a estribor. A su tío Josiah no le había ido tan bien: llevaba la mayor parte de la travesía acostado en su camarote, demasiado mareado para moverse. Solo empezó a sentirse mejor cuando alcanzaron las tranquilas aguas de color turquesa cerca de Tahití y pudieron embarcar provisiones frescas de fruta, agua dulce, pescado y carne. En poco tiempo recuperó tanto la salud como su habitual franqueza.

Para Jonathan, Tahití fue toda una revelación. Nunca hubiese imaginado que pudiera existir semejante lugar. Mientras un grupo de delfines acompañaba al *Endeavour* hasta la costa, se fijó en las palmeras encorvadas sobre la arena blanca y las aves de todos los colores imaginables que revoloteaban entre ellos. De repente aparecieron en la playa decenas de nativos con la piel de color bronce. Cuando el *Endeavour* echó anclas, se lanzaron al agua y nadaron hasta el buque. Los acompañaban unas canoas estrechas con decoraciones exóticas, que unos hombres sonrientes y bien formados, desnudos excepto por unas faldas de paja, impulsaban a remo.

El buque entero se contagió de una gran alegría y algunos de los tripulantes subieron hasta lo alto del aparejo para obtener una mejor vista. Los pasajeros se acercaron a las barandas desde donde llamaron y saludaron a los nativos, que a su vez les devolvieron el saludo. Jonathan miró boquiabierto cómo subían a bordo y se hacían con la cubierta. Las mujeres llevaban el pecho descubierto y estaban casi desnudas, haciendo ostentación de su desvergüenza.

El muchacho se sonrojó como un tomate cuando una belleza de piel dorada colocó alrededor de su cuello una guirnalda de flores exóticas. Su piel relucía por el agua y su negra melena le caía por la cintura hasta la minúscula falda de paja que remarcaba la esbeltez de sus caderas. Le sonrió y Jonathan se fijó en sus ojos almendrados y sus pestañas rociadas de gotas que parecían diamantes. Los pechos de ella casi le rozaban la camisa.

—Gracias —tartamudeó, sin saber hacia dónde mirar.

—Ven tú con mí —dijo la chica, lanzándole una sonrisa tímida y acariciándole el brazo.

—De eso nada, jovencito —intervino Josiah, apartando con suavidad a la chica y llevándose a Jonathan—. Solo te van a traer problemas.

—Pero si es preciosa.

No podía dejar de mirarla y ella seguía sonriendo por encima del hombro.

—Así es —reconoció su tío—, pero seguramente tenga sífilis. No te busques problemas, hijo, si me permites que te aconseje.

Jonathan volvió a sonrojarse. Observaba la forma tentadora en que meneaba las caderas bajo la falda de paja y la ondulación de sus magníficos pechos cuando se movía entre los pasajeros, sorteando con destreza las manos exploradoras, fisgonas y voraces de los marineros. Hacía mucho que no experimentaba los placeres de una chica y advirtió un latido familiar en la ingle. No podía ser que una chica tan joven y bella estuviera contagiada.

Una mano firme se posó sobre su hombro y su tío rio:

—Ya sé que estamos lejos de casa, hijo, y que un joven tiene sus necesidades, pero sería prudente que renunciaras a los placeres de esta isla, por muy tentadores que parezcan. Todos los buques son recibidos de la misma manera y los nativos no dudan en vender a sus esposas e hijas a cambio de un trago de ron.

Jonathan permaneció al lado de su tío y contempló cómo los nativos continuaban subiendo a bordo con sus ofrendas de flores y fruta. Hablaban un idioma incomprensible, una especie de inglés rudimentario que chillaban con la misma alegría que los loros. Los hombres eran esbeltos; de brazos musculosos y piel lustrosa. La mayoría de las mujeres eran jóvenes y deseables, con sus oscuras melenas y sus cuerpos semidesnudos. Los marineros no paraban de dar empujones y codazos para acercarse a ellas.

—Me parece que Cook lo va a tener muy crudo —mascullló Josiah—. A este paso, la tripulación dejará el buque sin hierro en un santiamén.

Jonathan apartó la mirada de las chicas y la fijó en su tío, perplejo.

—¿Y por qué iban a hacer algo así? —preguntó.

—Para pagar los favores —contestó este, rechazando con un gesto de la mano unos cocos que le ofrecía una muchacha de ojos negros con la piel de color miel—. Aquí las mujeres se pueden comprar con tuercas, roscas, clavos y pestillos, y si Cook no está al tanto, nos vamos a encontrar en el mismo apuro que Wallis hace casi dos años. El *Dolphin* quedó prácticamente en pedazos y por poco no logran zarpar.

Jonathan escuchaba las palabras de su tío, pero le resultaba complicado no fijarse en la chica que le sonreía, y en el oscuro pezón asomando bajo la larga cabellera que caía de forma seductora por encima de sus pechos. Era exótica, hermosa y tentadora, pero Josiah tenía razón: no era para él. Se desenredó suavemente de sus brazos y cuando ella se alejó por fin, Jonathan la observó, procurando pensar en Susan y en las promesas que se habían hecho. Por muy lejos que estuviera de casa y de la chica que amaba, estaba resuelto a no traicionarla.

Durante los diez días siguientes, Lianni lo persiguió sin tregua y tanta persistencia acabó agotando la resolución de Jonathan, que se descubrió pensando en ella a todas horas. Cuando finalmente se rindió a sus encantos, sintió un profundo desprecio por su propia debilidad. Susan era su amor, pero Lianni lo había atrapado con un hechizo que era incapaz de romper.

A lo largo de los siguientes tres meses, Jonathan luchó con su conciencia, pero le costaba muy poco hallar una excusa que le permitiera alejarse del resto del grupo para acudir al encuentro de Lianni. Cuando vivía en Londres, sus devaneos habían sido más bien furtivos: revolcones torpes y desahogos rápidos con chicas casi tan inexpertas como él. Pero aquí, en Tahití, se sentía lejos de las restricciones de la Inglaterra georgiana, y la cópula no solo formaba parte de la vida cotidiana sino que se fomentaba. Era un regalo que se entregaba de buena gana y aunque Jonathan se sentía culpable por su debilidad, a ella no le producía ninguna vergüenza.

Lianni tenía la piel suave como la seda y perfumada con aceites extraídos de las flores tropicales que crecían en abundancia en la isla. Sus largos cabellos acariciaban el abdomen de Jonathan cuando se subía encima de él, y sus sudores se mezclaban cada vez que se entrelazaban, haciendo palpitar sus corazones. Los recuerdos de casa y de Susan se desvanecían con la suavidad aterciopelada de la noche. Las estrellas brillaban con fuerza contra el cielo negro y el viento suspiraba entre las palmeras, perfumando el aire. Cuando se tendía con ella a la sombra de los árboles durante las tardes largas y soñolientas, o cuando se dejaban acariciar por las olas turquesas y cálidas del mar, le costaba creer que no fuera un sueño.

Tampoco era tan ingenuo como para creer que había sido el primero en acostarse con ella, o que fuera a ser el último. Su pasión no le cegaba hasta el punto de hacerle olvidar que este paraíso, este pueblo dulce y sencillo y sus costumbres peligraban a causa de los buques y los marineros que venían a llenar sus depósitos de agua y a divertirse con las mujeres. Los tahitianos vivían en chabolas de paja, su esperanza de vida era más bien breve y las enfermedades hacían estragos en la población. A pesar de la belleza que los rodeaba y la riqueza de sus mares, sus condiciones eran tan precarias como las de los barrios bajos en Londres.

Agosto de 1769

Faltaban dos días para que el *Endeavour* zarpara de nuevo y Jonathan tenía órdenes estrictas de estar a bordo antes de las once de la mañana siguiente. Llevó a Lianni a una cascada que se hallaba en el centro del bosque de palmeras donde podrían estar solos. Hicieron el amor bajo los árboles y nadaron en el agua gélida de una charca rocosa mientras los loros y los pinzones volaban a su alrededor. Le entristecía dejarla atrás, saber que nunca volvería a verla y la abrazó en la oscuridad cálida de la noche.

Al amanecer, volvieron a hacer el amor y nadaron juntos en la charca por última vez. Jonathan se sentó en una roca, se secó con la camisa, y observó cómo Lianni salía del agua como una sirena. La devoró con la mirada mientras ella se colocaba una flor detrás de la oreja y se peinaba. Quería grabarla en su memoria para jamás olvidarla.

Lianni le sonrió cuando la atrajo hacia sí y le acarició la melena tan negra y lustrosa que casi parecía azul a la luz del sol.

—No quiero marcharme —susurró—. Tú y tu tierra me habéis hechizado.

—Yo venir también —contestó Lianni—. Tupaia venir. Él cura. Cook gustar.

La estrechó entre sus brazos.

—Cook no permitiría que vinieras.

Se quedó callado, sabiendo que era una excusa pobre, pero que lo que habían vivido juntos estaba a punto de llegar a su fin.

—Tupaia viene con nosotros porque nos hará de intérprete cuando exploremos las otras islas de por aquí —explicó.

Lianni apoyó la cabeza en su hombro.

—¿Tú volver? —preguntó con voz queda.

Jonathan besó la suavidad de su frente, sus párpados cerrados y sus pestañas largas y oscuras.

—No lo sé.

Lianni seguía abrazada a él y Jonathan se preguntó en qué estaría pensando. De repente, abrió los ojos y lo miró con una intensidad abrasadora.

—Tú no volver —dijo con serenidad—. Hombres del barco nunca volver.

Jonathan sabía que tenía razón. La abrazó con más fuerza, lamentando no poder ofrecerle más, aun sabiendo que era imposible. Permanecieron ahí, entrelazados, sintiendo cómo el sol salía y clavaba sus rayos en el claro del bosque. De repente, la campana del buque desgarró el silencio y Jonathan se desmoralizó. Había llegado la hora de partir. Se desenredó con reticencia de Lianni y se puso la camisa mojada y los pantalones sucios. Luego metió la mano en el bolsillo y sacó el reloj de cadena que siempre había llevado su padre. Tenía ya medio siglo y era un bien preciado y valioso. Era lo único que podía regalarle.

El oro brillaba a la luz del sol, pero no tenía ni punto de comparación con la deslumbrante gema engastada en medio de la delicada grabación con las iniciales C. C. Apretó el borde con delicadeza y la tapa se abrió, revelando el reloj que había dentro. El esmalte blanco y los números romanos negros se le antojaron austeros y sencillos en ese marco tan exótico y se maravilló de los movimientos precisos del mecanismo dorado. Metió una llave minúscula dentro de un hueco especialmente diseñado; servía para darle cuerda. Cada elemento de esta obra maestra tan exquisita llevaba un sello de contraste.

—He pedido a Sydney Parkinson, el artista del buque, que hiciera esto —le dijo, enseñándole las miniaturas preciosas que aparecían en cada lado de la tapa exterior. Una de ellas era el retrato de él; el otro era de Lianni. Cada uno llevaba la firma del artista y la fecha.

Lianni los miró asombrada.

—Es tú —dijo, señalando el retrato de Jonathan con un dedo fino y moreno.

Jonathan asintió con la cabeza y sonrió.

—Y aquí estás tú, Lianni.

Los ojos de la joven brillaron cuando miró su propio retrato.

—¿Yo? —exclamó con orgullo—. Soy bella, ¿verdad?

—Lo eres —dijo Jonathan cerrando el reloj y depositándolo en su mano—. Este es mi regalo. Cuídalo, mi dulce Lianni, y acuérdate de mí cada vez que lo mires.

Lo estrechó contra el pecho.

—¿Es mío?

Cuando Jonathan asintió de nuevo con la cabeza, agarró el reloj con más fuerza aún y una única lágrima rodó por su mejilla.

—Tú vas al barco pero tú no marchar.

Jonathan la besó por última vez y le advirtió que protegiera el reloj del agua y que no perdiera la llave. Después se abrió camino entre los arbustos y llegó a la playa donde le esperaba un bote de remos que lo conduciría hasta el buque.

Lianni también se dirigió a la playa poco después y se ocultó entre las sombras de los árboles que crecían cerca de la arena. Miró a los hombres que remaban el bote hasta el buque y vio cómo Jonathan trepaba por la escala de cuerda y desaparecía para siempre. Entonces contempló de nuevo su regalo y lo apretó contra el corazón. Los primeros movimientos de una nueva vida florecían en su interior. Gracias a su ofrenda, su hijo siempre conocería el rostro de su padre.

Unas horas más tarde, Jonathan salió de su camarote y subió a la cubierta. Hacía tiempo que se había desembarazado de sus pesadas vestimentas exteriores, y prefería vestir solo los calzones y una camisa cuando tenía que soportar el calor del día. Se remangó la camisa, debajo de la cual asomaban sus brazos morenos y musculosos. El cabello caía suelto por su rostro. Había cumplido dieciocho años poco después de llegar a Tahití y se sentía fuerte y vigorizado después del esfuerzo de construir la fortaleza en Puerto Venus.

El sol caía a plomo y Jonathan quedó deslumbrado, pero ya no buscaba protegerse de sus rayos. En realidad, ahora gozaba del calor después de la niebla y la porquería de Londres. Los tres meses que había pasado en Tahití habían erradicado la palidez y las pretensiones que le había impuesto la ciudad. También había aumentado su sed de explorar y de vivir nuevas aventuras. Lo único que lamentaba era su relación con Lianni. Esa chica lo había hechizado y él había vivido un engaño. Ahora, todo cuanto deseaba era abrazar a Susan. Era su verdadero amor y necesitaba decírselo.

Se apoyó en un costado del buque y miró hacia la orilla. Todos sus pensamientos giraban en torno a Susan y el futuro que habían planeado, a pesar de la desaprobación de sus padres.

—Me preguntó qué querrá nuestro teniente —murmuró Josiah, acercándose a su sobrino, mientras secaba con un pañuelo su cara colorada y sudorosa. Bajó el sombrero hasta casi ocultar sus ojos—. ¿A quién se le ocurre convocar una reunión en cubierta a esta hora de la mañana? Hace un calor insoportable. No sé cómo lo aguantas.

Jonathan se quedó mirando a su tío con una mezcla de afecto y exasperación.

—¿Y por qué no te quitas el abrigo, tío? —le preguntó—. Te vas a asar.

Este le dedicó una feroz mirada desde debajo del ala ancha de su anticuado sombrero y se detuvo un momento en el conjunto informal de su sobrino.

—No está bien visto que un hombre de mi edad ande por ahí vestido de nativo —respondió—. Si te viera tu madre ahora mismo, se desmayaría del horror. Pareces un maldito cíngaro.

—Al menos voy cómodo —dijo Jonathan alegremente.

—Ya.

Desde que se había anunciado, la tripulación no había dejado de especular acerca del motivo de la reunión. Habían surgido nuevos debates y se respiraba un clima de expectación en todo el buque. Cuando finalmente la campana tocó la hora, Cook apareció en la popa y un murmullo nervioso escapó de todas las gargantas al observar a su lado al majestuoso nativo.

—Solo quiere presentar al cura nativo a los que no lo conocen —masculló Josiah—. Y ya sabemos todos por qué está aquí.

—He recibido órdenes del Gobierno de Su Majestad que no he podido revelar hasta el momento por razones que pronto se harán patentes —Cook hizo una pausa y un nuevo murmullo se alzó entre su público—. He pedido al cura tahitiano, Tupaia, que nos acompañe como intérprete en el próximo tramo del viaje. Una vez trazado el mapa de las otras muchas islas de la región, como habíamos planeado, zarparemos hacia el sur a cuarenta grados de latitud para resolver el tema del gran continente austral.

Este anuncio fue recibido con un silencio estupefacto y Jonathan y Josiah se miraron boquiabiertos.

—Si no damos con una masa continental, navegaremos rumbo oeste hacia la costa oriental de la tierra registrada por Tasman para intentar determinar si se trata de una extensión de la zona polar identificada por Le Maire o si es una masa independiente.

Jonathan apenas podía contener su emoción y sonrió a su tío. Luego se volvió de nuevo hacia Cook.

—Aquellos que no deseen seguir a bordo tendrán la posibilidad de volver a Inglaterra en el *Seagull*, que llegará de aquí a una semana aproximadamente. He pedido a mi primer oficial que compile una lista de todos aquellos que permanezcan en Tahití. Los que no continúen con el *Endeavour* deberán desembarcar antes del amanecer.

Cook era un hombre de pocas palabras. Ya había dicho cuanto pretendía decir, dio la espalda a su atónito público y se encerró de nuevo en su camarote con el cura tahitiano.

—Ahora entiendo por qué no querían que Dalrymple encabezara la expedición —dijo Josiah—. Sus opiniones son demasiado conocidas, y mucha gente ha leído sus artículos acerca del continente del sur. Ni el Almirantazgo ni el rey querían que los franceses y los españoles sospecharan los verdaderos motivos del viaje.

Jonathan agarró el brazo de su tío.

—La órbita de Venus alrededor del sol les dio la excusa perfecta y ellos la aceptaron. Oh, tío, piensa en lo que significa este viaje. Quizá estemos a punto de descubrir todo un nuevo continente.

Josiah frunció el ceño, haciendo que sus pobladas cejas se juntaran.

—No lo veo claro —masculló—. No olvides que tu madre ha puesto tu seguridad a mi cargo y hasta ahora no me ha resultado nada fácil. En cuanto me he descuidado, te has ido por ahí con la nativa y, además, te vistes como un golfo. Sabe Dios qué puede pasar cuando lleguemos al sur. Además, el viaje podría ser peligrosísimo.

—Pero tenemos que ir, tío —imploró Jonathan—. ¿No lo ves? Es nuestra oportunidad de descubrir si la leyenda del gran continente del sur es verdad o si es un mito. No pensarás rechazar una aventura así, ¿no?

Josiah gruñó, farfulló y manoseó su pañuelo.

—Si te pasa algo, tu madre no va a perdonármelo en la vida, hijo —replicó—. Además, yo ya no tengo edad para las aventuras, y menos en un carcamán como este.

Señaló con desprecio hacia los mástiles del *Endeavour*.

—¿Desde cuándo te asusta hacer algo fuera de lo común? ¿Desde cuándo has tenido miedo a desobedecer a la autoridad, infringir las normas y decir lo que piensas? Y por lo que se refiere a este carcamán, hasta ahora ha sido completamente seguro y Cook ha demostrado ser un capitán excelente.

El tono intimidatorio de su sobrino hizo que Josiah se sonrojara hasta la base del cuello.

Jonathan se dio cuenta de que se había pasado de la raya; tenía que obrar con más cortesía.

—Piensa en el respeto que nos ganaremos en Inglaterra si encontramos esas tierras sureñas —dijo, dispuesto a convencerlo como fuera—. Los descubridores serán celebrados, incluso premiados por el mismo rey.

Josiah secó su frente, la mirada perdida en la lejanía; pero Jonathan veía un brillo de indecisión en sus ojos y lo aprovechó para insistir todavía más.

—Este viaje podría pasar a la historia, tío. Los descubridores tendremos que escribir informes sobre el lugar y dar conferencias por todo el país, quizá también por Europa. ¿Y qué me dices de la astronomía en los países meridionales? ¿No te gustaría verla por ti mismo?

Josiah lanzó un profundo suspiro y hundió sus manos en los bolsillos.

—Como te veo muy resuelto a salirte con la tuya, supongo que debo aceptar acompañarte. Pero como me muera de náuseas o acabe dentro de la olla de algún salvaje, tendrás que dar muchas explicaciones a tu madre.

El grito de victoria de Jonathan se alzó hasta la cofa, sobresaltando a los otros pasajeros. Estrechó con fuerza al viejo cascarrabias contra el pecho.

—No te vas a arrepentir —le prometió.

Josiah refunfuñó y se le cayó el sombrero. Lo cogió justo antes de que cayera al mar.

—¡Tranquilo, muchacho! Un poco de decoro. Un poco de decoro.

—¡Al infierno el decoro! —gritó Jonathan, arrebatándole el sombrero y lanzándolo por encima del agua—. ¡Por la aventura y el descubrimiento del gran continente austral!

Waymbuurr, septiembre de 1769

Hacía poco que habían quemado la tierra y aún estaba repleta de manchas negras —la corteza plateada de los árboles, pelada y chamuscada—. Sin embargo, la vida ya había regresado en los brotes tiernos y verdes y los capullos a punto de reventar. Anabarru sabía que pronto volverían también los animales de pastoreo. Y en cuanto llegaran las lluvias, la temporada de caza sería buena.

Caminaba descalza sin hacer apenas ruido. Atravesó las tierras abrasadas y se dirigió hacia las colinas que se elevaban más allá de la selva tropical como los pechos de una mujer. Hacía un calor intenso, no se veía ni una nube y la acompañaba el chirrido de los incontables insectos. Los pájaros revoloteaban entre los árboles y las arañas tejían sus telas mortales entre las ramas para atrapar a los desprevenidos. Sin embargo, gracias a su ojo experto y su conocimiento innato de su entorno, tenía plena conciencia de los peligros: vivía a solas con ellos desde hacía muchas lunas, y mientras cazaba y pescaba, se iba fortaleciendo y acostumbrando a valerse por sí misma. Había llegado la hora de deshacerse de su carga, de volver a casa.

Se apresuró por la cuesta que ascendía por encima de los árboles hacia las cumbres gemelas. Los dolores eran cada vez más fuertes y debía darse prisa. El sol ya empezaba a arrojar las primeras sombras a su espalda y Anabarru, deslumbrada, se detuvo para recobrar el aliento, aguantar el dolor y comprobar su posición. Las voluptuosas colinas estaban tan cerca que podía distinguir cada uno de los árboles que crecían en ellas y, desde su punto panorámico, mirar incluso por encima de los más altos para contemplar la extensión de tierra que llegaba a todos los horizontes y el brillo del agua mucho más abajo, donde sabía que las otras mujeres estarían pescando.

Golpeó el suelo con su bastón de escarbar y cuando oyó el sonido hueco de la piedra, supo que le quedaba poco. Caminó con cuidado sobre el montículo liso y se dirigió hacia la abertura estrecha entre dos pétreos centinelas, rocas esculpidas desde hacía siglos por el viento y la lluvia. Se agarró a la tierra suelta con los dedos del pie y asió las plantas robustas que crecían a cada lado de las rocas para poder deslizarse por la cuesta empinada hasta alcanzar la meseta que se alzaba encima del suelo de la selva.

La esposa mayor la estaba esperando: gracias a los conocimientos adquiridos a lo largo de los años había llegado a tiempo. Ya había encendido un fuego y el humo salía de la entrada de la cueva mientras ella se dedicaba a cantar las canciones rituales y a afilar la piedra cortante contra una roca.

Anabarru se sentó en cuclillas en el saliente y susurró las oraciones ancestrales, pidiéndoles que la ayudaran a soportar la dura prueba que la aguardaba. Luego miró hacia la selva, caminó hasta el otro lado del saliente y entró en la cueva de alumbramiento.

Era un lugar sagrado al que solo podían acceder las mujeres. Ningún hombre, por muy importante que fuera, tenía derecho a saber qué ocurría en el interior de la cueva. Los rituales y ceremonias llevados a cabo durante el nacimiento de un bebé jamás podían revelarse fuera de ella.

La cueva tenía forma de boca, una boca abierta en la ladera rocosa. A través de sus labios escarpados, Anabarru tenía una vista espectacular de las cumbres gemelas y la selva. Junto a la entrada habían plantado arbustos especiales, cuyas hojas y bayas servían para aliviar los dolores del parto. El suelo estaba sembrado de las cenizas de muchos fuegos y los huesos y espinas de animales y peces que las parturientas habían comido durante las largas horas de vigilia. A cada lado de la entrada había pinturas ocres en las paredes que narraban las historias de las mujeres. La mayoría había perdido intensidad o estaba tapada con más pinturas. Otras quedaban cubiertas de líquenes y otras habían desaparecido con el desmoronamiento de las paredes tras las lluvias.

La esposa mayor le hizo señas para que entrara y después de realizarle un reconocimiento superficial, hizo una señal de aprobación con la cabeza.

—Estás a punto. Tómate esto. Te ayudará.

Anabarru dejó su roca talismán al fondo de la cueva y cuando se sentó en el suelo para comer los frutos que le había preparado la esposa mayor, se fijó en el brillo que irradiaba a la luz del sol. La había llevado consigo durante todos sus meses de exilio, pero ahora le reconfortaba pensar que podía abandonarla de una vez por todas, pues le recordaba los acontecimientos que la habían traído a la cueva. Una vez se hubiera purificado, ya no la iba a necesitar.

Cuando los dolores se hicieron más intensos y el bebé empezó a buscar la salida, la esposa mayor se hizo cargo de la situación.

Anabarru creyó que iba a ahogarse con el humo del fuego y las bayas ya no parecían calmarle el dolor, pero sudó y empujó para librar su cuerpo del hijo lagarto, que no parecía dispuesto a salir. Entonces, con un derrame de sangre y agua, nació.

La mujer mayor lo agarró de su delicado cuello y lo retorció antes de que pudiera emitir su primer vagido y dar vida a su espíritu. Ya había acabado todo.

Anabarru permaneció quieta mientras le cortaban y ataban el cordón umbilical. Dio un último empujón y expulsó la placenta. La otra esposa la puso en las llamas del fuego para quemarla antes de enterrarla junto al cuerpo del bebé. Anabarru cerró los ojos, recitó las oraciones rituales y se preparó para la ceremonia de la limpieza. No sentía ni arrepentimiento ni pena por su hijo muerto: la vida era así, y así había sido desde siempre. Ahora podía volver con su familia.

Frente a Nueva Zelanda, octubre de 1769

Nick, el mozo del buque, fue el primero en divisar el prominente cabo que luego Cook llamaría Young Nick's Head en su honor. Dos días después fondearon en un lugar que el teniente finalmente bautizó como Poverty Bay, bahía de la pobreza, dado que no había nada allá que sirviera para aprovisionar el buque. Habían llegado al Staaten Landt de Tasman, es decir, a la isla norte de Nueva Zelanda.

Jonathan y el resto de los pasajeros permanecieron a bordo mientras Cook, sus oficiales, sus marineros más fuertes y el intérprete tahitiano desembarcaron. Josiah le pasó el telescopio a su sobrino.

—Me empiezan a fallar los ojos, hijo. Dime lo que ves.

El muchacho miró a través del instrumento de latón y describió cada uno de los movimientos de Cook y sus acompañantes. Una vez en tierra firme, fueron recibidos por unos guerreros temibles de piel oscura cuyos cuerpos y rostros estaban cubiertos de tatuajes y cuya actitud no era precisamente cálida. Permanecían de pie en la orilla, cantando y dando patadas en el suelo, haciendo unas señales extrañas y amedrentadoras con brazos y manos, las lenguas fuera y los ojos penetrantes. Portaban lanzas y garrotes y no cabía duda alguna de que fueran poco más que salvajes.

—Esto no pinta nada bien —dijo Jonathan —. ¿Y ese idiota por qué les está enseñando la espada?

Su tío ni siquiera tuvo tiempo de responder. Uno de los maoríes había agarrado la espada y había salido corriendo con ella hacia el otro extremo de la playa. El oficial sacó la pistola y disparó. El ruido resonó por toda la bahía desierta y los maoríes se quedaron consternados y asustados al ver que su hermano había muerto en el acto.

Cook y la tripulación retrocedieron rápidamente a la barca donde los marineros ya estaban colocando los remos. Confusos y asustados por el método misterioso de provocar la muerte, los maoríes se apiñaron en la orilla. Luego, viendo que el asesino huía, se levantaron a la vez y con un rugido de rabia, arrojaron sus lanzas.

Los marineros clavaron los remos con más fuerza y una o dos lanzas impactaron en la madera de la barca. Poco después, consiguieron salir de su alcance y las demás cayeron al agua sin hacer daño a nadie.

Jonathan corrió al costado del buque y ayudó a sus compañeros a subir a bordo. Mientras tanto, los maoríes habían subido a sus canoas y avanzaban a una velocidad asombrosa. Cook se dirigió al timón, gritó un par de órdenes y en cuestión de segundos levaron anclas y las velas empezaron a ondear.

El muchacho permaneció en la cubierta, sintiendo el viento en sus cabellos y el sabor salobre de la espuma del mar en su rostro mientras el *Endeavour* surcaba la mar gruesa. Quería echarse a reír de puro placer: esta era la aventura que siempre había soñado de niño, cada vez que veía pasar los barcos desde ese puerto minúsculo en Cornualles.

4

Mousehole, abril de 1770

Susan Penhalligan se reunió con las otras mujeres en el estrecho muelle y escrutó el mar. El viento revolvía sus cabellos y la falda se pegaba a sus piernas. Se abrigó como pudo con el chal que le cubría los hombros. Sin embargo, el frío que la entumecía no tenía nada que ver con el viento, sino que provenía de mucho más adentro y le desgarraba las entrañas como una mano salida de la tumba.

El mar golpeó implacable el malecón gris que se curvaba desde el muelle hacia fuera, formando una especie de sólido brazo. La espuma salía disparada hacia el cielo donde el viento gélido la convertía en agujas de hielo que azotaban su rostro y le empapaban la ropa. Hundió la barbilla en el exiguo abrigo del chal y apretó los dedos de los pies contra los adoquines, inclinándose hacia el vendaval para poder resistir la arremetida de los elementos. Solo cuatro de los diez barcos pesqueros habían regresado y, con la llegada de la noche, todas las esperanzas se desvanecían con la luz cada vez más sombría.

En Mousehole, todas las casitas de piedra estaban vacías, pero en cada una de ellas brillaba una lámpara encendida para guiar a sus hombres al hogar. Susan miró a su madre y vio que a pesar de su estoicismo, Maud Penhalligan apenas podía contener la angustia. Contemplaba la noche tormentosa sin siquiera pestañear, las manos aferradas a Billy, su hijo de trece años, el menor de los seis, como si aferrándolo de aquella manera pudiera abrazarse también a sus hijos mayores y a su esposo, y alejarlos del peligro.

Susan rodeó la estrecha cintura de su madre con el brazo, pero no había manera de reconfortarla. Tenía la mirada fija en el mar embravecido, esperando con ansia ver alguna señal del pequeño barco que seguramente estaría luchando contra la tormenta para llegar a casa. Con un suspiro trémulo, Susan contempló los rostros demacrados a su alrededor. Las esposas y prometidas de sus hermanos estaban agarradas de las manos y Billy parecía una estatua entre los brazos de su madre. No había salido a pescar con los demás porque tenía la pierna rota, y la angustia que reflejaban sus ojos delataba un sentimiento de culpabilidad mezclado con otro de alivio: siempre había odiado el mar.

La muchacha se giró una vez más hacia el muelle y observó todas las caras que tan bien conocía, compartiendo sus temores y sabiendo lo duro que resultaba mantener la moral alta y las esperanzas vivas. Los ancianos chupaban sus pipas con los ojos apagados y las caras arrugadas y curtidas, a causa de todos los años pasados en alta mar. Todo el mundo guardaba silencio. No era el momento de hablar ni de especular, ni siquiera de agradecer el regreso de los hombres que habían vuelto sanos y salvos: no hasta que conocieran la suerte de cada uno de los barcos que seguían sin regresar.

Susan se estremeció y se dio la vuelta. Echó a correr hacia su casa, los pies hundiéndose en los charcos que se habían formado entre los adoquines rotos. Entró, cerró la puerta a su espalda, se apoyó en la sólida madera y trató de sacar fuerzas de su familiaridad. Había nacido en esta casa y era la única que conocía. La vida de la pequeña comunidad pesquera era dura, pero al menos resultaba más saludable que la de los mineros de estaño que se dedicaban a cavar bajo la tierra sin apenas ver la luz del día. Pocos superaban la madurez debido al polvo que llenaba sus pulmones, pero los pescadores solían vivir para contar sus aventuras marítimas mientras ayudaban a coser las redes y animaban a las siguientes generaciones a seguir sus pasos. Las casas eran cálidas, siempre había un plato de comida en la mesa y no padecían enfermedades graves.

Sin embargo, los dos trabajos podían ser peligrosos. Las minas a veces se derrumbaban, ahogando o aplastando a los hombres porque a los dueños de las canteras solo les interesaba sacar el máximo beneficio posible. Los pescadores estaban a la merced del tiempo y durante su corta vida, Susan ya había presenciado la pérdida de muchos hombres y barcos a causa de otras tormentas parecidas a la que rugía fuera.

—Dios bendito —imploró entre sollozos—, que no les pase nada. Que vuelvan a casa.

El viento azotaba las paredes macizas y aullaba en la chimenea, llenando la sala de una nube de humo gris. Susan escuchó el silencio dentro de la sala y volvió a estremecerse. Era como si las cuatro paredes de su casa también estuvieran aguantando la respiración, esperando alguna noticia de sus habitantes.

Resolvió no darle más vueltas, contuvo las lágrimas y corrió por el suelo de losas hasta el fogón. La única luz dentro de la casa procedía de la lámpara en la ventana y las ascuas en la chimenea, pero las sombras parpadeantes eran cálidas y durante unos segundos se sintió reconfortada. No obstante, la melancolía se apoderó una vez más de ella y le invadió una sensación de pánico al imaginar qué sería de su familia si los hombres no regresaban a su hogar. ¿Cómo harían frente al arrendamiento? ¿Lady Cadwallader les pediría que marcharan? Sabía que ya había actuado así en ocasiones similares tras una tragedia. Ojalá estuviera aquí Jonathan. Al menos no consentiría que las echaran a la calle.

—No debes pensar en Jonathan —masculló—. No puede ayudarte. Nadie puede ayudarte.

Para evitar pensar en lo que les deparaba el destino, Susan puso un hervidor lleno de cerveza en el fuego. Mientras esperaba que rompiese a hervir, cogió unos chales secos, se puso unos zuecos gastados y fue a buscar una manta. No era la primera vez que los vecinos del pueblo pasaban la noche de vigilia en el muelle y no iba a ser la última. Ella sabía que para sobrevivir esta terrible noche, tenían que mantenerse lo más calientes y secos posible.

Después de calentar la cerveza, la vertió en una botella grande de barro con una cucharada de miel y puso el tapón. Iban a necesitar todas sus fuerzas para lo que les quedaba por delante. Se ató un chal a la cabeza, colocó la manta y los chales sobrantes bajo un brazo y sujetó las tazas de hojalata y la pesada botella con el otro. El viento sacudió la casa y cerró la puerta a su espalda de un portazo. Susan agachó la cabeza y volvió corriendo al muelle, el estrépito de sus zuecos ahogando los bramidos de las olas al chocar contra el malecón.

—Os traigo cerveza —chilló encima del aciago aullido del viento.

Maud no era capaz de sonreír, pero Susan vio en sus ojos enrojecidos que se lo agradecía. Su madre cogió la taza con los dedos congelados y maltrechos por el trabajo y se la acercó a la cara para calentársela con el aromático vapor de la cerveza.

Susan tapó los cabellos mojados de su madre con la manta y envolvió la cabeza de Billy con uno de los chales. Luego fue a repartir lo que quedaba de cerveza entre los demás. A juzgar por sus rostros fruncidos y sus ojos llenos de terror, no había ninguna nueva. Regresó junto a su madre y su hermano.

—¿Por qué no vuelves a casa, mamá? —gritó, acercándose al oído de Maud.

Esta negó con la cabeza.

Susan miró a su hermano pequeño y le invadió una sensación de congoja. Billy estaba luchando contra sus propios demonios, tratando de ser un hombre con los temores de un niño cuyo mundo estaba a punto de hacerse pedazos a su alrededor. Carecía de palabras de consuelo, así que lo abrazó y, a pesar de su reticencia, lo estrechó contra su pecho. Sentía un amor intenso por su hermano y lo abrazó con la misma fuerza que a su madre. Solo cuando Billy empezó a retorcerse se dio cuenta de que era demasiado mayor para que lo trataran como un niño. Observó cómo se alejaba de ellas, y se cobijaba en una puerta cercana para seguir escudriñando el puerto.

Los mismos cuatro barcos se encontraban apoyados de lado en la parte más alta de la playa, protegidos del viento y las olas salvajes que irrumpían en el puerto a través de la abertura estrecha del malecón, removiendo los guijarros sin cesar. Lejos de las luces tenues de las casas, la noche era oscura como boca de lobo, y el aullido del viento ahogaba los suaves sollozos de las mujeres. En un arrebato de cólera provocado por la frustración y la impotencia, a Susan le entraron ganas de arrastrar uno de los barcos por los guijarros y salir a buscarlos, aunque sabía que un acto tan temerario no iba a llevarla a ninguna parte. Lo único que podía hacer era esperar.

Finalmente el alba se asomó a través de las nubes espesas. Los rayos acuosos y frágiles del sol platearon las olas agitadas que seguían subiendo y bajando y rompiéndose con menos furia contra el malecón gris. Susan había dormido a trompicones durante las últimas horas de la noche, pasando una y otra vez de la esperanza a la desesperación cuando se enteró de que dos barcos más habían llegado al puerto. Ocho hombres habían conseguido salvarse, pero entre ellos no había ningún Penhalligan.

Consumida de agotamiento y miedo, se levantó del banco que había al lado de la chimenea y salió de casa. Había dejado de llover, y aunque el viento la zarandeaba mientras se dirigía al muelle, ya no hacía tanto frío. Los adoquines mojados brillaban bajo el sol, las gaviotas se peleaban entre ellas y el mar silbaba cada vez que sobrevolaba los guijarros. No había ni un barco en el muelle, pues los hombres habían vuelto a la mar al amanecer para buscar a los supervivientes.

Susan tenía la boca seca y su corazón empezó a latir con fuerza al contemplar la solitaria figura sentada en un muro bajo que había delante de las casas de piedra y que formaba parte del muelle. Maud había vuelto a casa para cambiarse la ropa justo antes del amanecer, pero tenía el rostro lívido y una tos convulsiva y seca que le sacudía el pecho. A pesar de las súplicas de Susan, se había negado a quedarse bajo techo.

—¿Dónde están las demás? —preguntó Susan, refiriéndose a las esposas y prometidas de sus hermanos.

Estaba tan preocupada por su madre que la pregunta sonó más brusca de lo que hubiera deseado.

—Las he enviado a casa con sus madres —dijo Maud—. Ahora volverán.

—¿Y Billy?

—Ha salido con los hombres a buscar a los otros.

Con una pierna rota y el miedo que le daba el mar, Billy mostraba una gran valentía para ser tan joven. Susan rezó con toda su alma para que volviera sano y salvo.

Las horas pasaron y uno por uno lo que quedaba de la flota pesquera de Mousehole regresó de su búsqueda infructuosa. El silencio se hizo todavía más profundo.

Esa noche, la tormenta volvió a azotar el pueblo y con la llegada del amanecer manso y amargo que la siguió, las mujeres cogieron a sus hijos y volvieron la espalda al mar. Todas sus esperanzas habían muerto con sus hombres. Había llegado la hora de llorarlos.

Mar de Tasmania, mayo de 1770

Faltaban pocos días para que Jonathan cumpliera diecinueve años, casi dos de los cuales había pasado en alta mar. Se hallaba tendido en su incómoda litera escuchando los ronquidos de su tío. El pobre había sufrido mucho desde que zarparon de Nueva Zelanda y Jonathan estaba preocupado. El médico del buque había hecho cuanto había podido, pero Josiah Winbourne no era buen marinero: se mareaba con cualquier balanceo del *Endeavour* y tenía que guardar cama.

Josiah moriría si el tiempo no mejoraba pronto, pues apenas comía y solo lograba ingerir un traguito de agua o coñac muy de cuando en cuando. Cada vez que Jonathan pensaba en la posibilidad de perder al hombre que había sido para él un padre se le helaba la sangre. No debería haber insistido en que continuaran su aventura después de Tahití. El tiempo había sido espantoso: el viento había desviado el barco de su rumbo una y otra vez, y aparte de los meses que habían estado anclados en una bahía protegida de Nueva Zelanda, se habían visto obligados a luchar sin tregua contra vendavales y un mar encrespado. Hacía un tiempo insólito para unas aguas tan sureñas, donde habían esperado vientos suaves y un mar en calma. Hasta los marineros estaban agotados tras la batalla constante por mantenerse a flote.

Con un profundo suspiro, Jonathan se levantó y echó un vistazo al estrecho camarote. En cada esquina había cajas y maletas que necesitaban para el viaje. Se sentía inquieto tras la inactividad de los últimos meses, y el hedor a enfermedad y el ambiente claustrofóbico del camarote le estaban dando dolor de cabeza. Necesitaba respirar aire fresco y hacer un poco de ejercicio.

Cogió un abrigo grueso y salió de la cabina. Cuando cerró la puerta sin hacer ruido, el viento y la lluvia lo embistieron, arrancándole la ropa y azotándole el cabello. Avanzó con paso vacilante por la solitaria cubierta, casi disfrutando del ataque penetrante de la lluvia. Prefería cualquier cosa antes que quedarse en el camarote, y el agua al menos desprendería de su cuerpo el hedor a enfermedad que ahora impregnaba todo el buque.

Después de pasar muchos meses ventosos trazando mapas de Nueva Zelanda, habían echado anclas por segunda vez en otra bahía protegida donde pudieron reabastecer el buque antes de zarpar de nuevo. De eso ya hacía dieciocho días. El mal tiempo los había acompañado: el viento seguía soplando con fuerza y el mar continuaba revuelto. Ahora navegaban con rumbo oeste, hacia la Tierra de Van Diemen y la costa de Nueva Holanda. Desde allí iban a zarpar hacia las Antillas e Inglaterra. La aventura estaba llegando a su fin.

El *Endeavour* se sumergió y cabeceó y los marineros tuvieron que hacer un esfuerzo sobrehumano por izar la vela mayor, dejando que el trinquete, la vela de estay y la mesana equilibrada soportaran la presión mientras la espuma azotaba la cubierta y los empapaba. Jonathan se agarró a la barandilla y plantó los pies en el suelo para poder acompañar el movimiento del buque. Las aguas turbulentas le recordaban a Cornualles y la forma en que las olas entraban en los puertos a toda prisa y se estrellaban contra los acantilados. Pero aquí no había acantilados, no había ninguna tierra a la vista y el miedo volvió del mismo modo que cuando habían estado a punto de varar en un arrecife de piedra cerca de la costa de Nueva Zelanda. Estaban lejos de la civilización, lejos de casa, y la mera magnitud del océano hizo que Jonathan comprendiera que en el fondo eran muy pequeños, y muy vulnerables.

Había empezado a preguntarse cómo echaría raíces y se adaptaría a una vida normal cuando volviera a Inglaterra. Todo iba a parecerle prosaico después de semejante viaje. No se imaginaba ni viviendo en Cornualles a cargo de la propiedad, ni siguiendo sus estudios en Londres, ni ocupando su lugar en la Cámara de los Lores en cuanto llegara a la mayoría de edad.

No le atraía en absoluto la insulsez de llevar las cuentas de la finca y tenía claro que este viaje iba a ser el primero de muchos. Lo que más le atraía era la libertad de viajar y, a pesar de lo que se esperara de él como conde de Kernow, tenía intención de casarse con Susan. Juntos empezarían una nueva vida lejos de las sofocantes costumbres de Inglaterra.

Recordó su sonrisa, sus cabellos largos volando al viento y sus preciosos ojos azules y deseó volver a verla. La vida del explorador no tenía por qué ser solitaria y Susan siempre había sentido curiosidad por lo que había más allá del horizonte. Se juró que cumpliría las promesas que le había hecho en Mousehole.

Bajó la cabeza para protegerse de la lluvia que martillaba su rostro. Ya no era un niño, y Susan tampoco, eso era innegable. Había llegado el momento de arriesgarse y vivir una buena vida juntos, aunque eso supusiera desafiar las convenciones. Suspiró hondo, consciente de los problemas que iban a encontrar. ¿Por qué la vida tenía que ser tan complicada?

Se dio la vuelta y se dirigió lentamente hasta el pequeño salón para los oficiales y pasajeros que habían amueblado con unas cómodas sillas y una biblioteca bien provista. Olía a cuero, coñac y humo de pipa y se había convertido en el lugar predilecto de los que no habían sucumbido a las náuseas y querían matar las largas horas de inactividad. Jonathan miró a través de la ventana y vio que solo había dos ocupantes. El mar y el tiempo estaban causando estragos entre la tripulación.

Entró y cerró la puerta. Lo primero que notó fue el hedor a perro húmedo. Los tres galgos se encontraban despatarrados en el suelo, inmóviles excepto cuando tenían que rascarse o intentaban morder alguna pulga molesta. Su dueño, Joseph Banks, el botánico acaudalado, estaba pontificando como siempre y ni siquiera lo saludó, pero Sydney Parkinson le dedicó una sonrisa.

Jonathan también sonrió.

—Hola, Syd. Un día de perros, ¿verdad? Hasta ellos se han mareado y todo.

Sydney casi no pudo reprimir la risa. Los dos estaban de acuerdo en que Banks era un pesado que no dejaba de menospreciar al teniente Cook mientras que sus perros olían que apestaban y no paraban de incordiar al personal. Sin embargo, Sydney jamás se atrevería a reconocerlo delante de Banks, su mentor y benefactor: era un escocés demasiado astuto para semejante metedura de pata.

Sydney era cuáquero y aunque le sacaba unos cinco años a Jonathan, habían forjado una amistad sólida a lo largo del viaje. Era un artista de gran talento y Joseph Banks se había fijado en él, invitándolo a acompañarlos en el *Endeavour* como ayudante del artista oficial Alexander Buchan. Por desgracia, este había fallecido antes de llegar a Tahití y Sydney estaba abrumado de trabajo, dada la cantidad de dibujos botánicos y ejemplares de flora y fauna que tenía que plasmar sobre papel. Era una responsabilidad enorme que suponía una carga tremenda para un chico tan joven y se veía obligado a pasar muchas noches en vela para terminar sus dibujos.

Jonathan se sirvió un coñac, pasó por encima de los perros, que ocupaban casi todo el suelo, y se sentó en una de las butacas con un libro. No obstante, le costaba desconectarse del sonsonete de Banks. Tenía ganas de interponerse, de contradecir al hombre, porque lo único que salía de su boca era cháchara y se comportaba con la pedantería farisaica de los que están acostumbrados a salirse siempre con la suya. Pero Jonathan sabía que sus opiniones no le iban a hacer ninguna gracia y que la discusión se convertiría en una pelea de gallos.

El cambio en la atmósfera del *Endeavour* se había hecho patente mientras navegaban alrededor de la punta meridional de Nueva Zelanda. Banks había insistido en que Cook debía explorar los fiordos profundos en la costa occidental. Cook, por otro lado, era muy consciente del peligro que suponía encontrarse en un buque cerca de una costa occidental cuando soplaba un viento de idéntico empuje.

Adentrarse en un golfo estrecho en el que iba a ser difícil, para no decir imposible, darse la vuelta era de locos. La naturaleza del fiordo indicaba un fondo rocoso que iba a complicar el anclaje y Cook (con toda la razón, a juicio de Jonathan) se opuso a poner el buque en peligro.

El orgullo de Banks había resultado un tanto herido y aunque seguía tratando al teniente con una cordialidad fría, nunca dejaba pasar la oportunidad de subrayar que su decisión de no explorar unos canales tan tentadores indicaba claramente que le faltaban agallas. El resto de pasajeros se mostraba reacio a entrar en la discusión y se negaba a tomar partido. A Cook no parecían importarle los ataques del botánico, y se limitó a ignorarlo, igual que había hecho con sus órdenes.

Jonathan acabó el coñac y cerró el libro. Incluso el olor del camarote le parecía más apetecible que escuchar las tonterías de Banks. Miró a su amigo y le dirigió un guiño de compasión. Pobre Sydney, pensó, pasando de nuevo por encima de los malditos perros y saliendo por la puerta. Banks lo tenía acorralado.

Mousehole, mayo de 1770

La iglesia de granito de San Pol de León estaba a menos de una milla de la costa, en lo alto de la colina que había detrás del pueblo. La rodeaban árboles doblados por el viento, megalitos y casitas minúsculas de granito. La cruz céltica incrustada en uno de los muros del cementerio ya tenía más de un siglo. Las gaviotas chillaban mientras planeaban por el cielo despejado y a lo lejos, mucho más abajo, el mar brillaba con benevolencia, su fuerza contenida ahora que había pasado la tormenta.

Los barcos que quedaban de la flota pesquera estaban al ancla en el puerto con las redes y nasas preparadas en las proas. En el pueblo reinaba el silencio y la tristeza. Todos sus habitantes habían ascendido el mismo camino que recorrían cada domingo para escuchar a Ezra Collinson entregar las almas de los desaparecidos a Dios.

Collinson había llegado a la parroquia hacía apenas un año. Era un hombre soltero de una edad indefinida, pero la mayoría de los feligreses creía que debía rondar los treinta y por lo tanto, ya era hora de que se buscara una esposa. Sus cabellos y ojos oscuros deberían haberle dado cierto atractivo, pero tenía la nariz demasiado larga y una expresión lúgubre que casi nunca se convertía en sonrisa. Era un hombre magro y larguirucho cuya sotana negra se veía con frecuencia durante sus paseos por las playas y colinas cercanas. También era un orador vehemente que vivía su vocación de forma tan apasionada que parecía haber renunciado a cualquier clase de vida social, salvo las veces que Lady Cadwallader lo convocaba a la casa señorial.

Las palabras del pastor todavía les resonaban en los oídos cuando los feligreses se levantaron de los duros bancos de la iglesia y, arrastrando los zuecos contra el suelo frío de piedra, se dirigieron hacia la puerta para descender de nuevo por el camino que conducía al pueblo. Habían intentado aferrarse a alguna palabra alentadora del sermón, pero el reino de los cielos les quedaba demasiado lejos de la dura realidad de la vida sin sus hijos y maridos. Era como si Dios los hubiera abandonado, y toda la fe del mundo no iba a devolverles a sus hombres ni a facilitarles la existencia.

—No es justo que ni siquiera tengamos sus restos para enterrar —se lamentó Maud casi sin aliento cuando salieron de la iglesia sombría a la luz del sol—. ¿Cómo podemos llorarlos cuando no tenemos ninguna prueba de que han fallecido?

Susan hizo una seña a los demás para que se marcharan sin ellas, y sujetó el brazo de su madre esperando que se le pasara el ataque de tos convulsiva que le hacía doblarse en dos. No era la primera vez que tenían la misma conversación, pero su madre era incapaz de aceptar que hubieran muerto sus hombres.

—Ya hace más de una semana —susurró Susan en la lengua celta que todavía hablaban entre ellas—. La gente como nosotros no puede esperar milagros.

Maud se secó la boca con un pedazo de tela y se desplomó sobre una mata de hierba, su falda negra hinchándose de viento.

—Ya lo sé —gimió—. Pero no consigo hacerme a la idea de que hayan desaparecido. De que jamás volveré a verlos.

Rompió a llorar, ocultando el rostro bajo la sombra de su gorra negra y sencilla.

—Los veréis en el reino de los cielos.

Ezra Collinson se había acercado a ellas desde la puerta de la iglesia sin que lo advirtieran. Puso una mano sobre el hombro de Maud con el semblante alterado y preocupado.

—Tened fe, hermana.

Maud lo miró con sus ojos azules bañados en lágrimas. Tenía la cara lívida, salvo las manchas rojas que cubrían sus mejillas a causa de la fiebre.

—No es fácil conservar la fe, señor Collinson —dijo, con un fuerte acento celta—. La fe no paga el arriendo ni da de comer a la familia. Y os puedo asegurar que no alivia el dolor.

—Hay que llevar las cargas terrenales con la certeza absoluta de que nos hemos ganado un lugar al lado de la mano derecha de Dios —respondió el clérigo, agarrándose los bordes de la sotana con sus dedos blancos y delicados como hacía cuando predicaba—. Dios solo quiere poner a prueba nuestra fe.

Susan se había cansado de escuchar tantos disparates. Nunca le había caído bien ese hombre y no entendía cómo podía pasar por alto la pobreza y la desesperación de su parroquia en unos momentos tan difíciles.

—Ya tenemos suficientes cargas, señor Collinson —espetó—. Si Dios fuera tan bondadoso como decís, ¿por qué se ha llevado a nuestros hombres? ¿Qué prueba necesita de nosotras?

Las mejillas cetrinas del clérigo se ruborizaron y desvió la mirada para evitar los ojos furiosos de Susan.

—Tiene sus motivos —respondió—. Nosotros no somos nadie para ponerlos en duda.

Volvió a apretar el hombro de Maud y se giró para dirigirse a casa, la sotana negra volando a su espalda y sus pies bien calzados pisando sin estorbos las rocas que se escondían en la hierba.

—No deberías hablarle así al pastor —le recriminó Maud, levantándose con gran dificultad y reajustándose la falda y la gorra.

—¿Y qué sabe él de cargas cuando vive en esa casa con un criado y un ama de llaves que se pasan el día corriendo de aquí para allá? —dijo Susan entre dientes—. Nunca ha tenido que sudar para ganarse el pan y se cree con el derecho de predicar acerca de las cargas y el sufrimiento como si fuera un experto en el tema. ¿No te has fijado en sus manos? Están más cuidadas que las de la condesa.

Maud la agarró del brazo y se apoyó en ella para recobrar el aliento. La pena que sentía había socavado sus fuerzas y estaba envejecida, a pesar de sus cuarenta y pocos años y una cabellera castaña sin una sola cana.

—Es un hombre bueno, Susan —jadeó—. Quizá te convenga recordarlo más adelante.

Susan frunció el ceño, se ajustó el chal encima de su melena revuelta e intentó aflojarse un poco el corpiño que le oprimía el tórax. Ya había soltado las costuras así que lo único que podía hacer era procurar respirar de forma más superficial.

—¿Y por qué?

Maud sufrió otro ataque de tos que hizo estremecer todo su menudo cuerpo y le impidió contestar. La constitución ya debilitada de su madre tras una vida dura dedicada a limpiar pescado y a salar arenques había sufrido mucho la noche que habían pasado a la intemperie en el muelle. Cuando consiguió hablar, sus palabras cayeron como un chorro de agua gélida que paralizó el corazón de la muchacha.

—Antes de que acabe el mes, vendrá a pedirte la mano.

Susan no podía dar crédito a lo que había oído, a pesar del brillo de determinación que iluminaba los ojos de Maud, afirmándole que la había escuchado perfectamente.

—Tienes fiebre —dijo, riéndose nerviosa—. No sabes lo que estás diciendo.

Maud la agarró con más fuerza y la obligó a caminar a través de la hierba alta hacia el sendero que conducía al pueblo.

—Vino a hablar con tu padre hace apenas diez días —dijo, con un sollozo al recordar a su marido—. Lo hablamos e íbamos a decírtelo cuando él... Cuando tu padre y tus hermanos...

Las dos recordaron aquella mañana en la que sus hombres habían salido a pescar las sardinas que habían visto más allá del promontorio.

—No pienso casarme con él —dijo Susan, plantándose con los brazos cruzados en medio de las hierbas que susurraban alrededor de las lápidas inclinadas de granito, su falda rozando el polen de las flores silvestres—. No hay nada en esta tierra que pueda obligarme a hacerlo.

Maud la escrutó en silencio durante un buen rato. Finalmente le dijo:

—Siempre has sido muy tozuda, hija, pero esta vez te convendría considerarlo.

Antes de que pudiera responder, Maud le tiró del brazo y siguieron caminando. Susan miró hacia el mar y el grupo de casitas blancas al socaire del valle escarpado. Bajo ningún concepto iba a casarse con Ezra Collinson. Antes prefería morir. Solo pensar en su expresión adusta, sus manos blancas y suaves que debían de estar siempre frías y sudorosas, le revolvía el estómago. ¿Y sus padres? ¿Cómo habían podido considerar un partido semejante sabiendo que ella estaba enamorada de Jonathan?

—Ezra Collinson viene de una buena familia —dijo Maud finalmente—. Es el hijo menor del conde de Glamorgan y aunque no le corresponda heredar la fortuna familiar, se gana un buen sueldo gracias a un fondo que le abrió su abuela, aparte del salario que se gana como clérigo. Nunca tendrías que volver a preocuparte por nada, hija, y podrías olvidarte de una vez por todas de las redes y los barriles de sal.

—Veo que estás muy bien informada, madre, pero eso no va a cambiar nada —contestó Susan—. Aunque tuviera baúles llenos de oro seguiría sin aceptarlo.

Se quitó el chal de la cabeza y dejó que el viento marino revolviera su cabello. Tenía los ojos lagrimosos, pero no le daba la maldita gana de dejar que su madre viera hasta qué punto le enfurecía la idea de tener que casarse con un hombre tan arisco. Ojalá hubiera podido hablar con su padre antes de que desapareciera. Nunca la hubiese obligado a aceptar semejante enlace. Ojalá Jonathan no se hubiera hecho a la mar. Solo pensar en casarse con otra persona, sobre todo Ezra Collinson, la hacía temblar de rabia, incluso miedo, pues significaba perder a Jonathan para siempre.

—¿Y desde cuándo una chica como tú decide rechazar una oferta como esta? —Maud se detuvo. La falda le rozaba el suelo y los lazos de su gorra bailaban bajo la barbilla—. Ya deberías estar casada y con una familia propia, pero no, tú no. Tú te pasas el tiempo suspirando por Jonathan Cadwallader, el muy gandul.

—No es gandul —protestó Susan.

Maud frunció los labios.

—Jonathan se fue, Susan, y aunque vuelva, nunca será tuyo. Lady Cadwallader ya ha encontrado una esposa adecuada para él, la hija de una familia de Londres con título nobiliario.

El corazón de Susan se oprimió solo de pensar que Jonathan pudiera casarse con otra mujer. Lo cierto era que esperaba con ansias su regreso para ver cumplidas las promesas que se habían hecho la última vez que había venido a casa.

—¿Y desde cuándo confía en ti la señora? —preguntó con tono afligido e incrédulo.

Maud hizo una mueca.

—No ha confiado en mí. Coincidí con ella un día poco después de que su señoría partiera en aquella expedición con su tío. Me aseguró que se alegraba de que su hijo estuviera fuera durante al menos dos años porque iba a daros el tiempo que necesitabais para entrar en razón y porque con un poco de suerte, encontrarías un marido entre los hombres del pueblo.

Maud sufrió otro ataque de tos y tuvo que parar durante unos minutos antes de continuar:

—Las dos estuvimos de acuerdo en que vuestra amistad no puede continuar ahora que sois mayores. Los hombres como él no se casan con mujeres como nosotras, ya te lo he dicho muchas veces.

Susan se imaginaba perfectamente a la condesa viuda sentada en su carruaje con sus mejores galas hablando en tono condescendiente a su madre, y a esta aceptando sus palabras con una reverencia y una sonrisa afectada. Lo que decía era cierto: venían de mundos completamente opuestos, pero nunca les había importado. Prueba de ello era que Jonathan le había prometido que se casaría con ella.

Susan levantó la barbilla con actitud desafiante.

—Lady Cadwallader debería meterse en sus asuntos —espetó—. Ella no tiene ningún derecho a opinar sobre el marido que yo escoja y si Jonathan estuviera aquí, sé que me daría la razón.

Levantó el dobladillo de la falda del polvo y echaron a caminar de nuevo.

Maud parecía cansada y cada vez andaba con paso más vacilante. Cuando llegaron al último tramo, el más empinado de todo el camino, suspiró:

—Su señoría está lejos y ya tiene el futuro concertado desde el momento en que pise tierra. No dudo que sus promesas fueran sinceras, pero nunca va a poder casarse contigo —dijo, intentando hacer llegar un poco de aire a sus pulmones cargados—. La condesa solo pretende obrar de forma sensata, hija, y esta vez estoy de acuerdo con ella.

—Me da igual que sea dueña de todas las tierras de por aquí y que tengamos que pagarle los diezmos y el alquiler. Eso no le da ningún derecho a meterse en nuestros asuntos.

Maud esbozó una sonrisa triste.

—Le da derecho a hacer lo que quiera cuando se trata de su hijo —afirmó—. Es lo único que tiene.

—El conde murió hace muchos años —replicó Susan.

Maud no hizo caso del comentario y siguió hablando como si le urgiera acabar la conversación antes de que llegaran a casa. Quizá temiera que le quedaba poco tiempo.

—La señora habló conmigo otra vez hace unas seis semanas. Me comentó que Ezra Collinson estaba interesado en ti y créeme Susan, me sorprendí tanto como tú de que quisiera cortejar a la hija de un pescador.

A Susan le recorrió un escalofrío cuando vio el destello de orgullo en la mirada de su madre. Ahora lo entendía todo. Se detuvo en seco y se giró hacia ella.

—La señora sabía exactamente cuáles eran los hilos que tenía que mover, ¿verdad?

Susan hablaba en voz baja pero estaba a punto de estallar de rabia.

—No sé a qué te refieres —susurró Maud.

—Algunos pensarán que Ezra Collinson es un buen partido. Es un hombre educado y con clase, y además gana un buen sueldo. La condesa sabía que no ibas a poder resistirte a la idea de ver a tu única hija casada con un hombre como él. Y efectivamente, no has podido resistirte a presumir de su linaje.

Maud se ruborizó.

—Solo quiero lo mejor para ti —dijo—. Piénsalo, Susan, serás ama de tu propia casa, la esposa del pastor, una mujer respetada por todo el pueblo.

—Lo que pienso es que la señora quiere verme casada antes de que vuelva Jonathan —respondió la joven con frialdad—, y que tú quieres pavonearte delante de tus amiguitas en el saladero. Pues no pienso aceptarlo, y se acabó.

—Sabía que ibas a ponérmelo difícil. Pensé que si intentaba... quizá... Pero ahora ya es demasiado tarde.

Susan notó cómo perdía el color de la cara.

—¿Por qué?

—Le insinué que la proposición del señor Collinson sería bien acogida —respondió Maud con voz queda.

—En ese caso se va a llevar una decepción.

Maud negó con la cabeza y la gorra se le deslizó por la frente hasta casi taparle los ojos.

—No entiendes —carraspeó—. La señora ha prometido... Y yo he prometido...

Le fallaban las palabras y apartó la mirada.

Susan fijó los ojos en ella, horrorizada.

—¿Qué has prometido?

—Que aceptarías casarte con el señor Collinson.

Maud se irguió y observó de nuevo los furiosos ojos de su hija. Ahora las palabras le salieron a raudales:

—La señora me vino a ver el día después de que tu padre... Me prometió que cuando te casaras, firmará unos documentos que nos permitirán quedarnos en esta casa durante toda la vida sin tener que pagar arrendamiento.

A Susan le flaquearon las piernas. Se sentó en un montículo cubierto de hierba y se abrazó las rodillas.

—¿Cómo has podido hacerme algo así? —dijo con voz entrecortada—. ¡Eres mi madre! Deberías protegerme, no venderme como si fuera la pesca del día.

Maud parecía haber recuperado un poco de su formidable fuerza. Su sombra cayó encima de Susan y le habló con una firmeza que no admitía oposición alguna:

—No me quedaba más remedio. Si no te casas con el señor Collinson nos echará de casa. No tenemos barca, no tenemos ningún hombre que nos cuide. ¿A dónde iríamos, Susan? ¿Qué sería de los tres? —le preguntó, ahora casi gritando—. ¿Qué? ¿Nos vamos a vivir al páramo junto a esos pobres desgraciados que tienen que ganarse el pan tamizando porquería en las minas? ¿Tengo que enviar al único hijo que me queda a trabajar en un agujero para luego ver cómo se muere de fiebre de pulmón antes de cumplir los treinta?

—Ya nos las apañaríamos —murmuró Susan a través de sus labios entumecidos.

—¿Ah, sí? ¿Y cómo? —gritó su madre—. Si no tenemos barco, no tenemos pescado para vender. Ya sabes lo que cuesta encontrar un trabajo, con todas las viudas que hay ahora en el pueblo.

La energía de Maud la abandonó con la misma rapidez con la que había aparecido y ahora parecía consumirse en su propia desesperación.

Susan apenas veía a su madre debido a las lágrimas que le corrían por las mejillas. Se levantó lentamente y envolvió a Maud entre sus brazos. Ella tenía razón: no le quedaba otra alternativa. Estaba atrapada.

Gran Barrera de Coral, junio de 1770

Hacía una noche de luna y soplaba una brisa suave que apenas llenaba las velas. En *Endeavour* avanzaba con lentitud bordeando la costa. Hacía algunas semanas habían divisado tierra y con el cambio del tiempo, Josiah por fin se había acostumbrado al movimiento del buque. Estaba cómodamente instalado en una silla en la cubierta, envuelto en una montaña de mantas que corría el riesgo de prenderse por culpa de su pipa. Tenía el rostro macilento y unas marcadas ojeras, testimonio de lo que había padecido. Miró a los marineros que estaban arrojando unos pesados baúles al agua para medir su profundidad.

—No es fácil con tantas islas y una costa aún sin explorar —murmuró—. Esto de navegar aguas desconocidas de noche es un riesgo enorme por parte de Cook.

Jonathan, que estaba disfrutando de una copa de coñac y un puro después de cenar, contemplaba el magnífico cielo. Más allá de las velas ondeantes, las estrellas brillaban de forma espectacular y le maravillaba la claridad y el resplandor de las constelaciones en el hemisferio sur.

—Hombre, hasta ahora todo ha ido bien —dijo—. Y tienes que reconocer que el paisaje de este litoral es extraordinario, tío. ¿Te has fijado en esas islas?

Josiah hizo una mueca.

—Una vez pasada la satisfacción inicial, uno se da cuenta de que todas las islas son muy parecidas y que ninguna de ellas ofrece más que algunas palmeras y una playa arenosa.

Sydney Parkinson acababa de salir de su camarote y oyó por casualidad el comentario de Josiah. Se dejó caer en el asiento al lado de Jonathan.

—Bastante más que unas cuantas palmeras, señor. En Botany Bay mismo hemos descubierto miles de especies desconocidas de plantas y animales. Me llevará años catalogar y dibujar cuanto hemos hallado.

Josiah se volvió para observar al joven escocés.

—Ya me dirás para qué sirven las plantas cuando no tenemos ni agua fresca, ni comida, ni leña —se quejó—. Solo hay que echar un vistazo a los nativos para saber que la vida es del todo insostenible en estos lares.

Sydney se mordió el labio, sus rasgos delicados iluminados por una lámpara que tenía detrás.

—Por muy miserables que parezcan —dijo—, yo los veo satisfechos. El sol y el mar les sustentan, el clima es benigno, y como no precisan todos esos adornos superfluos que los europeos creemos tan imprescindibles, son felices en su ignorancia.

—Son unos salvajes —masculló Josiah—, unos pobres desgraciados escuálidos e ignorantes que han evolucionado más bien poco desde los primeros homínidos y que a duras penas consiguen vivir de una tierra árida y olvidada de Dios no sé sabe a cuenta de qué. ¿Qué pasó con esa tierra austral que iba a proporcionar al rey y a su país una cantidad de oro y riquezas más allá de nuestros sueños? No existe.

—Estoy de acuerdo en que no atraiga demasiado a los cazafortunas —dijo Sydney—, pero al menos hace que vuele la imaginación, ¿no creéis?

Jonathan tiró lo que le quedaba del puro al agua.

—Claro que sí —dijo levantándose—. A mí me encantaría saber qué hay más allá de esa orilla y qué clase de país es este. Quiero explorar todo lo que pueda porque a juzgar por los mapas antiguos, ha de ser una tierra inmensa.

Sydney asintió con la cabeza.

—También yo he vistos esos mapas. Y si es verdad que se trata de un solo continente, quizá no debamos descartar las historias que nos han llegado acerca de la gran tierra austral.

—Salvajes y fiebres tropicales —refunfuñó Josiah—. Recordad mis palabras, muchachos. Ya veréis cómo eso es lo único que vais a encontrar.

—En cuanto a los salvajes, ya contamos con ellos a bordo, señor —protestó Sydney—. No olvidemos lo que le pasó al señor Orton.

—Ese hombre es un borracho —saltó Josiah—. Si no hubiese estado tan bebido, nada de aquello hubiese pasado.

—No obstante, señor —insistió Sydney—, ningún hombre merece ser despojado de sus ropas y encima, que le corten las orejas. Es obra de un bárbaro y no voy a sentirme seguro hasta que atrapen al autor.

—Cook ya ha relevado al guardiamarina Magra de su cargo. Parece que ya tiene al hombre que buscaba así que ya puedes dormir tranquilo —señaló Josiah.

A pesar de que disfrutaban de una noche cálida, no cesaba de temblar. El pobre estaba completamente consumido y se subió la manta hasta la barbilla.

Jonathan no estaba escuchando el diálogo entre los otros dos. Todavía estaba dándole vueltas a lo que había dicho Sydney acerca de la emoción de explorar este nuevo continente. Comenzó a andar de un lado para otro de la cubierta mientras imaginaba una vida de descubrimientos y aventuras. Había tenido muchas ganas de meterse tierra adentro en Botany Bay y le había resultado frustrante no poder comunicarse con los nativos allí. Ni siquiera Tupaia había sido capaz de comprenderlos. Jonathan estaba convencido de que hubiesen llegado mucho más lejos si hubieran encontrado una forma de hacerse entender.

—Tienes razón, Sydney —dijo, interrumpiéndolos—. Solo hemos visto la costa este y de momento nadie se ha atrevido a penetrar en el interior. Sería toda una aventura ir a investigarlo y descubrir qué hay más allá de aquellos bosques.

Los otros dos se quedaron mirándolo durante unos instantes antes de reordenar sus pensamientos y volver a la anterior conversación.

—Tienes una imaginación hiperactiva, hijo —dijo Josiah—. Me temo que vas a tener que conformarte con esta aventura y olvidarte ya de todos tus sueños infantiles. Ahora te toca pensar en tu posición en la vida y en todas las responsabilidades que acarrea el patrimonio que te aguarda. Una vez vuelvas a casa, ya no tendrás tiempo de ir a explorar.

Cuando Jonathan trató de oponerse, Josiah lo rechazó con un gesto de la mano.

—Me voy a la cama —afirmó, haciendo un esfuerzo para levantarse del asiento—. Son casi las once. No son horas para discutir.

Jonathan asumió que no tenía sentido hablar de sus ambiciones, aunque tenía claro que su sueño no iba a desvanecerse y que algún día, con o sin el consentimiento de su familia, iba a cumplirlo. Agarró el brazo de su tío para ayudarlo, dándose cuenta una vez más de su fragilidad. Josiah se aferró a él y se puso en pie de manera vacilante.

De repente, el buque se sacudió y se detuvo con un chirrido. Josiah y Jonathan salieron despedidos, estrellándose contra la cubierta.

—¡Qué demonios! —exclamó el primero, agarrándose de nuevo a su sobrino.

Con la ayuda de los dos muchachos, consiguió ponerse en pie una vez más.

—Hemos chocado contra unas rocas —le dijo Jonathan.

El golpe sembró el pánico. Los marineros empezaron a correr como locos, los pies descalzos golpeando la tablazón con fuerza mientras Cook y sus oficiales gritaban órdenes.

—Vamos a morir ahogados —Sydney estaba aún más pálido de lo habitual, y se llevaba las manos al cuello como si ya hubiese caído al agua.

—¡Cálmate, Syd! —ordenó Jonathan—. Intentemos no ponernos histéricos. Cook va a necesitar la ayuda de todos si no queremos hundirnos.

Desmontaron las velas y echaron los botes más pequeños al mar para que los marineros pudieran determinar la profundidad del agua a su alrededor y empezar a evaluar los daños. Sus gritos flotaron hacia la cubierta con la brisa.

—Cuatro brazas aquí, capitán.

—Solo tres brazas aquí, señor.

—Por debajo de una braza, señor.

—¡Arrecife de coral, capitán!

Jonathan sujetó el brazo de Josiah mientras el resto de los pasajeros salía en tropel de sus camarotes. Se dio cuenta de que Sydney no era el único que creía que estaban a punto de hundirse o de ser secuestrados por un grupo de indígenas salvajes. Todos especulaban e imaginaban lo peor, incluso Banks, un hombre flemático por naturaleza, afirmó que creía que la situación era bastante inquietante. Sin embargo, mientras observaba a los marineros, Jonathan se sentía sorprendentemente tranquilo. Su destino no era morir aquí, por muy alta que estuviera la marea y por mucho que temiera que los daños se hubieran producido bajo la línea de flotación.

Cook se hizo cargo de la situación.

—Tenemos que liberar todo el peso posible del buque. Arrojen por la borda todo peso superfluo: pistolas, hierros, lastre de piedra, barriles, flejes, duelas, tarros de aceite, provisiones podridas, todo.

Jonathan y el resto de la tripulación trabajaron durante toda la noche. Josiah todavía estaba debilitado y se cansó rápidamente, pero se negó a volver al camarote a descansar. Colocó una silla al lado de la bodega y se sentó, formando un eslabón en la cadena de hombres que se fueron pasando toda clase de objetos desde la bodega hasta la barandilla desde donde los lanzaban al agua.

Ante la posibilidad de que Sydney se dejara llevar por el pánico, Jonathan resolvió que lo mejor que podía hacer era mantenerlo ocupado. Sin preocuparse en absoluto por las manos artísticas de su amigo, lo obligó a levantar seis cureñas y tirarlas al agua. A las cinco de la mañana, a pesar de la capa de sudor y suciedad que les cubría todo el cuerpo, aún no habían acabado. El *Endeavour* seguía atrapado en el coral.

Lanzaron barriles vacíos e incluso otros llenos de agua fresca. Arrancaron pedazos de hierro de la cubierta y sacaron los muebles más pesados de los camarotes y de las dependencias de los oficiales para arrojarlos también al agua. Amarraron los botes entre sí y los llenaron de baúles pesados de instrumentos científicos que eran demasiado importantes para prescindir de ellos. Luego pusieron a salvo los especímenes botánicos, los libros y los mapas. Los cerdos chillaron cuando cayeron al agua abandonados a su suerte y las cabras que habían proporcionado carne y leche durante tantos meses balaron aterrorizadas. Los patos se alejaron del buque chapoteando alegremente y los pollos salieron volando y buscaron cobijo entre las jarcias.

Todos los esfuerzos de la noche se habían visto recompensados porque de momento no entraba más agua y el mar seguía en calma.

Jonathan calculó que se habían deshecho de por lo menos cincuenta toneladas y, sin embargo, todavía no era suficiente para poner a flote el *Endeavour*.

Eran las once de la mañana y todos estaban agotados, pero Cook ordenó que siguieran aligerando el buque como fuera. Era imprescindible que lograran salir de allí antes de la pleamar.

Jonathan extrajo los libros de la biblioteca a regañadientes y desmontó los armarios. Subieron los barriles de ron y cerveza de la bodega y los marineros observaron adustos cómo se alejaban flotando. Luego el joven fue al camarote y arrojó por la borda todas sus maletas y baúles pesados. Después arrancó las literas y el resto de los muebles. En la cocina, el cocinero manco estaba deshaciéndose de las ollas y cacerolas más pesadas y de los sacos de harina y verduras. También ordenó a sus hombres que desatornillaran la mesa y desmontaran las enormes piedras que formaban los tres hornos de los que tan orgulloso estaba.

Trabajaban contra la marea y cuando empezó a subir, el agua penetró a raudales. Dos de las bombas funcionaban sin parar en la bodega, pero al mediodía, el *Endeavour* escoró de forma alarmante hacia estribor.

—¡Acudid a las cuatro bombas! —ordenó Cook.

Eran las cinco de la tarde y la marea subía de nuevo.

Jonathan arrastró a Sydney consigo a la bodega del buque y junto a tres hombres más intentaron hacer funcionar la cuarta bomba. Pero algo iba mal. No había forma de moverla, incluso después de que Jonathan hubiese empleado toda su fuerza para accionarla. Frustrado, le dio una patada y profirió todas las blasfemias que conocía, pero seguía sin moverse, y se estaban quedando sin tiempo. La marea subía por momentos, el buque se estaba enderezando y el agua ganaba terreno a las tres bombas restantes. Minuto a minuto, la profecía de Sydney iba ganando verosimilitud y, por primera vez en su vida, Jonathan conoció el miedo.

Ya había anochecido y todos los tripulantes estaban extenuados y desaliñados, mientras sacaban las últimas briznas de energía de donde buenamente podían para hacer funcionar las bombas. El buque se había enderezado del todo pero el agua continuaba amenazando con dominarlos.

A Jonathan le dolían los músculos y tenía llagas en las manos. Llevaba la camisa empapada y las gotas de sudor estaban entrándole en los ojos, que le escocían horrores. En el interior del *Endeavour* todo estaba oscuro y húmedo y el agua le llegaba hasta las pantorrillas. A pesar de su determinación de no perder la calma, no lograba quitarse el miedo de encima. Se encontraban a siete leguas de la orilla, demasiado lejos para nadar después de trabajar sin descanso durante veinticuatro horas. Quizá, después de todo, su destino fuera ahogarse bajo las estrellas en este océano del sur.

Dieron las nueve. La situación seguía siendo grave. Si permanecían atrapados en el arrecife, el buque iba a volcarse y hacerse pedazos. Si salían flotando, entraría más agua y se hundirían.

—No nos queda más remedio que salir de aquí —dijo Cook, mirando la bomba—. Sé que es peligroso, pero es un riesgo que tendremos que correr si queremos seguir vivos. Tendréis que prescindir de unos hombres aquí abajo porque voy a necesitar todas las manos posibles para manejar el cabrestante y el torno.

Jonathan miró de reojo a Sydney, que estaba bañado en sudor y tenía las manos ensangrentadas después de trabajar tan duramente.

—Sigue bombeando —murmuró—. Cook parece saber lo que está haciendo.

Finalmente, el *Endeavour* salió del arrecife y se adentró en aguas profundas justo después de las diez de la noche. Había más de un metro de agua en la bodega cuando izaron el mastelero de la proa y las velas y viraron el buque hacia el sureste, donde estaba la orilla. Jonathan y Sydney, agotados, ascendieron a cubierta para descansar. Otros marineros fueron llamados para quitar una de las velas menores y limpiar los cercados de los animales, una actividad extraña teniendo en cuenta las circunstancias.

—¿Qué hacen? —preguntó Jonathan al marinero entrecano que había estado trabajando con él en la bomba.

—Preparan un parche para el buque. Van a ponerle un tapón —respondió el marinero con voz áspera.

Estaba sudando copiosamente y las venas le sobresalían del cuello y los brazos robustos.

—¿Y eso se hace con un pedazo de vela?

El marinero escupió un pegote de flema al agua y lo miró como si ya debiera saber que hay ciertas cosas que no se preguntan.

—Hay que alinear y deshacer los cabos viejos, mezclarlos con lana, cortarlo todo a pedacitos y echarlo encima de la vela. Luego lo cubrimos con toda la mierda que encontremos, de pollo, de cerdo, de lo que sea. La mejor es la de caballo, pero no tenemos, así que esos perros quizá nos sean útiles por fin. Después hay que arrastrarlo debajo del barco con cuerdas.

—¿Y si no sabéis dónde está el agujero?

Los ojos legañosos del marinero lo miraron con desdén.

—Entonces arrastramos la tela de una punta a la otra hasta que lo encontremos, diablos.

—¿Y luego?

El marinero estaba cansado ya de tantas preguntas, pero Jonathan tenía que entender qué estaba pasando. Echó otro escupitajo.

—La lana y la porquería se van quitando y flotan hasta el agujero donde hacen una especie de tapón que nos servirá hasta que lleguemos a la orilla.

—Ingenioso —murmuró Jonathan.

—Recemos para que funcione, señor. Si no, vamos a estar dándole a la bomba hasta el día del juicio final.

Sydney se desplomó sobre la cubierta. Tenía el rostro pálido. Jonathan le pasó la petaca plateada de coñac, que compartieron hasta la última gota.

—Abandonad todas las bombas menos una —ordenó Cook después de lo que parecía horas de espera angustiosa—. El parche que le hemos puesto aguantará hasta que tomemos tierra.

El ambiente en el buque era más relajado. Los pasajeros y los tripulantes se tumbaron en la cubierta mientras dos de los botes pequeños partían en busca de un puerto seguro donde pudieran reparar los daños.

Jonathan se alejó tambaleándose del objeto de tortura que llevaba manejando desde hacía tantas horas y salió al aire fresco, donde se desplomó de espaldas al salón saqueado con las piernas despatarradas encima de la cubierta. No le quedaban fuerzas; estaba demasiado cansado incluso para comer o hablar. Sydney se sentó a su lado, las piernas y brazos temblorosos y el pecho palpitante. No estaba para nada acostumbrado a hacer tanto ejercicio.

Josiah había conseguido quedarse con su silla y la acercó a ellos. Se sentó, secándose el sudor de la frente, y dijo:

—Muy bien, chicos. Ya os decía yo que Cook no iba a fallarnos.

Jonathan lo miró con cariño. Nunca había dicho nada por el estilo, pero al menos la amenaza de naufragar tan lejos de casa le había devuelto el color a las mejillas y le había servido para recuperar su rimbombancia habitual.

Tahití, junio de 1770

No se oía nada en toda la isla. No había ni un buque anclado en la bahía, solo una canoa con batanga tumbada en la orilla. A pesar del calor del día, la playa estaba desierta, salvo unas cuantas aves zancudas, y en el corazón del pueblo, bajo la sombra de las palmeras, lo único que se movía eran las columnas aletargadas de humo que salían de las chozas quemadas. El claro principal estaba desierto y en silencio. Poco quedaba ya de las mujeres que cocinaban y los niños que jugaban ahí: solo los restos de unos cuantos recipientes y algunas cáscaras de coco. El único olor del pueblo abandonado era el hedor a muerte.

La enfermedad se había extendido por toda la isla algunas semanas atrás con la llegada de los marineros de uno de los buques grandes que habían anclado en la bahía. Al principio no se alarmaron demasiado porque con tanto ir y venir de buques y marinos, habían tenido que soportar enfermedades de todo tipo y hasta ahora, el hechicero había conseguido curarlas.

Pero entonces habían muerto algunos de los isleños. Los primeros fueron los más ancianos, los más pequeños y los más débiles.

Luego fulminó a algunos hombres y mujeres más fuertes, causando auténticos estragos en la población. Algunos sobrevivieron a la pestilencia, aunque los afortunados eran pocos y aleatorios. Cundió el pánico, pues su líder más sabio y venerado, Tupaia, aún no había regresado y la medicina del hechicero ya no surtía efecto. Los que no habían caído víctimas de la enfermedad huyeron en canoa, llevando consigo sus pertenencias a otras islas donde esperaban escapar con vida. Dejaron atrás a los moribundos y a los pocos que se atrevían a quedarse a cuidar de ellos.

A Lianni le castañeteaban los dientes. Una fiebre altísima recorría todo su cuerpo y sudaba tanto que su vistoso *sarong* y la estera sobre la que yacía habían quedado empapados. Estaba tendida en el suelo de la choza hecha de hojas de palmera, acurrucada bajo una manta fina con las rodillas subidas hasta el cuello para contener los temblores que sacudían su cuerpo consumido. Los granos rojos que le habían salido hacía días le picaban y escocían, pero por mucho que se rascara y les aplicara agua refrescante, no había forma de aliviar su tormento.

Muchos días antes, un hombre de un buque había acudido con una bolsa negra. Después de cogerle la muñeca, inspeccionar sus ojos y su boca y mirar los granos, le había dicho que tenía sarampión y que pronto mejoraría. Sin embargo, Lianni no se encontraba mejor y ahora temía no por sí misma, sino por su bebé. Esta enfermedad ya había matado a su madre, a dos de sus hermanas y a su tío. Ahora oía los llantos que salían de otra choza cercana, recordándole que casi todas las familias de la isla habían perdido a alguno de sus seres queridos por culpa de la enfermedad.

Volvió a taparse con la manta. Le dolían los ojos y le martilleaba la cabeza. Oleadas de calor acudían para abrasarla desde dentro. Sin embargo, sus dientes castañeteaban sin parar y le temblaba el cuerpo como si la hubieran metido en agua gélida a la merced de un viento cortante.

—Bebe un poco, Lianni. Te refrescará.

Unos brazos dulces levantaron su cabeza del suelo y a través de su niebla febril, vio que se trataba de la hermana de su padre, Tahani, que había padecido la misma enfermedad al principio de la epidemia y que había sobrevivido milagrosamente. Su tía vertió unas gotas de leche de coco fresca y dulce en su boca pero a Lianni le dolía tanto tragar que tuvieron que desistir.

—¿Dónde está Tahamma? —susurró.

—Está bien y a salvo, Lianni. Tu padre se llevó a todos los pequeños a otra isla, a la casa de nuestro hermano. Allí no hay ninguna enfermedad.

Lianni apenas oía la respuesta y no entendía por qué no estaba su precioso bebé a su lado, como siempre. Tenía la mente ofuscada y los pensamientos confusos.

—Quiero verlo —dijo, su voz poco más que un suspiro, las palabras perdiéndose entre los gorjeos estridentes de las aves de la selva—. Necesito abrazarlo por última vez.

Tahani la estrechó entre sus brazos y la acunó igual que cuando era niña.

—Es demasiado peligroso, Lianni —murmuró, apartándole los cabellos empapados de sudor de la cara—. Es demasiado pequeño para combatir esta enfermedad, y además, ahora no hay ninguna forma de hacer llegar un mensaje a la otra isla.

Lianni cerró los ojos y se dejó reconfortar por los brazos de su tía. En un momento de lucidez, se dio cuenta de que Tahani tenía razón. Tahamma solo tenía meses y aunque era un bebé robusto con las piernas y brazos gorditos y una barriga redonda, ya había visto cómo sucumbían otros niños tan sanos como él. Al menos estaría a salvo en la otra isla.

De repente parpadeó y abrió los ojos. Estaba inquieta porque acababa de acordarse de algo que la preocupaba desde hacía días. Se apartó de su tía que le imploró que se echara y descansara, pero Lianni la desoyó y se arrastró de la estera hasta el fondo de la choza donde se puso a escarbar en la tierra. Cuando tocó el pedazo de tela áspera, tiró hacia arriba y sacó el fardo pequeño que buscaba. Después de quitarle la suciedad, lo estrechó contra el pecho y se arrastró de nuevo hasta Tahani, para desplomarse encima de la manta. Ya no le quedaban fuerzas y se le estaba apagando la chispa de la vida.

—Quiero que le des esto a Tahamma cuando llegue a la mayoría de edad —susurró, entregando el fardo a Tahani—. Protégelo con tu vida. Es su herencia.

Cuando Tahani desplegó la tela, se quedó boquiabierta. Sacó el reloj de bolsillo y lo levantó. El oro y la piedra preciosa en el centro de la tapa resplandecieron a la luz del sol.

—¿A quién le has robado esto? —preguntó asombrada.

—No soy ladrona —repuso Lianni con voz entrecortada—. Me lo dio el padre de Tahamma justo antes de marcharse con Tupaia.

Tahani abrió la tapa y examinó los dos retratos en miniatura. Su expresión se suavizó cuando vio que Lianni le había dicho la verdad.

La muchacha se puso de costado y, con una fuerza sorprendente, asió el brazo de su tía.

—Prométeme que se lo guardarás, Tahani. Prométeme que jamás lo venderás, por muy mal que te vayan las cosas.

Tahani asintió con la cabeza.

—Te lo prometo —dijo—. Pero tendré que esconderlo de mi marido. Una cosa así compraría mucho ron y tabaco.

Cerró la tapa y envolvió de nuevo el reloj en la tela.

—Escóndelo —susurró Lianni—. Protégelo con tu vida.

Tahani llevó el reloj al pecho. Las lágrimas corrían incesantes por sus mejillas.

—Con mi vida —prometió.

Lianni cerró los ojos. Ya podía descansar tranquila. Su hijo no recordaría los brazos tiernos de su madre, pero conocería los rostros de sus padres y vería que en su piel llevaba la misma marca en forma de lágrima roja que su padre. Lentamente se soltó de lo que le quedaba de vida y cuando exhaló el último suspiro, se sumergió en el vacío acogedor de la oscuridad en la que no existía ni la fiebre, ni el dolor, ni las preocupaciones terrenales.

5

Mousehole, junio de 1770

La casa estaba un poco más allá de la iglesia, lejos de la vista de las canteras de granito y basalto que bisecaban claramente el pueblo. Era fea, sin ningún rasgo que la salvara. Estaba construida del granito de la zona, y las ventanas daban a la maleza revuelta del cabo y al lóbrego cementerio en el que yacían tantos pescadores y marineros. Las salas enormes resonaban con cada paso y entraban corrientes de aire por debajo de las puertas y a través de los resquicios de las ventanas. Los muebles eran escasos, de modo que Ezra se había acostumbrado a utilizar dos salas en la planta inferior y el dormitorio más pequeño, que tenía vistas al páramo. Cada día venía una señora del pueblo para cocinar y limpiar, y Higgins, su criado, tenía una habitación al lado de la enorme cocina, la única sala cálida en toda la casa dado que los fogones estaban encendidos todo el día, incluso en verano.

A medida que se acercaba a la casa, Ezra fue reduciendo el paso y, aunque todavía estaba animado después del sermón tan conmovedor que había dado esa misma mañana, le desanimaba pensar en lo que tenía que hacer esa tarde. Había esperado algunas semanas, pero sabía que aún no era el momento. Su proposición no era lo que se dice oportuna después de la pérdida que habían sufrido. Había intentado aplazar la fecha, pero Maud se mantuvo extrañamente firme en que siguieran con el plan original, así que se exponía a hacer el ridículo.

No podía decirse que Susan Penhalligan le resultara poco atractiva, sino todo lo contrario, pero la chica había puesto de manifiesto la aversión que sentía hacia él y le horrorizaba pensar que quizá lo ridiculizara. ¿Por qué tuvo que hacerle caso a la condesa viuda? Ojalá no lo hubiera atosigado hasta convencerlo de que le planteara esta propuesta de matrimonio tan nefasta. A pesar de todo, ya era demasiado tarde y no había forma de echarse atrás. Maud lo esperaba a las siete.

Con un profundo suspiro se puso de espaldas a la casa para mirar más allá del cabo herboso hacia el mar. Fuera de la iglesia Ezra era tímido por naturaleza y como siempre le había costado comunicarse con sus feligreses, sabía que daba la impresión de ser un hombre frío y distante. Pero no era así: le incomodaba tener que enfrentarse a su pobreza y su aceptación estoica de la tragedia. Así ocultaba la dolorosa compasión que sentía por ellos y la frustración de saber que nunca iba a poder brindarles un consuelo ni una ayuda que les sirviera. Siempre sería un forastero, un extraño con las manos suaves, unos modales forzados y una familia acaudalada, una rareza que les había endilgado la Iglesia. Sin embargo, Ezra deseaba por encima de todo que creyeran en el mensaje que les transmitía.

De repente desechó estas cavilaciones al percatarse de que dos mujeres bajaban por el camino empinado hacia el pueblo. Se le aceleró el pulso y su boca se secó cuando se dio cuenta de que se trataba de Susan y su madre. Estaban en medio de una acalorada pelea y Ezra no tuvo la menor duda del motivo de su discusión. Le recorrió un escalofrío solo de imaginarse lo que la muchacha podía estar diciendo de su persona.

¿Lo odiaba? ¿Le estaba diciendo a su madre que nunca iba a casarse con un hombre como él? ¿No era capaz de ver más allá de su torpeza y comprender la intensidad de sus sentimientos? ¿Y por qué iba a hacerlo? Siempre había mantenido una distancia correcta entre ellos, consciente del protocolo y de su posición dentro de la comunidad. Se había comportado de forma educada, quizá fría, a pesar de las ansias que tenía de sumergirse en su mirada y hablar con ella en la intimidad. Pero las cotillas hubieran hecho su agosto y Susan ya tenía bastantes problemas sin que él le causara aún más.

Sabía que tendría que haberse alejado de allí, pero no podía evitar que se le fueran los ojos tras ella. La chica se había quitado su viejo chal de la cabeza y sus cabellos gloriosos volaban libres al viento. Era tan indómita como el paisaje de Cornualles, dura como la hierba que se aferraba a las rocas y tan deseable como la joya más bella. Su ira la hacía todavía más espléndida, el movimiento de sus pechos bajo el canesú apretado, su barbilla altiva. Se moría de ganas de verle los ojos pues estaba convencido de que destellaban como dos zafiros en su rostro bañado por el sol.

Finalmente las dos mujeres se abrazaron y siguieron caminando. Las observó hasta que desaparecieron de la vista y entonces, con un suspiro profundo, dio media vuelta y volvió otra vez a su casa solitaria y hueca. Solo podía soñar con poseer su fuego, abrazar su cuerpo voluptuoso y besar sus labios carnosos porque nunca sería suya. No era digno de una chica semejante, aunque fuera la hija de un simple pescador. Le destrozaba la moral pensar que iba a tener que encontrarse cara a cara con ella esa misma tarde.

Ezra entró en el pasillo sombrío y cerró la puerta. Permaneció allí de pie durante un buen rato, escuchando el silencio que reinaba dentro de la casa. Un hombre como él nunca podría aspirar a más. Otro quizá hubiera podido crear un hogar, pues la casa se había construido para albergar a una familia numerosa. Unas voces infantiles y los pasos rápidos y ligeros de su madre ahuyentarían la melancolía y llenaría las habitaciones vacías de la vida y el calor que tanta falta les hacía.

No obstante, Dios lo había escogido porque su destino solitario ya se había determinado en el momento en que nació. Era el pequeño de tres hermanos, mucho menor que los otros dos, y siempre había sabido que fue una sorpresa desagradable para sus padres ya de edad avanzada. Habían esperado poco de él, llegando incluso a olvidarse de su existencia y dejándolo durante largos períodos con los criados hasta que cumplió la edad necesaria para mandarlo al internado.

Su falta de modales traía de cabeza a su madre y su padre le dejó claro que estaba destinado para la Iglesia o el ejército. La única que le había mostrado algún afecto era su abuela. Sus brazos tiernos y sus besos le habían ayudado a curar sus heridas de rechazo y cuando falleció, Ezra creyó que se le acababa el mundo.

No obstante, su legado lo había salvado de la penuria y la amenaza de tener que prestar el servicio militar. Cuando oyó por primera vez la predicación de John Wesley, supo que había encontrado exactamente lo que buscaba. Por fin se sintió aceptado.

Había sido escogido para el ministerio de Dios en la tierra, para predicar su evangelio y guiar a su rebaño hasta el paraíso. La familia de Cristo le había bastado para ser feliz hasta el día en que se fijó en Susan, hacía ya casi un año. La primera vez que la vio, se hallaba en el cabo con la mirada perdida en el horizonte. Su belleza le había cortado el aliento y la buscaba entre los feligreses y en el muelle, regalándose la vista con ella cada vez que la encontraba. Pero los designios del Señor eran inescrutables. Quizá el rechazo que le esperaba esa tarde sirviera para reafirmar su convicción de que estaba destinado a llevar a cabo la obra del Señor por su cuenta, que el mensaje que tenía que dar solo podía llegar a los feligreses a través de la abstinencia y la humildad.

Para evitar tener que pensar en la proposición inminente de Ezra, Susan se puso a trabajar como una poseída. Llevaba toda la tarde destripando arenques y envasándolos en barriles, pero ni siquiera advirtió que tenía las manos en carne viva a causa del frío, pues no paraba de darle vueltas a la traición de su madre. Ahora se encontraba en casa, rodeada del alboroto de demasiadas personas en un lugar demasiado reducido y lo único que deseaba era huir de allí.

—Ya falta poco —le dijo Maud cuando oyeron las sirenas de las canteras—. Ve a prepararte, hija.

Susan se alisó la tela basta de la falda y el delantal con sus manos enrojecidas.

—Ya estoy lista —dijo.

Maud contempló la falda manchada, el canesú sucio y los pies descalzos de Susan.

—No voy a permitir que una hija mía reciba a un señor vestida así —dijo con voz áspera—. Al menos ve a lavarte las escamas de las manos y ponte una falda limpia.

—El trabajo que hago es honesto y no me avergüenzo de él.

Maud agarró con fuerza el brazo de Susan y en voz baja le dijo:

—Si pudiera volverme atrás, lo haría, pero ya es demasiado tarde. Tú no tienes ningún derecho a desquitarte con el pastor. Estoy segura de que no tiene ni idea del chantaje de la condesa. —Miró por encima del hombro a los otros miembros de la familia que se habían instalado en casa—. Y ellos tampoco, estás avisada.

—Pues quizá sea hora de que se entere —respondió Susan—. Es posible que consigamos avergonzarlo lo suficiente para que cambie de idea.

Maud le dirigió una mirada dolorida.

—Cuando la condesa se decide, no hay vuelta atrás. Te lo ruego, Susan, piensa en lo que significará este matrimonio para Billy y para mí. Y para las viudas de tus hermanos.

La muchacha se mordió el labio y contempló lo que quedaba de su familia. Sus jóvenes cuñadas se habían reunido en la cocina para entrar en calor y reconfortarse al lado del hogar, donde hablaban, lloraban, hacían punto e intentaban asimilar su terrible pérdida. Dos de ellas ya habían perdido sus hogares y a una le quedaba poco para dar a luz. Se habían ido a vivir con Maud y la casa se había quedado minúscula.

Los dos nietos de Maud eran demasiado pequeños para darse cuenta de la tragedia, pero Billy, el hermano menor de Susan, estaba sufriendo mucho. Se encontraba apoyado en la jamba de la puerta de entrada, mirando con tristeza cómo sus amigos daban patadas a una lata sobre los adoquines. Llevaba la pierna entablillada y una venda bien apretada. La rotura iba a tardar mucho en soldarse y hasta entonces, no podría salir a faenar, si es que encontraba un hueco en alguno de los pocos barcos que quedaban.

Solo de pensar en su padre y sus hermanos perdidos, la amargura le oprimió la garganta y los ojos se le llenaron de lágrimas. Qué suerte tan cruel había corrido su familia y cómo odiaba a la condesa por mostrar tan poca compasión con ella. Ni siquiera les había dado tiempo para llorar su muerte antes de sumirlos en un estado de confusión con sus actos despóticos. Si Jonathan hubiese estado allí, nada de esto hubiera pasado.

Miró a su madre, deteniéndose en las sombras que rodeaban sus ojos y las arrugas que surcaban su rostro. Su cabellera era el único vestigio que le quedaba de su verdadera edad, pues la carga que le había tocado soportar la había dejado encorvada y doblada como una anciana. Se le había agotado el espíritu y la resolución que la habían caracterizado durante toda su vida y Susan aceptó que era la única que podía reparar parte del daño.

—Voy a cambiarme la falda —susurró.

—Eso es, cariño.

A Maud se le iluminó el rostro.

Susan corrió escaleras arriba y entró en la habitación que ahora compartía con sus cuñadas. Era un cuarto minúsculo con colchones distribuidos por el suelo y una ventana por la que apenas entraba luz. Sus vestidos colgaban de los clavos en las vigas y el único mueble que tenían era una mesita tambaleante en la que había una palangana y un jarrón para lavarse. Se quitó la ropa y se frotó con una pastilla de jabón de lejía hasta eliminar todas las escamas y el hedor a arenque y dejarse la piel resplandeciente.

Mientras se enfundaba en el único vestido limpio que poseía, apartó la idea de que lo que estaba haciendo estaba mal. Se desenredó el pelo y borró la imagen del pastor de su mente mientras se lo recogía con una cinta negra. Ya no le importaba, nada le importaba ahora que había perdido a Jonathan. El sacrificio valdría la pena si conseguía que su madre se recuperara y su familia viviera tranquila, pero iba a asegurarse de que la condesa cumpliera con su parte del trato: no habría casamiento hasta que viera su firma en la escritura de la casa.

Ezra se miró en el espejo de cuerpo entero que había entre dos ventanas. Le brillaba el pelo y estaba recién afeitado. El blanco del pañuelo que llevaba en el cuello resplandecía a la tenue luz que penetraba por la ventana empotrada, y el corte de sus pantalones y su chaqueta sentaba bien a su cuerpo delgado. Sin embargo, estaba desmoralizado: seguía pareciendo un pastor de pueblo, un espantapájaros con una nariz que le sobresalía de la cara como un pico y unas muñecas huesudas que irrumpían como palos por debajo de los puños. Se apartó del espejo y se puso el sombrero. La vanidad era un pecado, pero aunque hubiera tenido la suerte de ser más atractivo, Susan tampoco lo habría querido.

Cogió la cajita de terciopelo que había encima de la cama y la abrió. El anillo de diamantes formaba parte de la herencia de su abuela. No era muy valioso, pues la piedra era pequeña, pero la anciana lo había llevado cada día, y por ese motivo significaba mucho para Ezra. El oro ardía bajo los últimos rayos de sol y el diamante radiaba fuego y esperanza. Cerró la cajita de nuevo y la guardó en el bolsillo. Ya no podía andarse con rodeos. Las sirenas de las canteras habían sonado hacía un buen rato y Susan lo estaba esperando.

Como de costumbre, Higgins no estaba a la vista y el ama ya se había marchado. Dio un suspiro de alivio cuando cerró la puerta de su casa. Cuanta menos gente diera testimonio de su humillación, mejor.

Ezra caminó por encima los adoquines hacia la casa de Susan. Tenía el corazón en un puño. Pocas veces se acercaba al muelle dado que los pescadores eran muy supersticiosos y lo consideraban de mal agüero si lo veían cuando se preparaban para salir a pescar; estaba convencido de que detrás de cada ventana había ojos vigilantes y oídos aguzados a los taconazos de sus zapatos de hebilla. ¿Sabían el motivo de su visita esta tarde? Maud Penhalligan le había asegurado que no iba a decir nada, pero ¿podía confiar en ella? ¿Ya era de dominio público su vergüenza?

Llegó a la puerta. Antes de cambiar de opinión y huir de nuevo hacia su casa en lo alto del acantilado, tocó en la madera viciada por la sal.

Se abrió. Maud le hizo una reverencia y pasó rápidamente por su lado, dándole un empujón.

—Me he asegurado de que no os interrumpan, señor —balbuceó—. Pasad. Susan os espera.

Entonces desapareció y Ezra siguió el eco de sus zuecos en los adoquines a medida que se alejaba en el silencio de la tarde.

Se quedó paralizado con las piernas temblorosas y los nervios de punta.

—Por favor, señor Collinson, pasad.

Notó cómo el color ascendía por su cuello hasta el rostro. Susan salió de la oscuridad de la casa y se plantó delante de él. Llevaba un vestido sencillo, el pelo resplandeciente y en sus ojos vio el azul más intenso que había contemplado en su vida. Estaba más preciosa que nunca y Ezra se quedó sin habla.

—No creo que sea conveniente tener esta conversación en el umbral de casa, señor Collinson, a no ser que deseéis que nos oiga todo el pueblo.

Le habló en inglés, con un dejo del acento de la lengua celta de Cornualles.

Ezra agachó la cabeza y entró en la sala que ocupaba toda la planta baja de la casa.

Susan cerró la puerta y se sumieron en la luz parpadeante de las lámparas y el resplandor que salía de la cocina. Le dirigió un gesto para que se sentara en el banco de madera y él aguardó a que ella se sentara enfrente. Se miraron en silencio, sin saber cómo proceder.

Ezra se preguntó qué veía mientras lo contemplaba con esa solemnidad, pero cuando observó que le sonreía, se le levantó el ánimo y por fin se armó de valor para hablar.

—Señorita Penhalligan —dijo, aclarándose la voz—, ya he hablado con vuestra madre y me ha dado a entender que quizá estéis dispuesta a recibirme aquí.

Susan inclinó la cabeza, pero no dijo nada.

Ezra volvió a carraspear y hurgó en el bolsillo de la chaqueta. Sacó la cajita de terciopelo y la apretó entre las manos.

—Supongo que todo esto es en cierto modo una sorpresa —dijo—, pero os he admirado desde hace meses y ahora que estoy aquí, casi tengo miedo de hablar.

Susan se movió inquieta en la silla, la mirada retadora, la expresión formal y distante.

Ezra abandonó toda precaución y se puso de rodillas delante de ella. Las palabras le salieron a borbotones como una gran tormenta de pasión.

—Señorita Penhalligan. Susan. Os amo con todo mi corazón y aunque parezca demasiado mayor y aburrido para alguien como vos, tened piedad de mí. Bajo esta fachada severa late el corazón de un hombre que os adora, que ansia amaros y cuidaros y hacer todo lo posible para que seáis feliz.

Susan había estado a punto de informarle del chantaje de la condesa y de que lo único que sentía por su papel en todo este acto de maldad era el más profundo desprecio, pero las palabras y la vehemencia de Ezra la silenciaron. Le asombró su pasión y el auténtico desespero de su proposición. Nunca hubiera imaginado la fuerza de sus sentimientos, pues apenas se había fijado en él excepto cuando iba a misa. Pero ahora lo tenía delante, arrodillado a sus pies, sus ojos oscuros implorándole que lo escuchara. Era increíble, toda una lección de humildad.

Se suavizó su expresión cuando lo miró de cerca por primera vez. Tenía los ojos finos e incluso se le antojó atractivo ahora que lo veía con el rostro colorado y la boca más relajada. Tal vez había ocultado sus sentimientos hasta ahora por miedo a ser rechazado y Susan sintió compasión por los dos. Nunca iba a poder amarlo pues lo compararía con Jonathan, y él se merecía mucho más de lo que ella era capaz de darle. Se le secó la boca cuando se imaginó atrapada en un matrimonio tan desigual. Desconocía si la pasión de Ezra iba a ser suficiente para los dos.

—Me honra que os sintáis de esta manera, señor Collinson —susurró—, y es cierto que vuestra declaración me coge completamente desprevenida. —Sonrió para alejar el tono hiriente de sus palabras—. Pero estoy de luto y no creo que...

—Soy consciente de que todavía guardáis luto por vuestra familia —interrumpió Ezra—, y que quizá no sea el mejor momento para hablar de todo esto. —Con manos temblorosas, Ezra abrió la cajita y se la extendió—. Pero cuando se acabe el período de duelo, ¿me haríais el honor de ser mi esposa?

A Susan se le oprimió el pecho dentro del canesú apretado cuando vio el anillo. Miró otra vez los ojos de Ezra y reconoció la súplica en ellos. Se mantuvieron en silencio durante un buen rato y la muchacha supo que él era inocente de las maquinaciones de la condesa. Le había abierto el corazón y había puesto su orgullo a sus pies con la esperanza de ser correspondido. El corazón de Susan sentía pena por él, por su vulnerabilidad y por el abuso de confianza que estaba a punto de cometer.

—Sí —suspiró finalmente.

Ezra la miró incrédulo, sin atreverse a creer lo que acababa de oír. Luego su rostro se iluminó de alegría cuando Susan le tocó la mano para confirmárselo. Cogió el anillo con torpeza y estuvo a punto de dejarlo caer antes de conseguir ponérselo en el dedo. Le iba a la perfección.

Ojalá Susan hubiera compartido una fracción minúscula de la alegría de Ezra. Quizá entonces no se hubiera sentido tan desolada.

6

El río Endeavour (Cooktown), junio de 1770

Tardaron cuatro días en llegar desde el arrecife hasta la desembocadura del río que Cook bautizó con el mismo nombre que el buque. Cuando echaron anclas en la arena e inspeccionaron el casco, descubrieron la gran suerte que habían tenido. Aunque el parche había conseguido tapar algunos de los agujeros irregulares, lo que los había salvado había sido el coral. En el agujero más grande se había incrustado un pedazo enorme que servía de tapón hermético. Sin ese pedazo de coral, el *Endeavour* se hubiera hundido con toda la tripulación.

Anabarru y las otras mujeres se habían refugiado con sus hijos entre las sombras de la selva mientras los ancianos celebraban una reunión urgente. Hacía días habían avistado una extraña canoa con alas enormes y unos mensajeros se habían encargado de observar e informar al pueblo de su avance lento, pero constante, por el río. Todos estaban muy consternados. ¿Y si el espantoso buque llevaba un enemigo que quería matarlos? ¿Venían los Espíritus Ancestrales a castigarlos? ¿Habían disgustado a los Espíritus de alguna manera? Y si así fuera, ¿quién tenía la culpa?

Los Ancianos estaban en medio de una discusión acalorada y el tono no paraba de subir. Todos tenían los puños levantados y gritaban en un intento por hacerse oír. Los hombres más jóvenes sospechaban que se trataba de unos enemigos que venían de norte y eran partidarios de atacar. Ya estaban preparando sus lanzas y pintando sus cuerpos con arcilla de color ocre. Los mayores y más sabios aconsejaban tranquilidad y dignidad: lo más acertado era esperar a ver qué portaba el buque a estas tierras. Algunas de las voces respetadas insistían una y otra vez en que se trataba de los Espíritus Ancestrales y debían prepararse para el fin del mundo.

Anabarru se abrazó a su hijo pequeño y atrajo a su hija a su lado. Le horrorizaba pensar que alguien quisiera hacerles daño, o que ella misma corriera peligro. No quería morir ni deseaba que se acabara el mundo antes de ver crecer a sus hijos. Observó que su marido, Watpipa, se había levantado y se colocaba en el centro del corro de Ancianos. Con el paso de las estaciones se había convertido en uno de los miembros más respetados del clan e igual que su ilustre antepasado Djanay, era uno de los líderes del Consejo. El espíritu de Djanay vivía en su interior, pues era un hombre sabio y carismático que sabía silenciar las voces airadas y calmar el acaloramiento del debate.

—Debemos tener en cuenta las historias de los Antepasados —dijo en voz baja al silencio que se había hecho a su alrededor—. Ya nos han hablado de las canoas con alas de aves marinas y de los hombres que las navegaban. Aquellos hombres solo venían a buscar las conchas especiales y nuestra gente guardó la paz con ellos. Los Espíritus Ancestrales no aparecen como hombres sino que adoptan la forma de una luz en el cielo o de un gran soplo de viento.

Miró uno por uno a los Ancianos antes de continuar:

—Sabremos cuándo se avecina el fin del mundo porque los Espíritus nos harán llegar una señal para advertírnoslo. De momento no lo han hecho.

—La canoa es una señal —lo interrumpió uno de los jóvenes.

La expresión de Watpipa se endureció al oír un murmullo de conformidad entre los presentes.

—Si hablas de ese modo es porque deseas que se derrame la sangre y que se infunda el terror en el pueblo. Si los Espíritus estuvieran enojados sacudirían la tierra y nos mandarían fuego desde el cielo, no una canoa hecha por el hombre.

—¿Y qué debemos hacer, entonces? —preguntó el Anciano Mayor—. La canoa está varada en el río. Con esto ya han violado nuestras tierras sagradas.

—Somos cazadores —dijo Watpipa—. Durante la iniciación nos enseñan que debemos movernos con el silencio de las serpientes, que debemos permanecer quietos como los hormigueros y que debemos ser astutos como los possums. Debemos aprender a imitar a los animales y las plantas que nos rodean y leer las señales que nos dejan para poder sobrevivir. Lo mismo pasa con esta canoa. Una vez la hayamos conocido y entendamos lo que lleva, entonces podremos decidir si supone alguna amenaza.

Viendo que los Ancianos habían decidido seguir el consejo de Watpipa, Anabarru soltó un suspiro que levantó los cabellos de su hijo. No había llegado el fin del mundo y los Espíritus Ancestrales no estaban airados. Sin embargo, no se quitaba de la cabeza que quizá no hubiera conseguido aplacar del todo a los Seres Sagrados y que de alguna forma tenía la culpa de los problemas que acechaban a la tribu. Sus acciones habían introducido un espíritu malvado entre el clan.

Se puso en pie, el pequeño en su cadera, Birranulu agarrada con fuerza de la mano. Ya no era un bebé, pero era tímida y nerviosa y pocas veces se separaba de su madre. Anabarru se preguntaba si se acordaba de lo que había ocurrido aquel día tan nefasto en la playa. Ella todavía lo guardaba claramente grabado en la memoria. Aún se despertaba por las noches temblando de miedo por las pesadillas que la perseguían.

Desde las sombras de los árboles vio cómo los hombres cogían sus lanzas y se adentraban en la selva que llevaba a la orilla del río. Sabía lo que tenía que hacer. Se dirigió rápidamente hacia la madre de Watpipa, que estaba sentada con los niños cuyas madres habían ido a pescar algunos de los peces gordos que se encontraban río arriba en las aguas poco profundas. Acababa de empezar a contarles una historia del *Dreamtime* acerca de Otchout, el padre del gran bacalao, y los niños estaban embelesados.

Anabarru le sonrió agradecida y dejó a sus dos hijos con el resto del grupo; fue en busca de su bolsa de juncos, el bastón de escarbar y una lanza corta y salió corriendo detrás de las otras mujeres. Pero en cuanto se alejó del campamento, se desvió y encaminó otro sendero. Su destino quedaba lejos de ahí, en medio de la selva. El camino le recordó el que había tenido que hacer tiempo atrás al llevar a cabo la ceremonia de purificación. Cuando llegó a la boca de la cueva de alumbramiento y susurró las oraciones consagradas, le recorrió un escalofrío de aprensión. Entró y se puso en cuclillas a la luz del sol. Se abrazó las rodillas y miró su propia historia pintada con ocre en la pared sagrada. No faltaba detalle. El rapto, la muerte del violador, el nacimiento y la muerte del niño que no había podido criar.

Las rudimentarias pinturas no le suscitaron ninguna emoción pues aunque hubiera experimentado el miedo y el peligro durante sus meses de exilio, había sido purificada y había recibido una buena acogida tras volver al campamento. La muerte de la criatura formaba una parte imprescindible de la purificación. Había que velar por la sangre de la tribu y el fruto de una violación a manos de un lagarto no podía sobrevivir.

Anabarru se secó unas gotas de sudor que le había entrado en los ojos y miró el paisaje. Ese lejano día había abandonado la cueva de alumbramiento en cuanto terminaron los rituales. Sonrió al recordar la pasión de Watpipa esa primera noche. Se había mostrado insaciable y ella se había aferrado a él, saboreando el tacto de su cuerpo y la fuerza de sus brazos protectores. Poco después se le había hinchado de nuevo el vientre con su hijo, una señal inequívoca de que los Espíritus la veían de nuevo con buenos ojos.

Apartó sus recuerdos y miró el sol. Se estaba poniendo rápidamente detrás de las cumbres gemelas. Debía darse prisa.

La roca con la que había matado a su secuestrador seguía en el mismo sitio donde la dejó hacía muchas lunas, pero el extraño color que brillaba en ella le inquietaba del mismo modo que cuando había sufrido los dolores del parto por tercera vez y había dado a luz a su nuevo hijo. Las otras mujeres decían que habían experimentado el mismo desasosiego y que no habían podido dejar de mirarla. Todas se sentían aliviadas al salir de la cueva.

Ahora comprendía que su presencia era un recuerdo maligno de lo que había ocurrido. Su propia esencia emanaba una malevolencia que parecía impregnar este lugar tan sagrado y ella había sido quien la había dejado allí. El robo cometido en la tierra de los Lagarto traía mala suerte a toda la tribu. Si no, ¿cómo se explicaba la llegada de aquellas canoas tan extrañas? Tenía que devolverla.

Se levantó, respiró hondo para armarse de valor, la asió y la dejó caer dentro de la bolsa. Luego cogió el bastón y la lanza, salió de la cueva y se dirigió hacia el oeste.

El sol se estaba poniendo y ya no hacía tanto calor. Anabarru llegó a los límites del territorio tribal del pueblo Ngandyandyi. Trepó hasta lo alto de un árbol, se sentó en una rama fuerte y sacó la roca de la bolsa. Sin siquiera mirarla, la lanzó con todas sus fuerzas hacia la tierra de los Lagarto. Se acabó.

—Todavía nos observan —masculló Sydney mientras Jonathan y él recogían las cajas de especímenes y las libretas de dibujos de un bote para dejarlas de nuevo en la cabina desvalijada del segundo.

—Ya llevan dos días —dijo Jonathan. Dejó una caja en el suelo y se secó el sudor de la frente. Hacía tanto calor que incluso el agua del río arenoso era templada. Continuó—: Pero creo que son más curiosos que salvajes. Lo más probable es que nunca hayan visto a un hombre blanco en sus vidas y no acaben de entender quiénes somos.

—Llevan lanzas —contestó Sydney—. A ver si nos van a matar a todos mientras dormimos.

Jonathan le dio una palmada en la espalda y se rio de su semblante fúnebre.

—Tu optimismo no conoce límites, Syd. Por el amor de Dios, alégrate un poco o me pasaré la vida mirando por encima del hombro —dijo Jonathan, echando un vistazo hacia los árboles—. Si quisieran matarnos, ya lo habrían hecho, pero me parece que ahora mismo les servimos de espectáculo, no para llenar ninguna olla.

Continuaron trabajando aunque Jonathan notaba en el rostro de su amigo que estaba nervioso. Después de guardar la última caja en el camarote, dejó a Sydney y volvió a la orilla arenosa para observar el bullicio alrededor del buque.

Habían arrastrado el *Endeavour* hasta lo alto del banco de arena para que pudieran empezar a arreglar los daños. Tendrían que pasar bastantes días aquí antes de poder levar anclas, pero al menos abundaba la madera sólida en la zona. En cuanto al tema de salir del estuario caluroso, arenoso y tropical, pues para eso necesitaban encontrar una forma de atravesar el gran arrecife de coral que parecía seguir la costa hasta el norte. Cook tendría que aguzar el ingenio si quería que llegaran intactos a las aguas profundas del océano.

Jonathan abandonó estos pensamientos cuando Josiah se acercó a él con pasos pesados y se desplomó en la arena a su lado. Todavía llevaba el abrigo grueso, pero se había deshecho del chaleco y la peluca por deferencia al calor sofocante.

—Cook y Tupaia tienen intención de comunicarse con los nativos —gruñó, mirando con el ceño fruncido hacia los árboles—. Nos han estado observando desde que entramos en el estuario.

Jonathan asintió con la cabeza.

—Los nativos eran amables en Botany Bay. No sé por qué no iban a serlo aquí.

Josiah se bajó el sombrero hasta casi taparse los ojos y miró las sombras negras que se movían sigilosamente entre los árboles.

—Me recuerda a cuando era pequeño —masculló.

Jonathan lo miró perplejo.

—El guardabosque solía dejar alimentos para los ciervos a principios de primavera —explicó—. Los machos eran los primeros en salir del bosque. Olían el aire, hacían alarde de su cornamenta y vigilaban. Igual que ellos. —Dirigió un gesto hacia los nativos atentos con sus lanzas. Después tosió y se rio con aspereza—. Entonces venían las hembras, vacilantes, precavidas, mientras salían lentamente del bosque, listas para huir ante el primer ruido desconocido. Y después seguían los cervatos, todo piernas y colas nerviosas. —Se secó los ojos con un pañuelo antes de seguir—. Es una imagen de la que no me cansaba nunca.

A Jonathan no le extrañó que su tío hubiera escogido esa analogía. Dos días atrás habían aparecido las mujeres de los nativos y ahora veían que también los niños se asomaban de detrás de sus padres y en lo alto de los árboles. Sonrió: había discernido una curiosidad cándida en sus caritas cuando miraban boquiabiertos el *Endeavour* y a los hombres que trabajaban en él. Parecían unos auténticos pillines juguetones con el mismo cabello revuelto, los mismos ojos y cuerpos enjutos que sus homólogos en Botany Bay.

Había estudiado algunos libros que hablaban del tema y le fascinaba ver cómo se diferenciaban de los hombres negros de África. Estos nativos eran más delgados y más bajos, y en lugar de los rizos apretados de los africanos, su pelo podía ser liso y lacio, corto y rizado, o como una aureola enmarañada encima de sus cabezas.

Jonathan y su tío se pusieron de pie cuando Cook, Tupaia y tres oficiales del buque salieron del *Endeavour* y se dirigieron lentamente hacia los árboles. Había llegado la hora de entablar comunicación con los nativos y esclarecer de una vez por todas si iban a ser bien recibidos.

Los pasajeros y la tripulación dejaron lo que estaban haciendo y, asiendo las pistolas y los alfanjes, se agruparon formando una especie de falange delante del buque. Los perros de Banks tiraban de sus correas, gimiendo y ladrando con las lenguas fuera. Habían captado el olor a caza.

—Espero que no suelte a esos malditos bichos —masculló Josiah—. Como a alguno le dé por pegarle un mordisco a un nativo, moriremos todos masacrados.

Anabarru y las otras mujeres ya no podían contener la curiosidad. Habían salido sigilosamente esa mañana para unirse a los hombres y contemplar esa cosa tan extraña que había en la orilla. Poco después aparecieron los niños que, a pesar de las serias advertencias de sus padres, comenzaron a corretear por los árboles hasta que los Ancianos tuvieron que regañarlos.

Llevaba a su bebé en brazos pero Birranulu se había negado por primera vez a darle la mano y estaba corriendo de aquí para allá. No estaba sola, pues todos los niños sentían la misma curiosidad, y no tenían ningún miedo, ni siquiera cuando vieron a los perros atados con las cuerdas. No se parecían a los *dalkans* de la zona. Tenían un aspecto de lo más raro: delgados con las patas largas, el hocico puntiagudo, las orejas caídas y el pelo de un extraño color gris. Además, no resoplaban como los perros nativos e intentaban desgarrar el aire con las patas como si quisieran saltar al cuello de los observadores.

Anabarru contempló la escena desde detrás de los árboles mientras Watpipa y los Ancianos se movían entre las sombras. La canoa era inmensa y el viento caluroso zarandeaba las cuerdas atadas a los árboles sin hojas como una serpiente enroscada a punto de atacar. Observó cómo los hombres daban vueltas a la canoa y subían por sus alas plegadas. Sus rostros fantasmales le hacían temblar de miedo. La enorme nave estaba habitada por los espíritus de los fallecidos. Quizá fuera la señal de los antepasados de que había llegado el fin del mundo. Quizá no hubiese podido eliminar todo el mal de la roca a pesar de haberla devuelto al territorio lagarto.

Se volvió y buscó a su hija. Birranulu había olvidado completamente su timidez y estaba muy excitada, hablando con sus amigos en la rama de un árbol cercano, señalando el buque y mirando pasmada los tejemanejes de los hombres. Los niños no tenían ningún miedo y Anabarru se preguntó por qué. Abrazó con fuerza a su hijo y estaba a punto de hacer bajar a Birranulu del árbol cuando oyó las voces agitadas de los hombres y se detuvo en seco. Los Ancianos se habían agrupado formando una piña y tenían las lanzas y los escudos alzados preparados para atacar. Entonces se volvió para mirar hacia la playa y comprendió por qué: un grupo de fantasmas venía hacia ellos.

Anabarru tenía un dilema. Quería retroceder y fundirse entre las otras mujeres que seguían ocultándose entre los árboles, pero su hija estaba sentada en una rama fuera de su alcance y no quería dejarla allí. Miró a su marido para que le indicara qué debía hacer pero estaba con los otros Ancianos, firme, sin apartar los ojos de los hombres que se les acercaban. Siendo la esposa de uno de los Ancianos, se esperaba que diera ejemplo a las demás. Si su marido no tenía miedo, no le quedaba más remedio que permanecer a su lado, o al menos un poco detrás de él.

Los Ancianos iniciaron un debate acalorado en voz baja. Anabarru rondaba con aire indeciso detrás de Watpipa con su hijo en la cadera, mirando los rostros de los hombres-fantasma. Se fijó en el más bajito del grupo, el que iba a la cabeza. Era el único que no llevaba pieles extrañas y la cabeza tapada. Le picó la curiosidad porque su aspecto no era para nada fantasmal. Tenía la piel oscura, pero menos que la de Anabarru, y sus largos cabellos le llegaban casi hasta la cintura. Iba completamente desnudo salvo unas hierbas trenzadas que rodeaban sus caderas y caían hasta sus pies descalzos. Era robusto, pero elegante, y sus brazos y pecho musculosos relucían al sol como si se hubiera untado con alguna grasa animal.

Watpipa y el resto de los Ancianos salieron de detrás de los árboles al sol abrasador. Se mantuvieron orgullosos y tensos con las lanzas y los escudos alzados.

—¿Quiénes sois y qué venís a buscar? —preguntó Watpipa—. Habéis violado las leyes tribales con esta invasión de nuestra tierra sagrada.

Anabarru escuchó la respuesta del hombre oscuro, pero sus palabras eran extrañas y no las entendía. Entonces habló un hombre muy alto con el pelo largo y moreno y un tocado insólito, pero tampoco comprendió lo que decía. Los hombres de la canoa finalmente se sentaron en la arena y con una serie de gestos y sonrisas, invitaron a los Ancianos a unirse a ellos.

El calor del sol era insoportable, casi tanto como la tensión que se respiraba. Anabarru oía el murmullo de los Ancianos que seguían discutiendo y supo que, a pesar de su aparente cordialidad, desconfiaban de los forasteros. Se quedó paralizada cuando Watpipa finalmente condujo a los Ancianos hacia el grupo de hombres sentados en la arena, lejos de la protección de los árboles.

La tensión disminuyó cuando su marido y los demás bajaron sus lanzas y se acuclillaron en la arena. Al percibir que Watpipa no estaba asustado, decidió que no correría peligro si se acercaba un poco más para escuchar a escondidas la conversación entre los hombres.

Poco a poco, el resto de las mujeres y los niños fueron saliendo con cautela de entre los árboles, pero se frenaron cuando vieron que más hombres del buque se habían acercado al grupo en la orilla. Anabarru los observó atentamente, preparada para huir, pero no parecían agresivos pues llevaban las manos vacías y seguían sonriendo. Agarrando a su hijo, dio unos pasos hacia ellos.

El hombre de los *dalkans* grises se acercó y Anabarru vaciló unos instantes, dudando de sus intenciones e intentando medir la ferocidad de esos animales tan extraños. Todos sus temores se desvanecieron cuando se sentaron obedientes a las órdenes de su amo, jadeando con la lengua fuera y los ojos llenos de picardía.

Los niños ya no aguantaban más. Salieron en tropel de detrás de los árboles y se arremolinaron excitados y risueños alrededor del hombre y sus perros. Anabarru gritó unas palabras de advertencia a Birranulu cuando vio que su hija había extendido la mano para acariciar la cabeza de uno de los perros. Sentía una mezcla de miedo y rabia porque siempre le había dicho que no debía acercarse a los perros desconocidos. Era cierto que siempre había cachorros por el campamento, pero los adultos podían ser peligrosos.

Sin embargo, comprendió enseguida que sus temores eran infundados porque el animal lamió la mano de la niña y en un santiamén, perros y niños estaban jugando y revolcándose en la arena. Anabarru se agachó y algunos de los hombres de la canoa se acercaron a los niños con un objeto rojo y redondo, animando a los más jóvenes a darle patadas por la playa. Toda la escena se le antojó de lo más extraña y no supo qué pensar. Parecía una especie de *corroboree,* pero no seguía ninguno de los rituales que hubiera visto en su vida.

Miró el círculo de hombres y vio que todos sonreían y se daban las manos. Algunos de los hombres habían sacado telas de colores y collares de piedras brillantes como ofrendas de amistad. Parecían haber llegado a un acuerdo de paz. Anabarru suspiró aliviada. Había hecho bien en deshacerse de la roca: los espíritus malos que contenía no moraban dentro de estos hombres sino lejos de allí, en la tierra de los Lagarto donde no iban a hacer daño a la gente de su tribu.

7

Waymbuurr, junio a agosto de 1770

Jonathan estaba de pie, apartado del corro, y miraba las caras de los nativos mientras Cook y el cura tahitiano intentaban hacerse entender. Ya llevaban varios días allá y de momento, solo habían conseguido comunicarse con los hombres negros a través de muecas, gestos frenéticos con los brazos y mímica. Era frustrante, pero al menos el miedo inicial de los nativos parecía haberse disipado, gracias en gran parte a la alegría de los niños de haber encontrado unos nuevos compañeros de juego.

De repente tropezó con la mirada del joven que parecía ser uno de los líderes del pequeño grupo y sonrió. Llevaban días estudiándose de forma furtiva e intercambiando miradas y señales con la cabeza.

El hombre le devolvió la sonrisa y se encogió de hombros. Por lo visto, él también estaba cansado de los intentos frustrados de hablar. Se levantó, marcando el perfil de su figura delgada contra el oscuro telón de fondo de la selva. Entonces se dio una palmada en el pecho y levantó la barbilla con orgullo.

—Watpipa —dijo.

Jonathan dedujo que era su nombre. Se tocó el pecho también y devolvió el cumplido:

—Jon —aventuró, imaginándose que al hombre negro quizá le costara pronunciar todas las sílabas de «Jonathan».

Watpipa volvió a sonreír, mostrándole una dentadura perfecta.

—Jon —replicó, riéndose.

Luego balbuceó unas palabras incomprensibles e hizo un gesto a Jonathan para que lo siguiera.

Después de lanzar una mirada a los demás, el muchacho se alejó de la playa. Habían renacido todas sus esperanzas. Era justo lo que había estado deseando. Quizá ahora tuviera la oportunidad de descubrir los secretos de este lugar tan intrigante y su gente.

Watpipa marcó un paso formidable, zigzagueando entre los árboles, sus pies descalzos endurecidos e insensibles a las agujas de pino puntiagudas y los pedazos de coral afilados sembrados por el suelo de la selva. Jonathan sudaba y, a medida que se adentraban entre los árboles que los rodeaban, iba notando las picaduras de los mosquitos. Los apartó como pudo, resuelto a no demostrar ninguna debilidad delante del otro hombre.

Watpipa lo condujo a un río caudaloso donde se agachó y bebió agua con las manos. Jonathan siguió su ejemplo. En su vida había bebido un agua tan refrescante. No se entretuvieron y mientras proseguían su selvático camino, Watpipa cogió unas hojas verdes y anchas de un arbusto y le indicó que las aplastara y se untara la piel con la savia. El alivio de las picadas fue casi inmediato y Jonathan ya caminaba con más brío cuando salieron de la protección de la selva al sol abrasador.

Habían llegado a una pradera inmensa que se extendía hasta el horizonte. El cielo era claro y de un color azul increíble. La hierba era amarilla y susurraba, moviéndose de un lado hacia el otro en la brisa suave y cálida como un enorme mar interior. Estaba a punto de hacer un comentario cuando el hombre negro le puso una mano en el brazo y lo tiró bruscamente al suelo.

Sorprendido y asustado, Jonathan se tendió a su lado en medio de la alta hierba y siguió el dedo extendido del hombre. Tuvo que reprimir un grito ahogado. Nunca había visto un animal semejante. Era del mismo color ocre que la tierra, alto como un hombre y tenía las patas traseras enormes mientras que las delanteras eran minúsculas.

—Canguro —susurró Watpipa, levantándose lentamente hasta ponerse en cuclillas y sacando un pedazo torcido de madera del cinturón de paja que llevaba encima de las caderas.

Sin mover un músculo, entrecerró los ojos y con un cuidado infinito, se acercó al animal. Poco a poco avanzó sin hacer ningún ruido con los pies. De repente levantó el brazo y su arma voló por el aire, golpeando al animal en la cabeza con un ruido sordo. El canguro cayó desplomado. Watpipa se volvió hacia Jonathan con el rostro iluminado de felicidad.

—¡Canguro! —gritó.

Jonathan advirtió que llevaba un rato conteniendo la respiración y finalmente tomó aliento.

—Muy bien —susurró—. Vaya puntería.

Dio una palmadita en el hombro de su amigo. Watpipa se quedó inmóvil con la sonrisa vacilante, pero al ver la alegría en el rostro de Jonathan, sonrió de nuevo y le dio una buena manotada en la espalda.

El muchacho se dio cuenta de que el canguro solo estaba aturdido cuando el nativo sacó una piedra afilada de debajo de la funda que le colgaba del cinturón y lo degolló. Cogió la otra arma de Watpipa y la sujetó en la mano. Estaba hecha de una madera oscura y decorada con símbolos y señales. Pesaba bastante.

—¿Y esto cómo se llama? —preguntó, devolviéndola a Watpipa.

—Bumerán —respondió Watpipa.

Se puso de pie y lo lanzó de nuevo. Jonathan observó cómo se alejaba dando vueltas con un silbido cortante y se quedó boquiabierto cuando lo vio regresar hacia ellos y Watpipa lo atrapó en pleno vuelo.

—¡Qué maravilla! —exclamó—. ¿Puedo probar?

El bumerán resultó ser mucho más complicado de lo que Jonathan hubiera imaginado. Parecía empeñado en clavarse en el suelo o salir volando para luego desaparecer en la hierba. Por mucho que lo intentara, ese maldito trozo de madera no volvía. Finalmente desistió. El calor era demasiado debilitante para seguir corriendo por la pradera en su busca.

El rostro de Watpipa estaba radiante y risueño. Quizá le hicieran gracia los esfuerzos torpes de Jonathan. Cargó el animal muerto a sus espaldas y emprendieron la marcha de vuelta hacia la playa.

Jonathan caminó a su lado, fijándose en los árboles, las hierbas y los helechos insólitos. Las hojas y las ramas estaban abarrotadas de hormigas verdes y Watpipa cogió un puñado, las aplastó en la mano y se las metió en la boca como si se tratara de confites. Ofreció unas cuantas al joven que, por no ofender a su anfitrión, las aceptó, cerró los ojos y masticó. Para su sorpresa, eran agradablemente dulces.

Poco después volvió a oír la misma risa socarrona que había intrigado a todos los del buque cuando montaron el campamento en la playa. Miró hacia lo alto de un árbol, descubrió un pájaro pequeño y marrón similar a un martín pescador, excepto en su coloración, y se paró a observarlo.

—Cucaburra —dijo Watpipa, echando la cabeza hacia atrás e imitando el canto del pájaro, que volvió a reírse.

Cuando llegaron a la playa, Watpipa dejó el canguro encima de la arena.

—Es un regalo para nosotros —explicó Jonathan a los curiosos atónitos—. Además, me ha enseñado dónde podemos encontrar agua. —Sonrió a Watpipa—: Gracias.

Este le dedicó un gesto con la cabeza y miró con desdén las cuentas de colores y las baratijas que los demás habían intentado regalarle. Luego llamó a su esposa e hijos y se metió en la selva.

Esa noche, tumbado en la tienda que compartía con Sydney y su tío, Jonathan no consiguió conciliar el sueño y se pasó horas pensando en su excursión con Watpipa. Tal vez los otros tuvieran prisa por marcharse de ahí, pero él rezó con fervor por que tardaran mucho tiempo en arreglar el buque. Si conseguía ganarse la confianza de Watpipa, era posible que se le abriera todo un mundo desconocido y la aventura sería completa.

El nativo reapareció a última hora de la mañana del día siguiente. Jonathan lo estaba esperando. Se alejaron de la playa y caminaron río arriba, entre unas hierbas que les llegaban hasta la cadera. Los hormigueros montaban guardia en la tierra rojiza, con tamaños que oscilaban entre unos cuantos centímetros y más de dos metros y una circunferencia demasiado ancha para medir con los brazos.

Jonathan inspiró el aire caliente y húmedo y miró encima del hombro al bosque que habían dejado atrás y a las montañas azules que se asomaban a la lejanía. Era un auténtico paraíso vetusto que nadie había pisado desde tiempos inmemoriales. Observó a Watpipa, que estaba ocupado buscando un animal para cazar, y esperó que la llegada del *Endeavour* no provocara ningún cambio en todo aquello, pues su amigo y su pueblo eran auténticos primitivos, unos cazadores recolectores desnudos que vivían en armonía con la tierra. No tenían cultivos, no eran ganaderos, y si el mundo exterior los dejaba en paz, seguirían así para siempre.

Ese día pescaron varios barramundis, o al menos los pescó Watpipa. Intentó enseñarle a Jonathan cómo tenderse en la parte menos profunda del río con las manos dentro del agua y esperar a que se acercara uno de los peces para entonces atraparlo con las manos. Se reía a carcajadas cada vez que a Jonathan se le escapaba alguno. El muchacho también reía, consciente de que estaba haciendo el ridículo, pero pasándoselo en grande.

Watpipa preparó una piedra caliente sobre un hoyo para la lumbre, y empezó a destripar uno de los peces. Jonathan metió la mano en el bolsillo y sacó su propia navaja. Era lo único que tenía que pudiera resultarle útil al nativo.

Este la examinó con detenimiento, moviéndola de un lado para otro, fascinado por el brillo que emitía cuando el sol se reflejaba en la cuchilla metálica y en el mango de marfil.

Jonathan le enseñó cómo usarla para cortar el pescado de forma rápida y limpia y Watpipa se la arrebató de nuevo para probar. Una vez envuelto el pescado en una manta de hojas y depositado encima de la piedra caliente, Watpipa guardó la navaja junto a su piedra afilada primitiva y los dos hombres permanecieron sentados en un silencio de armonía. Era el principio de una amistad que iban a recordar durante el resto de su vida.

Según fueron pasando las semanas, Jonathan continuaba escapando con Watpipa a la selva con regularidad y la tribu acogió a los pasajeros y a la tripulación del *Endeavour* con los brazos abiertos. Les mostraron los árboles más resistentes para reparar el buque, los guiaron hasta las aguas más frescas y los frutos más apetecibles y los entretuvieron por las noches con sus canciones y bailes.

Las mujeres del clan se mantuvieron alejadas de los hombres del *Endeavour* y sus esposos las vigilaron celosamente. Por suerte, ninguno de los marineros había intentado acercarse a ellas, intimidados quizá por sus marcas tribales y las lanzas afiladas de sus maridos. Esto no era Tahití: no había cabida para el libertinaje y su supervivencia dependía de su buena relación con los nativos.

Jonathan estaba encantado con Anabarru y sus hijos, pero le frustraba su incapacidad para comunicarse bien con ellos. Su idioma le retorcía la lengua y solo había conseguido aprender algunas palabras. Las mujeres parecían iguales que los hombres salvo cuando había que salir a cazar con el bumerán y a la hora de tomar decisiones. Parecían observar su propio código de conducta, tenían sus propios tabúes extraños y sus vínculos familiares eran fortísimos. Habían establecido una jerarquía según la cual los jóvenes cuidaban a los mayores que, a su vez, se encargaban de los pequeños cuando sus madres salían a recolectar alimentos y a pescar. Toda la tribu tenía unos conocimientos amplios y una compresión profunda de su tierra y aunque llevaran una vida primitiva, no carecían de nada. En cierta manera, Jonathan los envidiaba.

No podía pasar todos los días con Watpipa dado que había mucho trabajo por hacer. Habían montado el campamento en el linde de la selva, donde habían colgado lonas de las ramas que proporcionaban refugio del sol. Los arreglos iban bien, pero seguían sin saber cómo saldrían de la playa tropical en la que habían varado. Jonathan aceptó una invitación de Banks, Sydney y Solander para salir con uno de los botes a inspeccionar el arrecife.

La gran barrera de coral se levantaba de forma casi perpendicular en el océano insondable. Cuando la marea estaba alta, el agua cubría el arrecife, pero la vida bulliciosa de los peces y moluscos de colores llamativos se veía claramente desde el bote dado que el agua era tan clara y azul como el cielo.

El rostro de Sydney se iluminó de felicidad:

—Esto es el paraíso para un artista, Jon. No sé ni por dónde empezar. Hay tantas cosas que pintar y tan poco tiempo para hacerlo.

—Estoy seguro de que lo conseguirás —dijo Jonathan—. Pero recuerda que tienes que comer y dormir, Syd. No puedes pintar día y noche y alimentarte del aire.

—Ya, pero qué aire, qué belleza —contestó Sydney, respirando hondo—. No se parece en nada a Escocia.

—Eso espero —replicó Jonathan.

Por mucho que le maravillara el coral de colores y la fascinante vida marina, tenía ganas de volver a salir con Watpipa en su canoa endeble hecha de corteza para ir a cazar las tortugas gigantes que nadaban de aquella forma tan relajada en las aguas cálidas y cuya carne era tan deliciosa.

Sonrió escuchando cómo Sydney se deshacía en elogios al hablar de las maravillas botánicas de este rincón aislado del mundo. Jonathan sabía poco de plantas y le importaban todavía menos, así que le costaba mostrar el mismo entusiasmo que su amigo ante la forma de una hoja o el color de la corteza. Ya le había costado lo suyo convencer a Sydney de que se olvidara por un momento del trabajo y se tomara una copa con él cuando el sol pegaba más fuerte por la tarde.

Este finalmente cedió cuando el termómetro llegó a una temperatura inaguantable y le resultó casi imposible trabajar. Juntos habían compartido una de las botellas de ron que aparecieron flotando con la marea. Se sentaron bajo uno de los toldos de lona y observaron los juegos en la playa.

Josiah había dedicado los primeros días a dar vueltas por la playa y a estorbar a todo el mundo hasta que descubrió que a pesar de su pésima voz, sus canciones cautivaban a los niños nativos. En poco tiempo les había enseñado varias canciones infantiles en inglés ante el asombro de sus madres y abuelas. Ahora pretendía enseñarles las reglas del críquet.

Jonathan se rio a carcajadas al contemplar cómo Josiah intentaba organizar a sus reclutas, que se divertían más dando vueltas a su alrededor y tirándole del faldón de la camisa. Su tío se había deshecho del abrigo y ahora iba descalzo y con la cabeza descubierta. El rostro se le estaba poniendo rojo por momentos. Jonathan nunca lo había visto tan relajado y despreocupado y le alegraba el alma ver que día a día iba recuperando fuerzas.

Cuando el sol finalmente remitió y empezó a soplar una brisa suave encima de la arena, Cook anunció que iba a escalar hasta lo alto de la montaña detrás de los árboles para ver si conseguía trazar una ruta a través del arrecife. Jonathan, harto ya de permanecer sentado sin hacer nada, se unió a la expedición.

La cuesta era muy empinada y no parecía acabar nunca. Sudando y sin aliento, con las pantorrillas agarrotadas y doloridas, finalmente llegó a la cima. Nada hubiera podido prepararle para la vista que le esperaba y mientras permanecía allí, mirando boquiabierto y sobrecogido, no fue capaz de compartir la desesperación de Cook. La marea estaba baja y se veían varios bancos de arena y bajíos por toda la costa, pero en la lejanía vio una extensión gloriosa del color azul más profundo y el color verde más claro que hubiera contemplado en su vida.

—Estamos atrapados hasta que encontremos la manera de salir de aquí —dijo Cook, mirando a través de su telescopio—. Enviaré a Bob Molyneaux a explorar la zona, y no dejaré que descanse hasta que encontremos una ruta.

Molyneaux salió cada día y todos, a excepción de Jonathan, se exasperaron con su búsqueda infructuosa de una salida en esa prisión de coral tan preciosa y tan aislada.

Finalmente, Cook ascendió hasta la cima y escrutó el arrecife cuando la marea estaba baja. Luego se llevó un bote pequeño hasta una isla que dedujo que debía de ser una de las puntas más extremas del arrecife. Para consternación de Jonathan, volvió a la orilla y declaró que había encontrado la forma de salir.

—Será una maniobra complicada pero no podemos permitirnos el lujo de quedarnos aquí más tiempo. Corremos el riesgo de tropezar con las tormentas de invierno.

Los compañeros de viaje de Jonathan celebraron la noticia. Se habían cansado del calor y de las lluvias breves, pero intensas, que entorpecían el progreso de los arreglos y aumentaban la humedad. Ya estaban ansiosos por regresar a casa.

—Gracias a Dios —susurró Sydney—. Pensaba que nunca íbamos a volver a ver Gran Bretaña.

—Creí que eras feliz aquí —dijo Jonathan, sorprendido.

—La verdad es que me ha encantado encontrar tantas especies maravillosas, pero soy escocés, Jon. Necesito sentir el viento frío en la cara y dejar que el olor a brezo me llene los orificios nasales. —Se calló un momento para mirar con el entrecejo fruncido el mar turquesa—. Soy más feliz sabiendo que podemos volver a la civilización.

La noche antes de zarpar, Watpipa y los Ancianos los invitaron a un festín en su honor con canciones y bailes. Jonathan se sentía apesadumbrado pues sabía que iba a ser la última vez que se sentaba delante de la hoguera e intentó grabar los rostros, los olores y las imágenes en su memoria para llevárselos a casa.

Watpipa, Anabarru y su tribu les prepararon una comida digna de reyes: un asado de lagarto, ualabi, pichón y tortuga acompañado de un pan ácimo de hierbas. Cuando todo el mundo quedó saciado, Watpipa hizo una señal para indicar que había llegado la hora de bailar. Los movimientos no se parecían en nada al contoneo sensual de las tahitianas ni a los brincos estilizados de la aristocracia londinense. El baile imitaba a los pájaros y animales del monte. Era salvaje pero contenido, como si cada paso fuera importante, como si cada movimiento de manos y cada mueca expresara la esencia espiritual de las bestias.

La música consistía en el tableteo de dos bastones de madera y el zumbido monótono y rítmico de un instrumento largo y hueco de idéntico material, decorado con remolinos y esbozos toscos de animales.

—Didgeridoo —dijo Watpipa, pasándoselo a Jonathan.

Era muy pesado y difícil de manejar pero Watpipa le hizo un gesto con la cabeza para darle ánimos y Jonathan sopló para ver si le arrancaba algún sonido. Lo que consiguió fue algo que se parecía más al bramido de una vaca. Avergonzado y con las risas suaves de los nativos resonándole en los oídos, devolvió el didgeridoo a su amigo.

Este se lo tendió de nuevo, haciendo una seña para que lo aceptara como regalo. Luego Anabarru le obsequió con un collar de conchas. Jonathan agachó la cabeza y ella se lo colocó alrededor del cuello. Luego rio y regresó corriendo al lado de sus hijos.

Al fin la velada concluyó y los dos hombres se encontraron frente a frente, sabiendo que con toda probabilidad nunca volverían a verse. Jonathan extendió la mano y Watpipa se la agarró. Durante unos largos momentos reconocieron su amistad en silencio y después el muchacho dio media vuelta y se dirigió al buque.

Al rayar el alba Jonathan se hallaba en la cubierta mirando a los marineros que se preparaban para izar las velas y seguir al bote más pequeño del buque a través del laberinto de coral. Iba a echar de menos este lugar tan glorioso, la gente, el clima y los misterios de la vida de los nativos.

—Un día triste —mascullÓ Josiah, diciendo adiós con la mano a los niños de la orilla—. Voy a extrañar a esos diablillos.

—La verdad es que te han devuelto a la vida, tío. Quizá deberías pensar en casarte cuando lleguemos a casa. Eres un padrazo.

—¡Buf! Los niños solo son buena compañía cuando son de los demás. Al menos puedes devolverlos cuando te cansas.

Permanecieron en silencio mientras el buque empezaba su largo viaje por el estuario hasta la boca del río. Jonathan se asomó todo lo que pudo para no perder de vista a Watpipa y a su familia.

El *Endeavour* consiguió salir del río y adentrarse en el mar. La tripulación no dejó de realizar sondeos durante toda la travesía hasta que llegaron al arrecife de coral, donde pusieron rumbo a la punta norte de la isla que Cook había bautizado como Isla de los Lagartos. Navegando con sumo cuidado a través del laberinto de arrecifes, al día siguiente ya no divisaban tierra alguna.

—Está entrando una cantidad de agua alarmante —dijo Jonathan entre dientes a su tío—. Las bombas no sirven de nada y las velas están podridas. Nos podremos considerar afortunados si nos mantenemos a flote hasta Batavia.

El *Endeavour* tardó ocho angustiosos días en salir a mar abierto y poner rumbo a Batavia. En toda la travesía ninguno de los hombres padeció de escorbuto, pero el viaje a casa estuvo plagado de bajas y muertes dado en que Batavia cundía toda clase de enfermedades. Durante los tres meses que tuvieron que permanecer allí para hacerle una revisión exhaustiva al *Endeavour*, falleció el cirujano seguido de su criado y de Tupaia. Luego perdieron cuarenta hombres más, debilitando a toda la tripulación a causa de la gravedad de la situación. Los efectos persistieron hasta bien entrados en el océano Atlántico y cuando estaban llegando al cabo de Buena Esperanza, murieron el cocinero manco, diez marineros, tres marines y el viejo velero. También fallecieron el astrónomo Green, el guardiamarina Monkhouse y Sydney Parkinson.

Jonathan no se separó ni un momento de su amigo, escuchando sus desvaríos febriles y poniendo en peligro su propia salud. Su muerte lo afectó sobremanera, dado que habían hecho muchos planes para el futuro una vez llegaran a Inglaterra. Mientras se esforzaba por ponerse en posición de firme en la cubierta y mirar cómo arrojaban el cuerpo de Sydney al piélago, se dio cuenta de que el mundo había perdido un artista botánico talentoso y que él se había quedado sin uno de sus mejores amigos.

Siete hombres más perdieron la vida en el cabo de Buena Esperanza, entre ellos Molyneaux, el hombre que había salido con valentía día tras día para buscar una forma de atravesar el arrecife.

Para gran sorpresa de Jonathan, Josiah se deshizo de la fiebre tropical en poco tiempo y a pesar de la mar gruesa alrededor del cabo, ya parecía haberse acostumbrado al movimiento del buque. Caminaba cada día por la cubierta y animó a los demás, incluido Jonathan cuando se recuperó, a que siguieran su ejemplo.

El muchacho no tardó en reponerse y disfrutaba haciendo un poco de ejercicio en la cubierta. Faltaba poco para que llegaran a casa, a Inglaterra y a Susan. Ansiaba verla de nuevo y convertirla en su esposa.

Un día, mientras paseaban por la cubierta, Josiah se dirigió a su sobrino:

—Cook ha trazado mapas de todo el país desde Botany Bay hasta Cabo York, ha tomado posesión de todas sus islas, bahías, puertos y ríos en nombre del rey Jorge. Pero, ¿sabes qué? Estoy de acuerdo con él: la relevancia de nuestra expedición será insignificante dentro del contexto global del Imperio.

Jonathan apartó sus pensamientos de Susan y le contestó:

—La relevancia será enorme una vez hayan explorado el interior del país. Hay una parte inmensa que no has visto y me juego lo que quieras a que se encontrarán muchas riquezas en ella.

Josiah resopló.

—La anexión de Australia es una forma de privar a nuestros enemigos de un territorio nuevo que en algún momento quizá valga la pena poseer —respondió—. Sin embargo, me temo que el provecho que le puedan sacar a un país como ese es un tema muy discutible.

Tahití, agosto de 1770

Tahani regresó a la isla con el resto de los supervivientes. Habían tardado semanas en limpiar el campamento de las huellas de lo que había ocurrido e incluso después de que hubieran construido nuevas chozas y todo hubiera vuelto a la normalidad, le parecía oír las voces de los fallecidos en los susurros de los árboles. No le asustaban porque creía que Lianni seguía al lado de su hijo en espíritu, observando cómo crecía sano y fuerte.

Había dos buques anclados en la bahía y los de la isla habían sido rápidos a la hora de negociar para obtener ron, hierro y las medicinas que curarían las enfermedades que los extranjeros habían traído consigo. Las fuertes lluvias ya habían pasado y en el aire se respiraba la dulzura de las flores llenas de colores que trepaban en abundancia por los árboles.

Tahani volvió de la playa con la cesta de juncos apoyada en la cadera. Estaba llena de peces y pesaba mucho. Canturreaba en voz baja y pensaba en todos los planes que tenía para Tahamma. Era un niño robusto y a pesar de contar con pocos meses de edad, sus ojos ya brillaban de curiosidad y mostraban una nobleza casi imperiosa cuando miraban a su alrededor. Enseguida había aprendido a reconocer voces, y era sensible a los colores y al revoloteo de las aves. Además, gorjeaba alegremente cuando su tía le cantaba. Tahani sonrió y sujetó la cesta con más fuerza contra la cadera. Tahamma era el único que apreciaba sus canciones: sus propios hijos y nietos se tapaban los oídos.

Depositó la cesta junto a la puerta de la choza y se agachó para entrar en el frescor de la oscuridad. Cuando salió a pescar había dejado al niño durmiendo pero sabía que ahora estaría esperando su toma de leche.

—¿Dónde has estado? —preguntó una voz hosca desde las sombras más oscuras de un rincón de la casa.

A Tahani se le cayó el alma a los pies. Sabía que su marido, Pruhana, había vuelto a emborracharse de ron.

—He salido a pescar —respondió en voz baja.

Estaba a punto de coger el niño que se movía dentro de su cesto de juncos cuando la voz de su marido la paralizó:

—¿Y de dónde has sacado esto?

Pruhana levantó el reloj.

—Lianni —susurró Tahani—. Era de Lianni.

Pruhana movió el reloj de uno a otro lado para que reluciera a la luz del sol. Sus ojos brillaban de avaricia.

—Pues ahora ya no le va a hacer ninguna falta.

Tahani fue a quitárselo pero su marido lo apartó rápidamente.

—Es mío —dijo ella, esta vez con firmeza—. Lianni me lo entregó para que se lo diera a Tahamma.

—¿Para qué querría un bebé algo semejante? —preguntó Pruhana con sorna.

Se levantó como pudo, balanceándose y sin poder fijar bien la mirada. Era un hombre imponente, ancho de espaldas y contorno, que se movía con una agilidad sorprendente cuando no estaba bebido. Sin embargo, el ron le sacaba su lado más voluble y Tahani sabía que tendría que andar con pies de plomo si quería evitar el puño de Pruhana y hacerse de nuevo con el reloj.

—Es su herencia —dijo con toda la serenidad de la que era capaz—. Prometí a Lianni cuando se estaba muriendo que...

Pruhana le dio una bofetada tan fuerte que, antes de poder reaccionar, Tahani salió despedida y cayó en el suelo al otro extremo de la choza.

—¡Ahora es mío! —gritó el hombre—. ¡Mío! ¿Me oyes, mujer?

Tahamma rompió a llorar. Tahani todavía estaba recuperándose del golpe pero se levantó tambaleándose, se abalanzó sobre su marido y empezó a arañarlo.

—¡No! ¡No es tuyo! —chilló. Le atacó los ojos con las uñas, lo golpeó en el pecho con sus puños minúsculos mientras le daba patadas en las espinillas—. Le hice una promesa sagrada a Lianni —jadeó—. ¡No es tuyo!

Pruhana la repelió como si fuera un enjambre de moscas. La agarró del pelo y tiró con fuerza, encorvándole el cuello hacia atrás hasta obligarla a ponerse de rodillas.

—No deberías ocultarme estas cosas, Tahani —dijo, arrastrando las palabras—. Las promesas no te van a llenar el estómago ni van a comprar más ron para mí. Los marineros me pagarán bien cuando se lo enseñe.

Le dio un empujón, arrojándola de nuevo al suelo.

Tahani sabía que si Pruhana conseguía salir de la choza con el reloj, nunca lo vería de nuevo. Revolvió en el suelo hasta dar con una olla y sin pensar en las posibles consecuencias, le dio en la cabeza.

Por desgracia, Pruhana ni se inmutó. Se giró y empezó a caminar hacia ella con los ojos ardiendo de rabia.

Tahani gritó y retrocedió hasta chocar con la pared de paja. Viendo que estaba atrapada, se encogió en el suelo para protegerse de los puñetazos y patadas de su marido. Luego dejó de gritar y el mundo se convirtió en un abismo oscuro de dolor.

De repente, paró. Tahani levantó los ojos aterrorizada y lloró de alivio al ver que sus hermanos habían venido a salvarla. Ni siquiera la fuerza de Pruhana podía vencer a los brazos de los dos hombres que lo tenían preso. Se levantó y a pesar de los moratones que le estaban saliendo en los ojos y en los labios, fue directamente a atender a Tahamma. Una vez lo tuvo en brazos, contó a sus hermanos la promesa que le había hecho a Lianni y el intento de su marido de llevarse el reloj.

Los hermanos se lo arrancaron de las manos y lo devolvieron a Tahani. Luego arrastraron a Pruhana por la puerta y lo ataron a un árbol donde se quedaría hasta que decidieran el castigo que se merecía. Si darle una paliza a su esposa e intentar robarle el reloj ya eran delitos graves en sí, el hecho de romper un juramento era imperdonable. Los caciques convocarían una reunión para decidir qué hacer con él, pero como mínimo, lo expulsarían a otra isla.

Tahani permaneció sentada en la choza, intentando calmar el llanto del bebé mientras las lágrimas le corrían por sus propias mejillas hinchadas. Sujetó el reloj con fuerza contra el pecho. El oro ya no relucía tanto y la tapa estaba un poco abollada, pero al menos había conseguido cumplir su promesa. Sabía que su marido acababa de convertirse en su peor enemigo y que, mientras siguiera vivo, la herencia de Tahamma no iba a estar segura.

8

Mousehole, mayo de 1771

Susan estaba trabajando en el saladero del muelle. Ya había pasado casi un año desde la propuesta de matrimonio de Ezra y sabía que no podría aplazar la boda durante más tiempo. El período de luto ya había concluido, su madre había recuperado la vitalidad y la condesa viuda estaba impaciente. Jonathan llevaba casi tres años fuera y ella no sabía nada de él. Ahora ya no le quedaba más remedio que casarse con Ezra e intentar ser lo más feliz posible.

Hizo un descanso y pensó en la lúgubre casa que pronto iba a convertirse en su hogar. Su posición solo acentuaba la soledad que sentiría cuando se instalara allá. Su unión con Ezra la alejaría de su familia y de la forma de vida que había conocido hasta el momento.

Ya habían comenzado las preparaciones para su futuro y su dominio del inglés había mejorado mucho. Ezra también le estaba enseñando para qué servía el desconcertante número de cuchillos, tenedores, cucharas y vasos que podía encontrarse en la mesa. Parecía que a las clases altas les importaba más el ritual de comer que la comida en sí, pero claro, nunca habían pasado hambre. Había tenido que aprender la forma correcta de presentar las servilletas y cómo debía dirigirse a los criados. A Susan le incomodaba porque la señora Pascoe y el señor Higgins habían dejado muy claro que estaban en contra del matrimonio. Ezra había sido muy amable con ella y su paciencia y dulzura habían ayudado a aligerar el salto entre las clases, pero le horrorizaba pensar que alguna tarde tendría que tomar el té con la condesa, algo inevitable pues daba la casualidad de que la madre de Ezra era una prima lejana de la madre de Jonathan.

De repente, un codazo en las costillas hizo que perdiera el hilo de sus pensamientos.

—¿Qué? ¿Pensando en la noche de bodas, guapa? Vamos, ya verás cómo el pastor te tendrá a cuatro patas en un abrir y cerrar de ojos. A mi viejo es como más le gusta —dijo su amiga Molly antes de soltar una carcajada y darle otro codazo que casi la tumbó del taburete—. Dicen que el tamaño de los pies de un hombre es proporcional al tamaño de su vara. Mejor que te prepares, chica, porque los zapatos del señor Collinson parecen barcas.

Susan se ruborizó y rio. Ya estaba acostumbrada al sentido de humor de Molly: sus bromas groseras hacían más leve el duro trabajo de llenar los barriles de pescado y sal.

—A ti lo que te pasa es que estás celosa, Molly. Ya me he fijado en los zapatos de tu marido. Parecen los de un niño.

Se rieron tanto que del dolor tuvieron que aguantarse los costados y Susan se alegró de haber encontrado una excusa para desahogarse un poco. Las cosas habían sido demasiado serias desde hacía mucho tiempo. Finalmente enjugaron las lágrimas de sus mejillas y continuaron salando y envasando las sardinas en los barriles que luego se exportarían a España. Molly era su mejor amiga y habían pasado la infancia haciendo travesuras juntas. Llevaba ocho meses casada y ahora le quedaba poco para dar a luz. Era una chica robusta con la cara rubicunda, los ojos azules y un temperamento alegre.

—¿Estás preparada para el sábado? —preguntó Molly en voz baja.

Las viejecitas a su alrededor tenían el oído agudo y la lengua más que afilada.

—Bueno, tan preparada como pueda estarlo —respondió Susan, evitando la penetrante mirada de su amiga.

—Si no lo amas, ¿por qué te casas con él? Aquí hay muchos hombres que te aceptarían mañana mismo si les dieras la oportunidad.

Susan no se había confiado del todo a Molly, que era una cotilla de mucho cuidado.

—Me caso con él porque me lo ha pedido y porque quiero —dijo con firmeza—. Mi vida está a punto de cambiar, Molly, y estoy un poco nerviosa, ¿vale?

Molly hinchó las mejillas sonrosadas y lanzó un suspiro.

—La mujer del pastor —dijo—. ¿Quién iba a decirlo? Seguro que nunca le has contado lo del día en que nos pillaron con esos dos chavales en la cabaña de secar ni de la vez que te emborrachaste de cerveza en esa boda y tu padre luego tuvo que llevarte a casa encima del hombro como si fueras un saco de patatas.

—Por supuesto que no, y tú tampoco dirás nada —sonrió—. Estoy a punto de convertirme en una persona importante del pueblo, la esposa del pastor, y viviré en la casa grande en lo alto de la colina. Y mejor que vigiles cómo me hablas a partir de ahora, ¿vale, chata?

Se echó a reír, pero paró al ver que los ojos de Molly se habían llenado de tristeza.

—Imagino que nos veremos poco cuando te hayas casado —dijo su amiga—. Ya no tendrás que reparar las redes ni venir al saladero. No sería digno de la esposa del pastor. —Molly suspiró de nuevo y continuó—: Ya no querrás conocer a los que nos quedamos aquí abajo y nosotros nos sentiríamos muy incómodos yendo a verte allá arriba.

—No voy a dejar de hablarte porque esté casada con Ezra, Molly —protestó Susan—. Además, sabes que siempre serás bien acogida en mi casa.

Puso una mano en el brazo de Molly e intentó sonreír, pero en el fondo sabía que su amiga estaba diciendo la verdad. Una vez se hubiera casado con Ezra, su vida se alejaría para siempre de la vida en el muelle y del hedor a pescado. Tendría que aprender a ser una dama y actuar en consecuencia.

—Al menos ya no tendrás que sacar escamas de las bragas —dijo Molly, pero ninguna de las dos se rio.

Se miraron durante un momento largo antes de volver a los barriles. Siguieron trabajando en silencio.

Billy Penhalligan estaba escondido entre la hierba alta, vigilando la playa. Hacía una noche sin viento y una nube densa que había llegado con la oscuridad cubría la luna. Billy llevaba un buen rato esperando, pues no había forma de saber cuándo llegaría el barco. El ruido de sus tripas no cesaba. A sus catorce años, no paraba de crecer y un pedazo de pan seco y un poco de queso duro no hacía nada para matar el gusanillo que le roía a todas horas.

Se dio la vuelta en la hierba y se desperezó para aliviar los músculos que se le habían quedado dormidos. Oteó el camino de la costa para asegurarse de que nadie lo hubiera seguido. Aquellos tipos de las rentas públicas podían estar merodeando en la oscuridad, mirando y esperando a que los Retallick llegaran a la orilla. Billy sonrió. Ahí estaba la emoción y como no lo habían pillado nunca en los seis meses que llevaba trabajando para los hermanos, disfrutaba de la subida de adrenalina.

Después de confirmar que estaba solo, tomó un trago de ron de la petaca que le colgaba del cinto y volvió a la vigilancia.

Los ojos ya se le caían de cansancio cuando oyó un ruido. Levantó la cabeza y escudriñó la oscuridad en busca de algún movimiento. Ahí estaba otra vez. Por encima de las olas que rompían en la orilla, oyó un chapoteo suave y el crujido de unos remos. Los Retallick habían vuelto.

Cogió el farol, se deslizó a través de la hierba y descendió por las rocas hasta alcanzar la playa. Lo encendió y lo balanceó para guiarlos hasta él. El canto estridente de un búho le indicó que ya lo habían visto y respondió con una llamada similar. Momentos más tarde se adentró en el mar y agarró la cuerda para ayudarlos a arrastrar el bote por los guijarros hasta la playa.

—Muy bien, chico —susurró Ben Retallick—. ¿Estás seguro de que no te han seguido?

Billy asintió con la cabeza y el hombre corpulento y barbudo lo agarró del hombro. Ben Retallick era bastante mayor y más fornido que él así que imponía mucho respeto; para el chico era un héroe.

—Tenemos que trabajar rápido. Esa nube está a punto de despejarse —le dijo.

El corpulento hombre miró el cielo y susurró unas instrucciones. Billy ayudó a descargar los barriles de coñac, los rollos de seda y las cajas de tabaco y confites y las trasladó hasta la cueva que se extendía hasta el fondo de los precipicios sobre la línea de pleamar. Permanecerían allí hasta que volviera la noche siguiente con un caballo y un carro para llevárselo todo a la taberna en Newlyn donde Billy lo vendería todo al mejor postor y se llevaría su parte de las ganancias.

La nube descubrió la luna justo en el momento en que Billy escondía la última caja.

—Dejaré el caballo y el carro en el mismo lugar de siempre —masculló Ben, metiéndose de nuevo en el bote—. Toma esto por el momento, como bonificación, y no me vayas a fallar ahora.

Billy observó el rostro severo de Ben Retallick y vio que le brillaban los ojos oscuros. Sabía que se había ganado su aprobación.

—Puedes contar conmigo —susurró.

Ben Retallick se sentó al lado de su hermano en el bote y Billy contempló cómo se alejaban, daban la vuelta a la punta y desaparecían en la oscuridad. Se fijó en lo que le habían dado: dos monedas de oro brillaban a la luz de la luna. No estaba nada mal para un trabajillo de dos noches. El contrabando no solo era un pasatiempo emocionante sino también lucrativo. Si seguía así, nunca más tendría que salir a pescar.

—Ese chico va a acabar conmigo —se desesperó Maud mientras preparaba la cena—. Sé que está trabajando para los Retallick, lo sé, y ya sabes qué implica eso. —Removió el caldo de pescado con más vigor del realmente necesario—. Siempre ha sido un niño travieso, pero esta vez ya verás como acaba detenido.

Susan recordó que Billy siempre había sido el cabecilla, el que llevaba a sus amigos a robar manzanas y a llamar a las puertas para luego salir corriendo, el que se peleaba con los demás. Confiaban en que solo fuera una fase que se le pasaría, pero, por lo visto, estaba buscándose más problemas que nunca.

—Ya hablaré con él, pero últimamente no escucha a nadie —dijo

Susan, dejando el pan en la mesa y deteniéndose un momento—. Aunque hay que reconocer que el dinero que trae a casa nos viene como caído del cielo.

—Lo sé —suspiró Maud—. Con tantas bocas que alimentar y tan pocos puestos de trabajo, no sé ni cómo comeríamos sin ese dinero.

Se apartó los cabellos de la cara y se alejó del fogón para agarrar a su nieto pequeño que corría desnudo por la casa, gritando y esquivando a su madre mientras esta hacía todo lo posible por meterlo en la bañera, justo al lado de la puerta trasera. Era viernes, el día del baño y Maud iba perdiendo la batalla de poner orden al caos en los preparativos para el día siguiente.

Susan se hizo cargo de la cena y escuchó a su madre mientras enumeraba todos los defectos de su hermano: nunca había querido ser pescador e incluso temía salir a faenar; el destino había querido que se quedara en casa el día de la tormenta y lo había llevado a las garras de los hermanos Retallick; había descubierto la emoción de vender productos de contrabando y parecía prosperar con estos chanchullos. Pobre mamá, pensó Susan. Como si no tuviera bastantes problemas ya para tener que estar pendiente de si Billy acababa en algún calabozo.

Susan pensó en las viudas de sus hermanos. Dos de ellas vivían aún en casa con sus hijos y trabajaban en la prensa de aceite de pescado. El sueldo no era muy bueno, pero menos daba una piedra. La más joven había regresado a casa de sus padres en St. Mawes, donde había conseguido un empleo en la fábrica de cuerda. Según las malas lenguas, la cortejaba el hijo de un posadero. Y dentro de unas pocas horas, Susan sería la última en marcharse de su casa.

Tocó el anillo que le había regalado Ezra. Lo llevaba colgando de una tira de cuero alrededor del cuello para protegerlo del pescado y la sal. Se le cayó el alma al suelo cuando pensó en su prometido, pues solo deseaba que le demostrara la misma pasión que el día que vino a proponerle en matrimonio en lugar del comportamiento forzado y correcto que había adoptado después.

Era tan servil en su forma de complacerla que Susan no tardó en darse cuenta de que, si quisiera, podía llevar las riendas de su matrimonio. Pero ella creía que un hombre debía ser firme, enérgico y fuerte y que a su vez, una esposa tenía que intentar conseguir lo que quería a través de su capacidad disimulada de comprender los pensamientos de su marido y no porque pretendiera dominarlo.

A pesar del cariño cada vez mayor que sentía hacia Ezra, solo pensar en la intimidad necesaria en el matrimonio la hacía temblar. ¿Qué iba a pasar la noche de bodas? ¿Cómo podría olvidar los besos que había compartido con Jonathan, el poder y el calor de sus manos cuando le recorrían el cuerpo y el deseo ardiente de sentir el roce de su piel?

—¡Vas a quemar la sopa! —exclamó Maud, quitándole el cucharón y apartando a su hija.

Consciente de que no iba a ser de gran ayuda a nadie, Susan se marchó de la casita, envolviéndose con el chal para protegerse de la brisa fresca de la noche. Caminó hasta el final del malecón respirando el olor salobre que subía de la espuma marina y miró más allá de la pequeña isla de St. Clement al mar que ondulaba como la plata fundida bajo la luz de la luna naciente. Jonathan se encontraba en algún punto de esa inmensidad y Susan se preguntó si también estaría pensando en ella. ¿El tiempo y la distancia habrían conseguido borrarla de su memoria o todavía deseaba desposarla? Las lágrimas enturbiaron su vista cuando finalmente se dio cuenta de que nunca conocería la respuesta.

Tahití, junio de 1771

Tahani sabía que el rencor de Pruhana hacia ella lo estaba consumiendo. Hacía nueve meses que lo habían expulsado a la isla de Huahine y ahora vivía solo, rechazado por sus vecinos y por toda la comunidad. Se ganaba la vida a duras penas vendiendo las pocas perlas que tenía a cambio de ron, pero ya no era un hombre joven y no le quedaban fuerzas para sumergirse durante el tiempo necesario para alcanzar los exuberantes viveros que quedaban más lejos de la orilla.

Después del destierro de Pruhana, Tahani había tomado ciertas medidas para prevenir cualquier eventualidad porque sabía que haría todo lo posible por volver a Tahití y vengarse de ella. El ron era un demonio poderoso y seguramente ahora se habría apoderado de él, intensificando su sed de venganza. Pruhana era lo bastante taimado para escaparse y venir a buscar el reloj.

La mujer daba vueltas en la estera, sin poder conciliar el sueño. El reloj estaba bien escondido en la casa de sus hermanos, pero si Pruhana venía a buscarlo, su vida correría peligro. Se levantó del suelo, se tapó con un *sarong* y se apoyó en la puerta de la choza para mirar la oscuridad de la noche. Las estrellas parecían diamantes en el cielo y la luz de la luna se reflejaba en el agua que lamía la arena de la playa desierta. El perfume embriagador de las flores llenaba el aire y el pueblo estaba en silencio, pues era muy tarde y todos descansaban. Miró de reojo al precioso niño que dormía en un rincón. Quizá sería más seguro llevarlo a la casa de sus hermanos. Entenderían sus temores y la acogerían con los brazos abiertos.

Se dio la vuelta y fue a sentarse en la estera. No, lo que estaba haciendo era de bobos y no podía asustarse por cualquier sombra que viera, pensó con rabia. Pruhana no se atrevería a violar las leyes porque el castigo sería la muerte y era demasiado cobarde para jugarse su propio cuello. Se tumbó de nuevo y cerró los ojos, resuelta a desterrarlo también de la mente.

Cuando se despertó, oyó su respiración y notó que se estaba acercando muy despacio hacia ella pues olía su sudor. Paralizada por el pánico, fingió estar dormida, pero cuando entreabrió los ojos, enseguida reconoció a su marido y vio el destello del cuchillo que llevaba en la mano.

Antes de que pudiera gritar, Pruhana le hundió el cuchillo en la espalda. Se desplomó en el suelo, mientras su pensamiento volaba hacia el niño que seguía durmiendo. Rezó para que Pruhana no lo matara también a él cuando descubriera que el reloj había desaparecido de la choza.

9

Mousehole, 5 de julio de 1771

El día amaneció luminoso y el sol reinaba en un cielo despejado. Ezra abrió la ventana de un golpe, alzó el rostro hacia el sol y aspiró el aire de verano. Se sentía como si hubiera vuelto a nacer, lleno de alegría por su futuro, pues por fin había llegado el día de su boda.

La casa hervía de una actividad febril y se oían las voces de una docena de los criados de Lady Cadwallader mientras preparaban el desayuno, quitaban el polvo, enceraban y colocaban los muebles nuevos. La vida había vuelto a la casa adusta y vieja gracias a Susan y ahora olía a cera de abeja, carne asada y pan recién salido del horno. Por primera vez se oía el correteo de pies, risas y charlas animadas.

Se giró y estudió la habitación. También había cambiado de forma considerable. La cama con cuatro columnas había sido un regalo de Lady Cadwallader; las cortinas pesadas y el dosel eran de una seda fina de color rojo sangre con suntuosos bordados y borlas. Una cama digna de una reina. Los floreros estaban llenos de las rosas que había cortado al amanecer. Aún conservaban unas delicadas gotas de rocío y su dulce fragancia invadía la habitación. También contaba con un armario para la ropa blanca que había hecho traer desde Truro. El cajón inferior estaba repleto de sábanas y mantas perfumadas de lavanda. El resto de los cajones habían sido forrados con un papel precioso y aguardaban los vestidos, los camisones y la ropa interior de Susan.

Higgins había dejado la ropa de Ezra sobre la cama pero este se había deshecho de él hacía un buen rato para poder pasar a solas estas últimas horas. Deseaba prepararse para la jornada que le aguardaba y disfrutar de la tranquilidad de sus propias reflexiones.

La única nube negra que ensombrecía este día tan especial era la ausencia de su familia. Su hermano Gilbert no había respondido a la invitación, pero era militar y el correo resultaba muy irregular. Sus padres vivían en Londres, al igual que su hermano mayor, James. Habían mandado cartas de felicitación afectada, lamentando la imposibilidad de asistir a la boda debido a unos compromisos previos. Eso sí, no habían escatimado gastos con sus regalos: una vajilla y varias piezas de plata. Ezra sospechaba que ya no querrían tener nada que ver con él después de su boda con la hija de un pescador y que sus regalos excesivamente generosos eran su forma de mitigar sus sentimientos de culpabilidad tras haber renegado de él.

Acabó de vestirse y prendió con cuidado una perfecta camelia blanca a su chaqueta. La había cortado el día anterior de un arbusto del jardín de la casa solariega y la había conservado en agua durante la noche. Se miró en el espejo y sonrió. Por primera vez en su vida se vio casi guapo.

El abogado de la condesa ya había repasado la escritura con Maud y, a primera hora de la mañana, uno de los mayordomos de la casa señorial llevó el documento al hogar de los Penhalligan. Observó mientras Maud se esmeraba en añadir su firma debajo de la de lady Cadwallader y luego la atestiguó con su floreo personal. Se marchó inmediatamente después, dejando un paquete enorme sobre la mesa de la cocina.

Susan lanzó una mirada de odio hacia la espalda del mayordomo mientras este salía corriendo por la puerta y luego se fijó en el paquete.

—¿No piensas abrirlo? —preguntó Maud, impaciente.

La muchacha cogió la tarjeta y poco a poco descifró las palabras garabateadas. Ezra le había estado enseñando a leer, pero aún le costaba.

—Es un regalo de la señora —respondió de manera inexpresiva—. Pues lo tiene claro si piensa que voy a agradecérselo.

—Susan —dijo su madre, extendiendo una mano enrojecida para envolver la de su hija—, lo hecho, hecho está. Ezra es un hombre bueno y será un marido excelente si le das una oportunidad.

La joven suspiró hondo.

—Lo sé, pero se merece algo mejor.

Maud hizo caso omiso al comentario y empezó a abrir el paquete. Una vez despojado del papel, las dos dieron un grito ahogado de asombro. Sobre la mesa recién fregada había un vestido elaborado con una finísima seda de color marfil que resplandecía a la luz tenue que entraba por la ventana. El bordado y las puntadas en el canesú se veían realzados por unos abalorios y perlas minúsculas que centellaban en la penumbra de la cocina.

Susan lo levantó, temerosa de tocarlo. El canesú era escotado y descendía formando una punta hasta justo debajo de la cintura. Las mangas se abombaban hasta el codo, donde caían formando una cascada de encaje hasta la muñeca. Las enaguas lucían un bordado de flores y hojas en el dobladillo, el mismo diseño que adornaba los paños delanteros de la falda, cuyo corte revelaba la decoración que había debajo. En su vida había visto algo tan precioso, aunque fuera una prenda desechada por una mujer a la que detestaba.

—Hay más —dijo Maud, sacando más enaguas, unos zapatos delicados de tacón y unas finas medias de seda—. ¡Oh, Susan! Parecerás una princesa.

A Maud le corrían las lágrimas por la cara.

Susan reprimió una réplica amarga. Lady Cadwallader sabía que jamás iba a poder resistirse a semejante vestido. Lo que se merecía era que ella se negara a llevarlo y se pusiera el vestido que había estado cosiendo con su madre desde hacía semanas, o mejor aún, que apareciera vestida con su ropa de faena. Pero si lo hacía, solo conseguiría hacerle daño a Ezra. No, esa bruja asquerosa iba a enterarse de que ella también podía ser una auténtica dama, haría cuanto estuviese en su mano para ser una buena esposa y aprovecharía esta oportunidad para hacer algo con su vida.

Cogió el vestido y corrió escaleras arriba, a la habitación que compartía con sus cuñadas.

Ezra estrechó la mano a los miembros del consejo directivo de la iglesia a medida que fueron llegando. Después saludó al pastor que había venido de Penzance a celebrar la ceremonia y le comunicó que el novio estaría solo. Si no podía contar con la presencia de su hermano Gilbert, prefería prescindir de padrino.

Los invitados ya habían empezado a llegar, algunos en coches ligeros, otros en calesas, pero la mayoría había subido a pie o a caballo. Los feligreses, que venían de Newlyn y las aldeas de Sheffield y Tredavoe además de Mousehole, formaban el núcleo de la congregación, pues una boda era una excusa perfecta para ponerse al tanto de los últimos chismes. También había un par de dignatarios del ayuntamiento, los dueños de algunos de los comercios de la zona y algunas ancianas. Lady Cadwallader llegó en carruaje con un lacayo que la ayudó a desmontar y, tras hacerle un gesto imperioso con la cabeza a Ezra, desapareció dentro de la iglesia.

Ezra no era un hombre que hiciera amigos con facilidad y la mayoría de los invitados eran meros conocidos, pero el ambiente resultaba alegre, el sol brillaba y las vistosas gorras y los bellos vestidos de las mujeres sugerían de alguna forma que todo iría sobre ruedas. Sin embargo, estaba nervioso y no paraba de volverse hacia el camino empinado que ascendía desde el pueblo. ¿Y si Susan cambiaba de parecer? De repente, notó una mano firme encima del hombro y olvidó el creciente pánico que le invadía.

—¿Quién ha dicho que no tendrás padrino, Ezra? Pensé que iba a encargarme yo.

Ezra se dio media vuelta.

—¡Gilbert! —gritó, perdido en el fuerte abrazo de su hermano—. ¡Qué sorpresa!

Este lo soltó y le sonrió de oreja a oreja. Los dos tenían una estatura y unos rasgos parecidos con el mismo cabello oscuro, pero ahí se acababa la semejanza. Gilbert era militar y tras diez años en la India su piel mostraba un color caoba. Estaba muy elegante con su chaqueta roja y su sombrero adornado de una escarapela, sus anchas espaldas y musculosas piernas, testimonios de un ejercicio riguroso, y su bigote enorme, símbolo de su vanidad.

—No iba a permitir que mi hermano pequeño se casara solo, ¿verdad?

—Por supuesto que no —asintió Ezra—. Pero ¿por qué no me has escrito para decir que venías?

—La vida militar, querido hermano. Nunca sabes dónde te van a mandar de un día para otro, y el correo no es que sea precisamente fiable. He venido a casa aprovechando unos días de permiso. Nuestros padres estaban ansiosos por contarme tus planes —dijo Gilbert, levantando una ceja y atusándose el bigote—. Siempre tan misterioso, Ezra.

—Si has venido a burlarte de mí, será mejor que te vayas ahora mismo —replicó Ezra con voz queda. La alegría por el reencuentro con su hermano menguaba por momentos.

Gilbert le dio una palmada en la espalda con una de sus formidables manos y rio a carcajadas:

—La verdad es que me han prohibido que viniera y esa mujer tan refinada de James estuvo a punto de desmayarse cuando les dije a todos que tenía intención de estar a tu lado y ejercer de padrino —confesó Gilbert, mientras miraba a su hermano con esos oscuros ojos risueños—. Pero ya me conoces, y deberías saber que nunca me he caracterizado por escuchar las tonterías de las mujeres. —Calló durante unos instantes y compuso el semblante antes de continuar—: Es posible que no haya sido muy buen hermano, Ezra, pero a partir de ahora, eso va a cambiar. Nuestros padres no te han tratado con cariño. Los hermanos menores deberíamos mantenernos unidos.

Ezra no cabía en sí y abrazó a su hermano, dando gracias a Dios por este regalo tan preciado. De repente oyeron el alboroto de unos violines, unos tambores y unas voces bastante desafinadas.

—¡Qué procesión tan divertida! ¿No será que la novia está al llegar?

El novio oteó el camino con el corazón repleto de dicha. Se sentía como si acabara de comerse el sol.

—Así es. Mejor que vayamos dentro —contestó, hurgando en el bolsillo—. Ten. Vas a necesitar esto.

Gilbert cogió el anillo humilde y dorado entre sus enormes dedos.

—El de la abuela, si no me equivoco —dijo en voz baja—. Siempre fuiste su nieto predilecto.

—Era la única que me quería. Los demás ni siquiera deseabais asumir mi existencia.

—Bueno, ahora me tienes a mí. Démonos prisa o la novia se nos echará encima antes de que hayamos ocupado nuestros sitios.

Lady Cadwallader ya estaba instalada en el banco de honor en la parte delantera de la iglesia. Tras asomarse a la puerta, Ezra vaciló, mirando atónito la extraordinaria profusión de plumas y aves disecadas que llevaba clavadas en su intrincada peluca.

—Veo que no falta la vieja arpía —susurró Gilbert—. *Noblesse oblige.*

Ezra le dio un codazo:

—¡Silencio! Te va a oír.

Gilbert se atusó el bigote y alzó la barbilla.

—Me da igual. La señora ya sabe lo que pienso de ella —dijo en voz alta, haciendo girar varias cabezas.

Hubo un susurro de especulación entre los feligreses cuando los dos hombres finalmente entraron en la iglesia. Los ojos de todos los presentes siguieron a los hermanos a medida que se fueron acercando al altar, causando un revuelo entre las más jovencitas. Cuando se sentaron delante del altar, Ezra se dijo que efectivamente Gilbert era un hombre de buena planta, pero aquel era su día, y el de Susan, así que no podía dejarse distraer.

Un alboroto en la parte trasera de la iglesia anunció la llegada de la procesión nupcial y los vecinos hicieron callar a sus hijos. El organista esperó hasta que todos guardaron silencio y acto seguido entonó las primeras notas, que volaron hasta el techo. Los feligreses se pusieron en pie para dar la bienvenida a la novia.

A Susan le temblaron las manos cuando se alisó la falda. Le había costado horrores subir por ese maldito camino sin ensuciarse el dobladillo, pero lo había conseguido. Se quitó los zuecos para ponerse los delicados zapatos y cogió el ramo de flores silvestres que llevaba su madre.

—¿Estás preparada, Susan?

Billy vestía el traje de su padre y aunque le iba un poco grande, estaba muy elegante.

A ella se le revolvía el estómago, le costaba respirar. Era exactamente como había soñado el día de su boda, con un precioso vestido, flores y una iglesia llena de amigos y familiares. Sin embargo, el vestido venía incluido en el precio que había tenido que pagar para proteger a su familia, no contaba con su padre para acompañarla al altar y estaba a punto de casarse con un hombre a quien no amaba.

Miró por encima del hombro para buscar por última vez el buque de Jonathan, pero el horizonte permanecía vacío. Debía aceptar que nunca más iba a formar parte de su vida y que sus promesas iban a romperse.

—¿Susan? —repitió Billy, preocupado.

—Estoy todo lo preparada que puedo estar —dijo entre dientes.

—Vaya, vaya —exclamó Gilbert viendo a Susan caminar hasta el altar—. No está nada mal la pescadera. Qué callado te lo tenías, ¿eh, Ezra?

Ezra no se molestó en responder. Contemplaba embobado a la chica que venía hacia él, su pelo apartado de la frente y recogido encima de la cabeza, de donde le caía una cascada de tirabuzones hasta los hombros. Estaba exquisita con el vestido de Lady Cadwallader y viéndola deslizarse por encima de las piedras grises del suelo, Ezra se dio cuenta de que era una reina entre las mujeres.

Susan observó fijamente el rostro de Ezra cuando elevó sus promesas ante Dios. El amor irradiaba de los ojos de su marido y pareció crecer tanto en talla como en seguridad cuando deslizó el anillo alrededor de su dedo. Vio cómo le temblaba la mano y se la cogió para tranquilizarlo. De repente se dio cuenta de que la necesitaba y que, casándose con él, conseguiría ahuyentar su timidez y su soledad y lo convertiría en un hombre entero. No importaba que no pudiera amarlo. El amor de Ezra era suficiente para los dos.

Canal de la Mancha, 13 de julio de 1771

Jonathan permanecía de pie en la cubierta, empapándose de la primera vista de Inglaterra. Había llegado a casa y poco faltaba para ver y oír a Susan. En cuanto el buque hubiera atracado, regresaría corriendo a su lado para cumplir su promesa.

SEGUNDA PARTE

Camino de Botany Bay

10

Newlyn, Cornualles, enero de 1782

La vida le iba bien a Billy Penhalligan y este año le iba a ir todavía mejor, pensó. Las habitaciones que tenía alquiladas en la planta superior de la taberna Beggar's Inn en Newlyn eran cálidas y cómodas, no le faltaba dinero y vestía unos trajes elaborados con las más finas telas. El contrabando era una ocupación de lo más rentable y Billy tenía un don especial para buscar nuevos clientes y distribuir las mercancías que los hermanos Retallick traían de Francia. Con el paso de los años, los Retallick le habían confiado cada vez más responsabilidad y ahora les hacía de banquero e intermediario. A sus veinticinco años, era más rico de lo que jamás hubiera soñado. Lo único que lamentaba era que veía muy poco a su madre y a su hermana.

Acomodó a la joven sentada sobre su regazo y bebió de la jarra de peltre que tenía delante. La chica estaba dispuesta; la taberna, abarrotada y animada; y su estómago, saciado gracias a una cena deliciosa que acababa de terminar.

—¡Los de Hacienda!

El silencio fue inmediato y todos se giraron hacia el granuja que acababa de asomarse a la puerta.

—¡Ya han doblado la esquina y vienen hacia aquí!

Billy se levantó, depositó sin ceremonia alguna a la camarera en el suelo, corrió hasta el otro lado de la barra y agarró el brazo del tabernero.

—Encárgate de que lleven mi caballo a Tinners Field —dijo en voz baja, al tiempo que le dejaba una moneda de oro en la palma de la mano. Luego, sin esperar una respuesta, salió corriendo escaleras arriba a sus habitaciones.

Los paneles de madera en la pared ocultaban una puerta secreta que conducía a otra habitación oscura donde guardaba una escala de cuerda y una bolsa preparada para semejantes emergencias, con dinero, los libros de cuentas y una muda. Cerró el panel a su espalda, tomó la bolsa y subió por la escala de cuerda, que recogió después de llegar al ático. Se detuvo para recobrar el aliento y permitir que sus ojos se acostumbraran a la penumbra. Escuchó los gritos de unos hombres y la trápala de sus caballos desde la calle. No tenía mucho tiempo.

El ático formaba parte de un túnel bajo que pasaba por encima de la hilera de casas. Se agachó y se apresuró a deslizarse sobre las vigas podridas, rezando para que aguantaran el peso. El aire olía a cerrado y a sabandijas diversas y Billy se topó con numerosas telarañas que se quedaron pegadas a su rostro y cabello, aunque apenas se diera cuenta. Cuando llegó a la última casa, se detuvo. Ya no se oía ningún ruido en la calle.

Se dejó caer con cuidado del ático a una habitación abandonada. Estaba claro que el carretero había decidido que sería mejor quedarse en la taberna en el momento en que Billy emprendiera la huida. Iba a recompensarlo generosamente una vez hubiera pasado toda la conmoción.

Billy bajó a toda prisa por las angostas escaleras hasta llegar a la planta baja donde se hallaban el taller y la vivienda de su amigo. Ahora los gritos llegaban a sus oídos con más fuerza y su corazón dio un vuelco al oír que se aproximaba el ruido de los caballos.

La trampilla quedaba oculta detrás de un montón de maderas sin cepillar. Billy se metió en ella a gatas y llegó a un laberinto de túneles diseñado para despistar a los ignorantes. Conocía bien el camino dado que hacía años que existían y se había visto obligado a recorrerlos en muchas ocasiones. Comenzó a correr lo más rápido que pudo bajo las calles y las casas de Newlyn.

Salió a la oscuridad de la noche. Unas nubes que cruzaban raudas el firmamento ocultaban la luna y soplaba un viento cortante procedente del mar. Tinners Field se encontraba en el extremo este del pueblo y si hubiese dispuesto de tiempo y ganas, habría podido mirar al otro lado de la punta donde todavía parpadeaban las luces de Mousehole.

La hierba ya estaba húmeda y se tumbó en ella durante unos instantes para comprobar si venían los hombres de Hacienda. La chimenea de piedra quebradiza de la agotada mina de estaño destacaba contra el destello tenue e irregular de la luna. Lo único que se movía entre la hierba era el viento. Dio un silbido bajo.

El caballo relinchó y se acercó a él en la oscuridad. Billy lo montó, ató la bolsa a la silla e hincando suavemente los talones en sus costillas, consiguió que la montura se pusiera en marcha.

—¡Eh! ¡Alto en nombre del rey!

El grito venía de las sombras de la vieja chimenea y llegó acompañado de la aparición de varios jinetes.

Billy se quedó paralizado y acto seguido tiró de las riendas del caballo para que girara. Cuando vio que había más hombres en el horizonte, se desmoralizó. La única forma de salir de ahí era por el acantilado. Estaba atrapado. Profirió una sarta de palabrotas e hizo dar la vuelta al caballo, clavándole los talones en los costados. Asustado, el animal salió corriendo al galope.

—¡Alto o abriremos fuego!

Billy se inclinó hacia adelante, animando al animal a correr más rápido. Aún quedaba un buen trozo entre él y los jinetes que tenía delante. Si conseguía llegar al otro lado, tendría posibilidades de huir dado que su caballo era veloz y él conocía la zona como la palma de su mano.

Sus perseguidores lo estaban alcanzando y los que tenía delante parecían tener algo planeado.

Billy entrecerró los ojos y escudriñó la oscuridad mientras su caballo corría a toda velocidad por encima de la hierba hacia el cordón de hombres armados. Entonces vio a un grupo empujando un carro de paja para cerrarle el paso. No le quedaba más alternativa que galopar directamente hacia el cordón y correr el riesgo de recibir un balazo. Se agachó sobre el cuello del animal para evitar ser un blanco demasiado fácil. Ahora veía con toda claridad sus pistolas y sus ojos chispeantes.

—¡Fuego a discreción!

Algo impactó contra su hombro y supo que le habían dado. El caballo también se estremeció y con un alarido desgarrador, se desplomó en el suelo. Billy salió despedido de la silla de montar pero su pie quedó enredado en uno de los estribos. Miró hacia arriba, confuso y dolorido, a los hombres que se habían agrupado a su alrededor.

—Por fin nos conocemos, Billy Penhalligan. Tengo el gusto de comunicaros que quedáis detenido bajo la acusación de múltiples crímenes contra la Corona. Esperemos que os impongan una pena de muchos años de prisión.

Cuando los hombres le quitaron el caballo de encima y lo pusieron en pie, Billy reunió la poca bravuconería que le quedaba, pese al dolor que recorría todo su cuerpo:

—Parece razonable —dijo, arrastrando las palabras—. Os ha costado once años pillarme. Pero no era preciso que disparaseis a un buen caballo.

Tribunal Superior de Bodmin, abril de 1782

El juicio tuvo lugar tres meses después y duró unas pocas horas. Las pruebas eran irrefutables y no había ninguna posibilidad de que se le conmutara la pena. Billy estaba en el banquillo de los acusados junto a Ben Retallick y otros tantos imputados. Aún le dolía el hombro después de que el supuesto cirujano le extrajera la bala. Ben había pagado sus medicamentos y unas vendas limpias así que al menos había reducido el riesgo de contraer una septicemia, aunque temía que el brazo se le quedara inútil.

El traidor había resultado ser el propio carretero, que cantó de plano a cambio de un indulto, pero ahora se vería obligado a alejarse de Newlyn y su tan unida comunidad pesquera, que dependía en gran medida de los contrabandistas.

Mientras escuchaba la cantinela de los abogados en la cargada sala de justicia, echó un vistazo a la multitud bulliciosa que había acudido a presenciar el juicio. Los gritos y los silbidos de la muchedumbre apenas permitían oír las palabras de los funcionarios.

La distinguió claramente entre los demás por su quietud y cuando tropezó con su mirada, se sintió avergonzado. Susan había venido para darle apoyo, pero también daría testimonio de su caída, una víctima inocente de la deshonra que había llevado a la familia. Había confiado en que no llegaran a enterarse de las dificultades que le afligían, pero el cotilleo las alcanzó pocos días después de que lo detuvieran. Intentó devolverle la sonrisa, pero no se vio capaz. Se limitó a alegrarse de que no hubiera venido también su madre.

—Benjamin Retallick: seos condena a morir en la horca. Lleváoslo.

Sobrecogido por estas palabras, Billy agarró la mano del hombre que había admirado durante tantos años y la apretó antes de que desapareciera. Santo Dios, ¿iban a morir todos ahorcados? Miró al juez y un sudor frío empapó su espalda mientras aquel dictaba las sentencias de los hombres restantes. No se salvó nadie: desde siete años de trabajos forzados y deportación hasta la horca. Por primera vez en su vida, Billy comenzó a rezar.

—William Penhalligan: se os condena a catorce años de trabajos forzados en la prisión flotante *Chatham*, donde seréis deportado.

¿Deportación? ¡Por todos los santos! No sobreviviría a un viaje así. Se le revolvió el estómago y recordó todas las pesadillas de su infancia con solo imaginar los horrores de una travesía interminable en la bodega. Incluso la soga hubiese sido una opción más compasiva.

—No —balbuceó, forcejeando con el celador—. La deportación, no. Por favor, no me hagáis...

—¡Silencio! —gritó el juez, dando un martillazo—. Lleváoslo.

—Por favor, su señoría. No lo hagáis. La travesía acabará con él.

Billy observó a su hermana, que permanecía en pie con el rostro desprovisto de todo color.

—Silencio, señora —bramó el juez.

Billy vio las lágrimas en los ojos de Susan y casi agradeció que el carcelero lo empujara por la puerta de salida, evitando de ese modo soportar su angustia.

Las celdas temporales estaban infestadas de pulgas y otros bichos. La paja estaba mugrienta, los orinales se desbordaban. Las mujeres lloraban, los niños chillaban y los hombres se peleaban por una botella de licor que alguien había conseguido pasar clandestinamente. Buscó a Ben y a los demás, pero le dijeron que se los habían llevado a otra cárcel donde aguardaban su inminente ejecución.

—¡Penhalligan! Ven aquí.

Se abrió paso entre la masa hirviente de humanidad fétida y se acercó al carcelero.

—¿Y ahora qué pasa? —masculló.

Si el hombre esperaba dinero a cambio de comida o mantas andaba muy equivocado: Hacienda le había quitado todo salvo la ropa que llevaba puesta.

—Tienes visita —dijo el hombre con un tono malicioso.

Abrió la puerta de la celda.

Los zapatos de Billy resbalaron sobre la superficie viscosa de los adoquines en el patio abierto de la cárcel donde los que tenían la suerte de contar con fondos podían pagarse unos minutos de libertad dentro de los muros de granito.

—Susan —dijo—. Este no es un lugar para ti.

—Eres mi hermano —respondió con la voz quebrada. Lo abrazó, mientras rompía a llorar, y siguió—: He intentado hablar con ellos para que cambien de opinión, pero... Oh, Billy, no puedo soportar la idea de que te deporten.

Hizo lo que pudo por contenerse pero la angustia de su hermana era demasiado para él.

—Tranquila —replicó entre dientes—. Sobreviviré. Lo más probable es que cumpla la condena en la prisión flotante ahora que ya no pueden enviarnos a América.

Era un consuelo más bien pobre y ni siquiera él creía sus propias palabras.

—¿Tú crees?

Se apartó y lo miró fijamente a los ojos.

Billy vio la esperanza en su mirada y supo que no podía causarle más aflicción.

—Estoy convencido de ello —aseguró con una firmeza que no dejaba traslucir sus temores—. Sécate los ojos y enséñame qué hay en ese cesto.

Susan se sonó la nariz, apartó del fango el dobladillo de su exquisito vestido y lo condujo a un rincón apartado donde el resto de los presos no pudieran oírlos.

—He pagado una cantidad considerable al celador para que nos dejen tranquilos —dijo, desplegando una manta y extendiéndola en la paja.

A Billy le partió el corazón ver cómo sacaba toda la comida del cesto. Susan quería hacerse la valiente pero conocía bien el pánico que tenía su hermano menor al mar y entendía que, para él, la deportación significaría su muerte o la demencia. Alejó los temores de sus pensamientos y la escuchó mientras le ponía al corriente de lo que pasaba en casa.

Pocos hubieran sospechado que tenía treinta años, aunque en la elegante dama que tenía enfrente apenas quedaba rastro de la chica que había trabajado en el muelle. Llevaba el pelo recogido y le caía formando tirabuzones a ambos lados del rostro. La gorra y el vestido eran de la mejor calidad. Se fijó en la claridad de sus ojos y en su piel suave y tersa. El paso del tiempo y las circunstancias habían sido amables con ella, dado que conservaba la misma constitución menuda, a pesar de haber dado a luz a cinco hijos. Su cintura solo era ligeramente más ancha que en el día de su boda.

—Tienes muy buen aspecto, Susan —aseguró Billy en voz baja—. Siempre dije que la vida junto a Ezra te convertiría en toda una dama.

—No ha sido fácil —respondió Susan, pasándole una empanada crujiente—, con todas las clases que tuve que aguantar antes de que me permitieran relacionarme con los habitantes más refinados de la parroquia.

Sonrió y Billy vio un destello del marimacho que tan bien recordaba. Susan continuó:

—No puedes ni imaginar la cantidad de veces que he querido escaparme de todo aquello y correr descalza sobre los adoquines para unirme a la actividad frenética provocada por la llegada de los bancos de sardinas —suspiró—. Durante unos años te envidié, tan libre de ir y venir cuando querías, sin tener que preocuparte por nada. Pero has tenido que pagar un precio terrible y ahora lo único que deseo es que... Es que...

Billy se dio cuenta de que estaba a punto de romper a llorar de nuevo y no respondió. Nada de lo que pudiera decirle serviría de consuelo a ninguno de los dos y Susan necesitaba calmarse. Dio un mordisco a la empanada y saboreó el gusto a comida de verdad. La bazofia que servían en la prisión era asquerosa, pero tenía que tragarla para mantenerse vivo. Si sobrevivía a la prisión flotante y a la deportación que le esperaba, todavía le quedaban catorce años más de porquería. Hizo caso omiso a estos pensamientos y se centró en su hermana.

—¿Eres feliz con Ezra? —preguntó, acabando la empanada y cogiendo otra.

Susan asintió con la cabeza.

—Es un hombre muy bueno y estoy satisfecha.

Billy escrutó su rostro y vio que decía la verdad.

—¿Así que has aprendido a amarlo?

Susan rio suavemente.

—Confieso que jamás me lo hubiera imaginado, Billy, pero Ezra se ha ganado mi respeto y mi cariño y la verdad es que nos llevamos muy bien. Es un buen marido y he aprendido a amar su carácter dulce y la devoción que siente por sus feligreses y la iglesia. También nos une el amor que compartimos por nuestros hijos. No existe vínculo más fuerte.

—Pero nunca ha conseguido enardecerte como Jonathan, imagino.

De repente ella extrajo un pastel del cesto y cortó unos trozos.

—Eso —dijo con firmeza— no es asunto tuyo, Billy Penhalligan. —Le pasó un trozo del pastel y adoptó una actitud más formal—. Te he traído dinero. No es gran cosa, pero es cuanto he logrado reunir. Hay medicamentos y vendas limpias dentro de este fardo, y una muda. También he puesto jabón y agua de lavanda —dijo, mirando con repulsión los restos harapientos de su ropa roñosa.

Billy intentó darle las gracias pero tenía un nudo en la garganta. Había observado las lágrimas de su hermana al percibir lo bajo que había caído y se sentía avergonzado.

Susan rechazó su agradecimiento con un gesto de la mano, le entregó el fardo y comenzó a recoger las cosas para meterlas de nuevo en el cesto. El celador ya venía hacia ellos. Se les estaba acabando el tiempo.

—Tú nos has dado dinero en el pasado y nos ayudaste más de lo que jamás pudieras imaginar. Ahora nos toca a nosotras, Billy.

Susan no quitaba los ojos del cesto pero el muchacho adivinaba claramente el esfuerzo que le suponía no llorar.

—No puedo creer que te deporten. No soporto la idea de imaginarte atrapado... —dijo Susan, pero sus palabras quedaron suspendidas en el aire—. Me he informado. La prisión flotante *Chatham* está en Plymouth así que podré ir a visitarte de vez en cuando.

—No —respondió, levantándose y haciendo una mueca de dolor después de sentir un pinchazo en el hombro—. Te lo prohíbo. Este lugar ya es lo bastante desagradable y he visto las prisiones flotantes. No es lugar para una mujer, y mucho menos para mi hermana.

—No puedes impedírmelo —replicó ella.

—Me negaré a verte.

Susan dio un suspiro tembloroso.

—Siempre has sido un chico muy tozudo, Billy —dijo con el rostro desencajado por la angustia—. Comprendo que no quieras que te veamos, pero necesitamos saber que estás bien —arguyó con voz emocionada.

—Será demasiado doloroso —contestó él, cogiéndole las manos—. Ya me parece mal que hayas venido hoy, y la vergüenza que pasaré en los años que me quedan de vida acabará conmigo si me ves allí.

Susan asintió con la cabeza.

—De acuerdo —concedió en voz queda—, pero me encargaré de que te traigan comida y ropa cada vez que sea posible. —Acarició su barbilla sucia y sin afeitar con una mano limpia y fresca. Luego, prosiguió con las pestañas rociadas de lágrimas—: Debo marcharme. Ve con Dios, Billy. No olvides nunca que te queremos y haremos cuanto podamos para ayudarte.

Cuando lo abrazó, Billy olió la frescura de sus cabellos, el agua de lavanda en su piel y notó la fuerza fibrosa en su cuerpo esbelto que parecía englobar la esencia misma de su hogar. Catorce años era mucho tiempo, pero se juró que si conseguía resistirlos, iba a compensárselo con creces.

Mousehole, abril de 1786

Susan se miró en el espejo de mano y se preguntó dónde había ido el tiempo. Llevaba ya cuatro años sin ver a Billy. Todas sus peticiones para ir a visitarlo habían sido rechazadas y aunque le habían mandado varios paquetes, no habían recibido noticias suyas.

Dejó el espejo y puso todo su empeño en olvidarse de los problemas de Billy. Hoy su hija cumplía catorce años y tenía que hacer de anfitriona en su fiesta. Se levantó y se alisó la falda, disfrutando del tacto del algodón de color azul lavanda bajo sus dedos. Era un vestido nuevo que había encargado especialmente para la fiesta y sabía que le quedaba muy bien, pues realzaba el color azul de sus ojos y su esbelta cintura. Mientras se calzaba los zapatos a juego y cogía el abanico, oyó unas voces que subían del jardín tapiado y se acercó a la ventana para ver qué pasaba. La familia estaba reuniéndose y debía darse prisa, pero decidió pasar unos momentos de tranquilidad a solas para meditar.

Desde su posición estratégica en lo alto de la casa veía a Ezra, absorto en una conversación con su hermano Gilbert, que acababa de llegar de Londres con su esposa, Ann. Todos se habían quedado muy sorprendidos cuando contrajeron matrimonio tres años atrás, sobre todo Ann, que le había confesado a Susan que siempre se había considerado una mujer normal y corriente, destinada a la soltería, hasta que a la avanzada edad de treinta y un años, el apuesto general Collinson se había fijado en ella.

Susan sonrió. El matrimonio de Ann con Gilbert había sacado lo mejor de los dos y aunque quizá hubiesen llegado tarde para tener hijos, cuidar de Gilbert la tenía más que ocupada. En sus cartas a Susan, Ann reconocía que lamentaba la ausencia de niños, pero que a la vez le emocionaba seguir a Gilbert por todo el Imperio Británico.

Luego contempló a Maud, cómodamente instalada en una silla de ruedas encima del césped, dando órdenes al ama de llaves. Su constitución debilitada al fin había podido con ella y ya no podía caminar, pero su aspecto frágil de pajarito enmascaraba una voluntad de hierro que aún era capaz de impresionar a los niños. Algunos de los invitados habían comenzado un juego de cróquet y bajo uno de los árboles se encontraba un grupo de muchachas que no paraban de echar sonrisitas y flirtear con los jóvenes oficiales que habían acudido con Gilbert. Ellos, en cambio, estaban haciendo tonterías y recibieron una buena reprimenda de Maud.

Susan suspiró aliviada. Hacía un día soleado, aunque solo estaban a principios de abril. La merienda ya se encontraba dispuesta en las mesas con sus manteles níveos ondulando en la brisa primaveral que subía del mar. La casa había dejado de ser un lugar deprimente y ahora rebosaba color, ruido y el revoloteo de vestidos preciosos y uniformes de color escarlata.

Mientras observaba el caleidoscopio cambiante abajo en el jardín, Ezra pareció advertir su presencia y miró hacia la ventana. Su sonrisa delataba la felicidad que sentía y Susan se emocionó. Los quince años que llevaban casados le habían proporcionado una satisfacción que se había hecho más profunda con el tiempo. Se dedicaba a ayudarlo en la parroquia y aunque Billy hubiese sido lo bastante astuto para observar que nunca iba a amar a su marido con la misma pasión que había sentido por Jonathan, haría todo lo posible para que él no se diera cuenta jamás de este defecto.

Vio a su hija flirteando descaradamente con el joven teniente mientras jugaban al cróquet. Emma había llegado al mundo hacía catorce años, gritando y dando puñetazos y patadas en el aire, precursores de las pataletas que sufrió durante su infancia y la energía inagotable con la que trabajaba en la escuela que había fundado Ezra en el pueblo.

Buscó a Ernest y sintió una familiar punzada de dolor. Él y su hermano gemelo habían nacido con dos meses de antelación y Thomas había muerto antes de cumplir una semana de edad. Ernest era el más tranquilo de sus hijos y a menudo se preguntaba si echaba de menos a su gemelo, al que apenas había conocido. Con trece años, un atractivo pícaro y esa sonrisa tímida, ya causaba sensación entre la población femenina del pueblo cuando regresaba a casa después de trabajar en la granja de Land's End. Ernest soñaba con poseer unas tierras propias algún día y Susan sabía que era una clase de vida que le vendría como anillo al dedo, pues no era para nada estudioso y lo que más le gustaba era estar a la intemperie cuidando del ganado sin importarle el tiempo que hiciera.

Hablaba con un par de chicas. Era alto para su edad y ya lucía un tipo que prometía unos hombros anchos cuando llegara a la adolescencia. Se inclinó hacia adelante para escuchar lo que decía una de las jóvenes y Susan observó cómo su cabello rubio brillaba a la luz del sol.

A Susan le sorprendió verlo ahí. Solía refugiarse en su trabajo y tenía tendencia a olvidarse de las ocasiones importantes. Quizá el aliciente de contar con una amplia compañía femenina le había ayudado a acordarse esta vez.

Siguió contemplando el jardín y posó la mirada en Florence, su hija de doce años, que estaba ocupada organizando las mesas y las sillas. Había nacido exactamente nueve meses después de su concepción y completaba con eficiencia cualquier tarea que emprendiera. Era de constitución delgada y estaba muy bien proporcionada, pero tenía una lengua afilada capaz de enfrentarse incluso a la de su abuela. Muy observadora, se fijaba en los detalles más insignificantes, una característica desconcertante teniendo en cuenta su edad.

Susan movió la cabeza y torció el gesto. Su hija parecía una versión más joven de Maud, excepto que gozaba de las ventajas que le proporcionaba el sueldo de Ezra. Nunca tendría que vivir en una casita de pescador ni pasaría hambre ni frío en invierno. Susan sospechaba que, cuando llegara el momento, Florence acabaría buscándose un marido rico, pues ya había mostrado una afición clara hacia las cosas más finas de la vida.

Sintió otra punzada familiar. Florence era una niña extraña. Incluso de bebé había tenido una forma muy particular de mirar a su madre que a Susan le había resultado dolorosa. Era como si su hija quisiera medirla, y siempre le encontrara deficiencias. A pesar de poner todo su empeño, se dio cuenta de que Florence necesitaba poco de ella. Ezra era quien calmaba su llanto, era a él a quien buscaba cuando se hacía daño o estaba malhumorada.

Se apartó de la ventana después de buscar a George. No lo veía pero creía oírlo. Chasqueó la lengua con desaprobación, salió del cuarto y corrió escaleras abajo. Su hijo pequeño era demasiado bullicioso y a sus once años debería haber estado más preocupado por sus notas escolares que por escaparse por ahí y meterse en líos. El dueño de la cantera ya había venido a quejarse de él y sus amigos, y también habían tenido problemas con los pescadores después de que les escondieran las redes y las nasas en un pozo de mina abandonado. Muy a pesar suyo, Ezra le había pegado con una de las varas de la escuela, pero la verdad es que la situación no había mejorado y a Susan le inquietaba: su comportamiento le recordaba demasiado al de Billy a la misma edad.

Su hermano seguía encarcelado en la prisión flotante en Plymouth. Todavía le quedaban diez años. La guerra de la Independencia había impedido que lo deportaran a América y, en cierta medida, Susan se alegraba dado que seguía estando relativamente cerca y no perdido en alta mar.

A pesar de la negativa de Billy, Susan y Ezra habían ido a visitarlo y aunque no habían conseguido permiso para verlo, les había horrorizado las condiciones en las que vivía. Susan había pasado muchas noches en vela, pero tenía que aceptar que Billy había violado la ley sabiendo el riesgo que corría y ahora le tocaba pagar por los delitos que había cometido. Poco podía hacer excepto rezar para que sobreviviera.

—Hola, mi amor —susurró Ezra cuando la vio salir de la casa.

Cuando la besó con suavidad en la mejilla, se dio cuenta de que estaba sofocada.

—Estás preciosa como siempre, pero te noto un poco distraída.

Susan apartó sus lúgubres pensamientos sobre Billy y le sonrió fugazmente.

—¿Has visto a George?

—Lo he mandado a su habitación durante media hora —respondió Ezra con un suspiro que no ocultaba sus ganas de reír—. Ha tirado de los pelos a Florence y se ha ganado una buena torta.

Susan sonrió.

—Nuestra hija tiene un revés digno de una pescadera de primera —respondió—, y ya le está bien empleado.

Jonathan sabía que no era del todo prudente pero después de tantos años lejos de Mousehole, tenía necesidad de verla. Le había costado mucho recuperarse del impacto que sufrió al enterarse de que Susan se había casado con Ezra Collinson pocos días antes de su llegada a Inglaterra. Su madre, por supuesto, estaba encantada.

¿Era feliz Susan? Tampoco podía hacer nada al respecto, reconoció con tristeza. Por mucho que sus vidas hubieran cambiado, le importaba su felicidad y lamentaba haber pasado tantos años lejos de Cornualles. Si no había venido antes fue porque no era capaz de enfrentarse a ella sabiendo que estaba casada con otro. Se había sumergido en la ajetreada vida londinense y había seguido satisfaciendo sus deseos de navegar así que le quedaba poco tiempo para la introspección y los viajes a Cornualles. Después de la muerte de su madre hacía ya dos años, el eficaz Braddock había asumido los asuntos de la finca en su ausencia.

Ayudó a su esposa a subirse al carruaje, haciendo caso omiso de la mirada dolorida que le echó al ver que se instalaba en el pescante del cochero, cogía las riendas y arreaba el caballo.

Emily parecía un pedazo de hielo detrás de él. Su boca era poco más que una raya estrecha en su rostro descarnado y tenía la mano soldada al mango de su sombrilla.

—No entiendo por qué tenemos que ir a ver al pastor —espetó.

—Pues porque da la casualidad de que es mi primo lejano —replicó por encima del hombro—. Y os agradeceré, señora, que seáis cortés con él.

No quitó los ojos de la carretera que tenía delante para poder contener su genio. Le resultaba agradable pensar en Susan y especular sobre cómo habría cambiado y cuáles serían sus sentimientos cuando la viera de nuevo. Aún recordaba con claridad el último día que se habían encontrado en la cueva.

Por desgracia, no conseguía olvidar la presencia de su esposa, que no paraba de refunfuñar. Le estaba costando cada vez más refrenar su impaciencia. Le impusieron a Emily en 1772, poco después de su regreso a Inglaterra. Estaba decaído y con el corazón roto tras la supuesta traición de Susan, y su madre había sabido sacar pleno provecho de la situación. Cuando quiso darse cuenta, los preparativos ya estaban casi terminados y no pudo echarse atrás.

La finca jamás se había recuperado después de haber saldado las deudas de juego de su padre y lo que hacía falta era una buena inyección de capital si la familia quería mantener su posición destacada en la sociedad. A la tierna edad de veintiún años, Jonathan se había visto irremediablemente encadenado a una arpía.

Emily era una mujer más bien fea, hija de un conde acaudalado. Ya desde pequeña había tenido una lengua mordaz y eso explicaba tanto la dote generosa que había aportado al matrimonio como la falta de pretendientes. Ninguno de los dos disfrutaba del otro en la cama y cuando al fin nació su hijo, Edward, Emily consideró que ya había cumplido y, para alivio de Jonathan, expulsó a su marido del lecho conyugal.

Con el paso de los años, su semblante agrio atormentaba tanto a Jonathan que en alguna ocasión buscó ternura en las caricias ajenas. Al principio se sintió culpable, dado que su esposa había sido otro títere más en las manos de su madre, pero parecía tan empeñada en odiarlo que finalmente aceptó que jamás podrían reconciliarse.

Para Jonathan su matrimonio era una especie de calvario y había dedicado los últimos catorce años a navegar en alta mar para no tener que pasar un minuto más de lo estrictamente necesario en su casa de Londres ni sentado en la Cámara de los Lores. Si no fuera por su hijo, hubiese abandonado Inglaterra para siempre.

Su caballo de paso fino recorrió los caminos desiguales y subió con facilidad las cuestas empinadas, así que no tardaron en ver la casa. Jonathan aminoró el paso y aprovechó para observar el movimiento de la fiesta a través de las rejas de hierro del jardín. Rastreó las caras de los invitados, fijándose finalmente en una hermosa mujer envuelta en un precioso vestido de color malva. El pulso se le aceleró. La hubiese reconocido en cualquier parte.

Llevaba el pelo recogido con una cinta del mismo color que el vestido y lucía un tipo esbelto que ocultaba su edad. Se detuvo cerca de la puerta de entrada sin dejar de observar su rostro animado. Susan siempre había sido bellísima, pero ahora lo estaba todavía más, pensó. Parecía tan viva, tan llena de energía. Era como si el sol y el viento de Cornualles formaran parte de su cuerpo menudo, como si pudiera salir volando en el momento menos esperado.

—Cuando regreses a la tierra, te agradecería que me ayudaras a bajar de aquí —espetó Emily.

Jonathan volvió rápidamente a la realidad y ayudó a su mujer a apearse del carruaje. Observó su cara demacrada y su ropa gris y aburrida y no pudo evitar compararla con la alegre Susan que todavía era capaz de hacer estragos en su pobre corazón. Se le cayó el ánimo al suelo. No debería haber venido.

Susan se encontraba con Emma, riéndose de las payasadas de Ernest que estaba intentando enseñar a unas atractivas jovencitas a jugar al cróquet, cuando la mano de Ezra le rodeó el codo.

—Tenemos visita, querida —dijo en voz baja.

Cuando se giró, le tembló la sonrisa que todavía tenía en los labios. El corazón se le aceleró, y comenzó a latir dolorosamente dentro del tórax cuando vio que se acercaba. Seguía siendo casi igual que el joven a quien tanto había amado y con el que había soñado durante años. Sus cabellos negros solo desvelaban unas cuantas canas alrededor de las sienes, pero conservaba el mismo rostro atractivo y el cuerpo atlético de un hombre en plena forma. Por último se fijó en sus ojos y quedó hipnotizada, mientras se sumergía en todos los recuerdos que casi había olvidado, pues eran del mismo color azul que el mar de Cornualles. Además, la estaban mirando fijamente.

—¿Susan? —dijo Ezra, agarrándole del codo con más fuerza.

Susan parpadeó y se tranquilizó, consciente de que los demás la estaban observando y de que tenía que mostrarle una indiferencia serena, a pesar de las palpitaciones de su corazón.

—¡Qué sorpresa que hayáis venido! —dijo—. No sabía que estuvierais invitados.

—Me enteré de que estaban aquí y les mandé una invitación en el último momento. Espero que no te importe.

Susan no tuvo tiempo para responder porque Jonathan y su esposa desabrida ya se hallaban muy cerca. Hizo una reverencia.

—Os agradezco que hayáis venido.

Emily asintió imperiosamente con la cabeza sin sonreír y la taladró con la mirada. Susan notó cómo se iba sonrojando ante la expresión de desaprobación de la mujer que decía más de lo que jamás pudieran expresar las palabras. Le hizo sentir como si volviera a tener dieciséis años y fuera una pescadera que trabajaba en el muelle, en vez de la respetada esposa del pastor.

Jonathan estrechó la mano a Ezra y Susan se puso todavía más roja cuando tomó la suya y dio un beso en el aire justo por encima de sus dedos. Se miraron y, durante un instante, el resto del mundo se desvaneció. Susan se acercó vacilante a él.

—Jonathan —susurró.

Gilbert quebró el momento.

—Ezra —bramó, agarrando con fuerza el hombro de su hermano—. Ha llegado la hora de servir el champán que he traído de Londres. Voy a hacer el anuncio.

Susan solo consiguió apartar los ojos de Jonathan cuando notó que Ann le había pasado el brazo por la cintura y la estaba apartando suavemente del grupo.

—Te veo muy colorada, querida —dijo—. Ven, vamos a tomar una limonada. Te ayudará a refrescarte.

Susan la siguió despacio, aturdida. Jonathan había regresado y sus sentimientos hacia él eran más fuertes que nunca. Lo notaba en los latidos de su corazón, en el hormigueo de su piel. No se había sentido tan viva desde hacía años.

—Me sorprende que haya venido el conde —comentó Ann, mientras servía limonada de la jarra en un vaso de cristal—. Pasa muy poco tiempo en Inglaterra y debe de hacer años que no pisa Cornualles.

Susan se obligó a poner orden en sus pensamientos.

—Los ha invitado Ezra.

No pudo evitar mirar de reojo a Jonathan, que estaba acompañando a su esposa a un asiento a la sombra.

—Qué insensatez —contestó Ann, dándole el vaso.

Susan se quedó perpleja.

—¿A qué te refieres? —balbuceó.

Ann le pasó el brazo por el codo y la llevó hasta dos sillas que estaban apartadas del resto a la sombra de un árbol. Una vez sentadas y con los vestidos decorosamente colocados, Ann le contestó:

—Estoy al tanto de los rumores. Jonathan Cadwallader y tú tenéis un pasado, por muy antiguo que sea, pero a mí siempre me ha parecido una locura volver atrás o ansiar lo que podría haber sido. Solo conduce a la decepción.

Susan se ruborizó.

—Éramos niños —dijo en voz baja—. Estoy muy satisfecha con Ezra.

Ann le dio unas palmaditas en la mano.

—No te olvides de lo que acabas de decirme, querida —respondió.

A Susan no se le escapó la represión discreta de Ann ni la forma en que su cuñada contrajo los hombros y se tensó cuando vio que el protagonista de su conversación se unía al juego de cróquet. La antipatía que sentía hacia él rezumaba por sus poros, algo insólito en una mujer tan dulce como Ann, y Susan se inquietó.

Ann tomó un sorbo de limonada antes de continuar:

—Jonathan Cadwallader es célebre por sus conquistas, y en algunos círculos se le considera un verdadero aventurero —dijo de manera inexpresiva—. Nadie niega que sea un hombre apuesto y rico de una discreción impecable, pero también ha roto numerosos corazones. No me extraña que esa pobre mujer tenga una expresión tan amarga.

Susan descartó las palabras de su amiga, creyendo que se trataba de un chisme. Su mirada se cruzó con la de Jonathan y él le sonrió. Susan volvió a ruborizarse. Lo que más deseaba era poder caminar con él a solas para poder hablar. Ojalá acabara la fiesta de una vez para idear una forma de encontrarse con él a solas.

—Querida —susurró Ann, dándole un suave codazo.

Susan se dio cuenta de que aguardaba una reacción a su comentario. Estaba a punto de aconsejarle que dejara de hacer caso a los chismorreos cuando Gilbert rugió:

—Su señoría, damas, caballeros y oficiales.

Ann sacó el abanico y lo agitó.

—Mi marido ha confundido tu jardín con una plaza de armas —susurró. Susan se rio, aliviada por haberse librado de la intromisión bienintencionada de Ann—. Pero nadie puede negar que se le ve muy elegante, ¿no crees? —dijo su cuñada—. Es difícil de creer que haya cumplido cuarenta y ocho años.

—Será que le sienta bien estar casado contigo —observó Susan.

Ann se ruborizó y se abanicó el rostro.

La voz de Gilbert resonó de nuevo:

—Hoy es un día de celebraciones, no solo por el cumpleaños de mi sobrina Emma, sino también por las noticias que traigo de Londres.

—Le gusta tanto cómo suena su propia voz —dijo Ann, resignada—. Esperemos que vaya directamente al grano.

Advirtió la mirada inquisitiva de Susan y le dio la mano.

—Ahora lo entenderás todo —prometió.

—Después de los desafortunados acontecimientos acaecidos durante la guerra de la Independencia de Estados Unidos y de las hostilidades subsiguientes que nos han mostrado Francia y España, nuestro primer ministro, William Pitt, ha reconocido que nuestra presencia constante en el Este es la única esperanza de restablecerse que tiene nuestra nación.

—Santo cielo —suspiró Ann—. Ya empieza. Tenemos para horas.

Susan apenas oía una palabra de lo que decían Ann o Gilbert porque estaba demasiado ocupada mirando a Jonathan.

—Pero hay otras cuestiones que tenemos que abordar para que Gran Bretaña recupere su poder naval —rugió Gilbert—. Las provisiones de cáñamo son indispensables para esta nación de marineros y nuestras reservas de este producto se han visto gravemente mermadas por la reina Catalina de Rusia, que ha estimado conveniente comprar todas las existencias disponibles de los Estados bálticos.

Se detuvo durante unos instantes para recobrar el aliento y alisarse el bigote.

—Una posible solución sería fundar una colonia en Nueva Gales del Sur. No solo nos proporcionaría una fuente de lino y madera, sino que aseguraría los objetivos militares y estratégicos de impedir una colonia francesa y establecer una base naval excelente en tiempos de guerra.

Se oyó un murmullo entre los presentes seguido de un susurro de impaciencia. Gilbert se apresuró en continuar:

—Esta valiente empresa también ayudará a mitigar el problema de los centenares de presidiarios que esperan la deportación y que antes hubiesen sido enviados directamente a América.

Las palabras de Gilbert aguzaron la atención de Susan, que pensó de inmediato en el destino de Billy.

—Lord Sydney, que tiene en su poder los sellos del Ministerio de Interior, ha anunciado esta semana la decisión de Su Majestad: Botany Bay será el lugar más idóneo para establecer una colonia penal. Ha ordenado al Almirantazgo que proporcione los buques necesarios para albergar a setecientos cincuenta criminales y todas las provisiones, necesidades y herramientas agrícolas que precisarán cuando lleguen al nuevo continente. La Primera Flota zarpará en primavera de 1787.

A Susan se le aceleró el corazón. ¿Iban a deportar a Billy, después de todo? ¿Iban a mandarlo al otro lado del mundo a un país inexplorado y salvaje, lejos de sus seres queridos? Miró a Maud, que se había quedado lívida de preocupación bajo su gorra. Los ojos de ambas mujeres reflejaban la misma angustia silenciosa.

—No les quepa la menor duda, damas y caballeros: esta nueva colonia será fundada por los presidiarios y no para los presidiarios: serán el medio que logrará el fin. Arthur Phillip será nombrado capitán general y gobernador de Nueva Gales del Sur, desde Cabo York hasta los cuarenta y tres grados, treinta y nueve minutos de latitud suroeste y ciento treinta y cinco grados de longitud este, abarcando todas las islas adyacentes del océano Pacífico.

La mayoría de los presentes no entendía nada de lo que estaba diciendo, dado que las noticias tardaban en llegar a la costa oeste y cualquier cosa que tuviera que ver con latitudes y longitudes les sonaba a chino.

Susan seguía sentada al lado de Ann, totalmente confundida.

Gilbert aún no había terminado:

—Para ayudar al gobernador Phillip en su administración, habrá una fuerte presencia militar y además, tengo el placer de informarles que me han ascendido a mariscal de campo y ocuparé el cargo de auditor de guerra del tribunal militar en cuanto llegue con la Primera Flota.

Siguió un aplauso cortés y Susan se volvió hacia Ann. Solo pensar en las consecuencias que esta decisión podría traer para su hermano le hacía temblar la voz:

—¿Y qué pasará con Billy?

Ann le dio unas palmaditas en la mano.

—La verdad es que no lo sé, Susan, pero estoy segura de que Gilbert se informará y si sale con la Primera Flota, nosotros velaremos por él.

—¿No me digas que tú también vas?

—Por supuesto —repuso Ann—. El lugar que me corresponde, el que corresponde a cualquier buena esposa, es al lado de mi marido.

Susan captó el comentario incisivo nada propio de su cuñada.

—Pero ¿qué vas a hacer en ese lugar olvidado de Dios? Imagino que no debe de ser muy seguro.

Ann estaba atenta a su marido, que recibía las felicitaciones de los invitados apiñados a su alrededor.

—Dudo que sea olvidado de Dios, Susan —dijo—. El padre Richard Johnson será el pastor de la colonia y habrá otras esposas y muchos niños. Además, llegarán más clérigos con la Segunda y Tercera Flota.

Susan la observó, admirada. Tenían la misma edad y, sin embargo, había un abismo entre ellas.

—Eres tan valiente, Ann. No creo que tuviera el coraje de irme tan lejos a un país completamente desconocido.

Los ojos de Ann brillaban de emoción.

—Será una aventura apasionante, querida, y un día, cuando la colonia ya esté establecida, quizá os apetezca venir también. Seguro que habrá mucho trabajo para un pastor como Ezra.

Susan se estremeció.

—Jamás me iré de Cornualles.

No pudo evitar mirar a Jonathan, que seguía observándola.

—La vida a veces consigue cambiar incluso las convicciones más firmes —murmuró Ann.

Pero Susan ni siquiera la oyó. Jonathan se había alejado del grupo que seguía hablando con Gilbert y se dirigía hacia el jardín tapiado. La miró rápidamente por encima del hombro para asegurarse de que lo hubiera visto y entonces desapareció.

—Tengo que ir a felicitar a Gilbert por el discurso —dijo Ann—. ¿Quieres acompañarme?

Susan negó con la cabeza.

—Debería subir a ver qué hace George. Creo que ya podemos permitirle que regrese a la fiesta.

Se alejó rápidamente antes de que Ann pudiera hacerle más preguntas. Después de echar a George de su habitación, cruzó el huerto y se deslizó por la puerta que daba al descuidado jardín tapiado. Nadie iba a echarla en falta durante un ratito y necesitaba verlo, necesitaba hacerle todas las preguntas que llevaban años atormentándola e intentar asimilar su aparición tan inesperada.

La estaba esperando a la sombra de un viejo ciruelo.

—Susan. Cuánto tiempo.

Lo más fácil del mundo hubiese sido abrazarlo, pero había algo en su expresión que la detuvo.

—Demasiado —dijo con voz queda, devorándolo con la mirada—. Me prometiste que ibas a volver. ¿Por qué no lo hiciste?

—Claro que lo hice —protestó—. Pero cuando volví, mi madre

me dijo que te habías casado con Ezra Collinson. Si hubieras esperado ocho malditos días más, me hubieses tenido a tu lado. Nunca debí confiar en tu palabra.

—¡Qué desfachatez! —replicó Susan, sin poder evitar que sus deseos de refugiarse en él se convirtieran en ira—. Esperé tres años sin una sola noticia que me confirmara que cumplirías la promesa que me hiciste.

—¿Y cómo pretendías que te mandara una carta desde el Mar de Tasmania? —objetó él—. Deberías haber tenido fe en mí.

—Tres años —repitió Susan—, cuando me habías dicho que iban a ser dos. ¿Y qué esperabas, Jonathan? ¿Que me quedara con los brazos cruzados aguardándote mientras tú estabas por ahí jugando a marineritos?

—Por supuesto que no. Pero tres años no es nada si piensas que podríamos haber pasado juntos el resto de nuestras vidas. —Dio un paso hacia ella—. Tenía plena intención de casarme contigo, Susan, pero tú no fuiste capaz de esperarme. Y encima, te casas con Ezra Collinson. ¿Por qué él? —Jonathan respiró hondo, haciendo un gran esfuerzo por contenerse antes de seguir—: Confié en ti, Susan, y me rompiste el corazón.

—Pues por lo visto no tardaste mucho en repararlo —repuso Susan, poco dispuesta a ver la angustia en su mirada—. En menos de un año ya te habías casado con Emily.

Jonathan se pasó los dedos por el pelo y Susan vio la batalla que se estaba librando en su interior mientras le contaba que su madre se había entrometido una vez más en su vida y había concertado su boda.

—No me quedó más remedio. Ya lo había organizado todo incluso antes de que partiera de Tahití. Me dejó muy claro que esperaba que aceptara todo lo que había planeado en cuanto volviera. Por eso estaba tan empeñado en casarme contigo antes de que me viera atado a alguien a quien no amaba. Pero tu boda con Collinson lo estropeó todo y sin ti, me daba igual lo que pudiera ser de mi vida. Estoy seguro de que te alegrará saber que mi matrimonio ha sido muy infeliz —concluyó Jonathan, todavía enfadado.

Susan contempló su desdicha y, tras conocer a Emily, no le costaba comprenderla.

—Lo siento, Jon —murmuró—. Por lo visto, los dos hemos sido víctimas de las maquinaciones de tu madre.

Entonces le contó cómo había perdido a su padre y a sus hermanos y la razón por la cual se había casado con Ezra.

Jonathan apretó los puños con fuerza y palideció. Desahogó toda su rabia y frustración con un profundo gemido.

—Dios mío. No sabes cuánto siento no haber estado aquí para protegerte.

Susan dio un paso hacia atrás, recordando las horas que había vivido mirando fijamente el mar, las veces que había rezado para que regresara a tiempo, el día que ascendió los peldaños de la iglesia sabiendo que lo había perdido para siempre. Al final, alzó los ojos para mirarlo. No le quedaba nada de rabia, sino una tristeza que le pesaba en el corazón. El destino les había asestado un golpe cruel.

—¿Por qué tardaste tanto en volver?

—Acabamos yendo mucho más al sur de lo que nos imaginábamos y quedamos atrapados en varias tormentas horrorosas.

Le contó la vuelta enorme que habían tenido que dar alrededor de Nueva Zelanda, la búsqueda y el descubrimiento de Australia, la pesadilla de Batavia y el viaje de regreso.

—No había más barcos que pudieran llevar nuestras cartas. No había forma de hacerte llegar noticias. Pero nunca dejé de pensar en ti, Susan. Siempre te llevé en mi corazón.

Susan tenía ganas de llorar, pero sus lágrimas no remediarían todo el daño que les habían hecho.

—Oh, Jonathan. Tu arrecife de coral nos atrapó a los dos. Y ahora ya es demasiado tarde para nosotros.

Él tomó sus manos y Susan no se resistió.

—Cuando te he visto hoy, me he dado cuenta de que nunca he dejado de amarte —dijo en voz baja—. Y estoy convencido de que tú sientes lo mismo.

El ruido de la fiesta se desvaneció. Lo único que ansiaba era besarlo, hundirse en sus brazos, pero sabía que debía resistir. Tenía que ser fuerte.

—Sí —reconoció en voz baja—. Pero aquí se acaba nuestra historia.

—Pero ¿por qué, si nos amamos?

La atrajo hacia sí con el semblante acongojado.

—Porque tengo un deber para con Ezra y mis hijos. No quiero que sufran y porque... porque es demasiado tarde.

Jonathan llevó las manos de Susan a sus labios.

—¿Podemos ser amigos, al menos?

Susan captó el anhelo en su voz y quiso consolarlo, pero cualquier señal de debilidad pondría fin a todas sus buenas intenciones.

—Amigos para siempre —susurró.

Prisión flotante Dunkirk, Plymouth, mayo de 1786

Billy contempló su reflejo en el agua tranquila y oscura que le llegaba casi al talle y durante unos momentos, se preguntó quién era. El joven que recordaba no se parecía en nada al hombre que veía ahora. Perplejo, se pasó las ásperas manos por la barba descuidada y el pelo largo. Billy Penhalligan siempre había sido un hombre acicalado y erguido, orgulloso de su atractivo y de la ropa elegante que había podido comprarse gracias al contrabando. El individuo del reflejo estaba desaliñado, vestía harapos y tenía la mirada de un hombre que había observado el mundo y había visto el mal más negro. Sus ojos eran esferas sin vida y su rostro demacrado pertenecía a un hombre muchísimo mayor que los veintinueve años que tenía Billy.

—Será mejor que muevas el culo, paleto, a no ser que quieras llevarte un par de azotes más.

Billy dejó de lado sus pensamientos y cogió el pesado martillo. Lo levantó encima de la cabeza y golpeó con fuerza contra el pilote, lamentando que lo que estaba hincando en el fango no fuera la cabeza del celador. Ese tipo nunca dejaba de atosigarlo y parecía deleitarse repartiendo latigazos.

—Venga, que solo te quedan veinte para el siguiente descanso.

Arthur Mullins soltó una risotada aguda y forzada antes de alejarse.

Billy siguió golpeando con el martillo sin perder de vista la espalda del celador.

—Ya me gustaría darle una pequeña lección a ese desgraciado —mascullό Billy a Stan, el hombre que trabajaba a su lado.

Stanley Irwin era de Norfolk y lo habían enviado del tribunal superior con una pena de muerte conmutada por la deportación. Su mujer e hijo estaban a bordo del *Dunkirk*. Se había casado y se había convertido en padre mientras cumplía parte de su condena en la cárcel de Norwich Castle. Sin embargo, su salud era cada vez más débil y había soportado demasiadas palizas para poder mantener la postura beligerante de su juventud.

—¡Ya quisieras! —dijo entre dientes—. Será mejor que no te busques más líos, Bill. Cumple la pena y lárgate de aquí.

Billy continuó trabajando, pero los pensamientos se le agolpaban en la cabeza. Aún le restaban diez años y a veces lamentaba que no lo hubieran ahorcado con los demás en el patio de la prisión de Bodmin. De repente esbozó una sonrisa. La única luz en su vida era Nell, una joven prostituta de Londres que llevaba unas pocas semanas a bordo. Era pelirroja, con un genio que acompañaba el color de su cabello y apenas se separaba de su lado. Los dos se habían dado cuenta de que eran almas gemelas. Nell era una luchadora nata, una chica que nunca se rendiría mientras le quedara aliento, y su energía y determinación eran de las pocas cosas que lo mantenían cuerdo. Aún no se había acostado con ella, pero Billy estaba convencido de que solo era cuestión de tiempo.

Se apartó un poco del pilote y lo midió para asegurarse de que estuviera a la altura correcta antes de caminar por el agua hasta el siguiente. Se volvió para mirar el *Dunkirk* e hizo una mueca. La vieja fragata naval estaba clavada en el fango de Plymouth. Las cuadernas estaban podridas y el hedor de la bodega ocupada por los presos le llegaba flotando por encima del agua. Lo habían trasladado hacía un año, después de que el *Chatham* se hubiera hecho pedazos y se hundiera del todo. Si no fuera por la guerra en América, hubiese embarcado hacía tiempo y ahora estaría trabajando en los algodonales de alguna plantación como un esclavo cualquiera. Al menos allí hubiese tenido más posibilidades de huir, de ganarse la remisión, pero aquí solo había sufrimiento. Los días se hacían eternos y pasaba muchas noches sin conciliar el sueño, atento a los ataques de las ratas que pasaban por encima de ellos. Gracias a Dios que había aparecido Nell, con su risa escandalosa, sus chistes dudosos y su incombustible energía.

La luz se estaba yendo. Pronto los llevarían en manada a unos botes pequeños que los transportarían a la prisión flotante. Billy aspiró el aire salado y cálido, desentumeciéndose la espalda y los fornidos hombros. Estaba cansado y le dolían todos los músculos, pero no le apetecía volver al hedor fétido del buque ni a los chillidos de las furcias que estaban más que dispuestas a ejercer su oficio a cambio de una ración de comida de los marineros. Lo único que deseaba era volver a Mousehole, a su casa, al olor de pescado al horno y pan, al sonido suave del dialecto de su tierra. Sintió remordimiento por la libertad que había desperdiciado debido a su afán de riqueza.

—¡Apartaos!

El grito venía del final de la fila. El celador empezó a empujar a los hombres con una porra de madera.

—Tenemos visita. Te estoy vigilando, Penhalligan. Como muevas un dedo te voy a poner grilletes.

Billy dio un paso hacia atrás para apoyarse en el pilote que acababa de clavar en el fango del estuario. Ya estaba acostumbrado a los paseantes que alquilaban botes y venían a ver a los presidiarios para hacerles ascos y contemplarlos boquiabiertos. Las mujeres eran las peores porque mientras se tapaban la nariz con sus pañuelos, miraban con ojos devoradores los cuerpos semidesnudos de los hombres. Se reían y exclamaban tras sus abanicos como si los objetos de su admiración estuvieran sordos o incluso muertos.

Billy carraspeó y escupió una flema al agua mientras observaba el bote que se acercaba a toda prisa. Los ocupantes deberían probar a pasar una noche aquí fuera: pronto descubrirían que, al menor descuido, los hombres de los que se burlaban podían ser unos auténticos salvajes.

El bote había remontado el estuario y se detuvo cerca del final del embarcadero que estaban construyendo los presos. Unos de los hombres, parecía el encargado, estaba conversando con el señor Cowdry, el carcelero jefe.

—¿William Penhalligan?

Billy desterró sus oscuros pensamientos y alzó la cabeza.

—¿Sí?

—Tienes visita. Acércate.

Mullins le dio un empujón que estuvo a punto de tumbarlo.

—¡Muévete!

Billy arrastró los pies descalzos por el fango pegajoso que se aferraba a sus piernas. Procuró mantener la boca cerrada mientras caminaba por el agua hasta llegar al bajío.

—Ahí estás, Penhalligan. Anímate un poco, hombre. Ha venido alguien importante a verte.

Billy fulminó con la mirada a Cowdry, que estaba de pie en el embarcadero como una paloma doméstica embalsamada. Luego se giró hacia el hombre que había venido a verlo. Frunció el ceño. Llevaba un uniforme militar completo, que no auguraba nada bueno. Hundió los dedos en el fango y bajó la barbilla.

—Billy, vengo de parte de tu familia.

Hubo un silencio. Billy levantó la cabeza y fijó sus ojos en los del hombre.

—Soy el mariscal de campo Collinson del Cuerpo de Dragones de Su Majestad.

—¿Qué les ha pasado?

Billy estuvo a punto de dar un paso hacia el oficial cuando Mullins le clavó la porra en las costillas y le dijo que estuviera firme.

—No hace falta que se ponga así —refunfuñó el mariscal, con la mirada feroz.

Mullins lo miró con el entrecejo fruncido pero no dijo nada.

—Tu familia se encuentra bien. Venga, Billy, acompáñame a la orilla. Allá podremos hablar más tranquilamente.

Sin esperar una respuesta, Gilbert Collinson despachó al celador, saltó al embarcadero y se dirigió al césped que bordeaba la orilla.

Billy se subió el holgado pantalón que corría el peligro de caerse de sus caderas consumidas y se tapó el pecho con lo poco que le quedaba de camisa. Al lado del mariscal de campo, se acusaba más el contraste entre ellos y Billy se colocó de forma que el viento no llevara el olor que desprendía hacia la nariz patricia de Gilbert. La vergüenza que sentía por su situación lo quemaba por dentro, pero observó al hombre con actitud desafiante.

—¿Qué tiene que ver con mi familia? —preguntó en cuanto se encontraron solos.

—Soy pariente del marido de tu hermana —respondió Collinson con rapidez—. No tengo mucho tiempo, así que te agradecería que me escucharas con atención. —Lanzó una mirada a los guardias que los vigilaban antes de continuar—: Sé por fuentes fidedignas que estás en la lista de hombres que serán deportados a la colonia penal de Nueva Gales del Sur.

Billy frunció el ceño. Jamás había oído hablar del sitio, pero solo pensar que iban a deportarlo le daba tanto pavor que estuvo a punto de marearse.

Gilbert le puso al corriente y mientras escuchaba, Billy se desmoralizó por completo. Sin embargo, no estaba dispuesto a permitir que el hombre viera hasta qué punto le afectaban las noticias que le traía. Sonrió con ironía y dijo:

—Y yo que pensaba que me había conseguido el indulto.

—Me temo que no, con todos los cargos que se te imputan —dijo, con los ojos negros brillantes—. Pero quizá pueda ofrecerte un trabajo más fácil y limpio que este una vez lleguemos a Botany Bay. Nos van a hacer falta tus aptitudes para requisar y desplegar mientras construyamos nuestra nueva colonia, y yo estoy buscando un hombre como tú para que vele por mis propios intereses.

Billy estuvo a punto de sonreír, a pesar de las náuseas que sentía en las entrañas.

—Nada mejor que un ladrón para atrapar a otro ladrón, ¿verdad?

Gilbert asintió con la cabeza.

—Así es. Y si te portas bien, me aseguraré de que te den una parcela apropiada cuando quedes en libertad.

—¿Una parcela?

—El gobernador de Su Majestad proporcionará parcelas a los militares, a los hombres libres y a los presidiarios que demuestren ser dignos. Será la última oportunidad que tendrás de empezar de nuevo y de reparar los errores de tu pasado.

—Pero no me devolverá a casa —susurró Billy.

Si ya dudaba que llegara vivo a Botany Bay, ¿cómo iba a sobrevivir a la vuelta a Inglaterra?

—Nunca se sabe lo que puede pasar, pero yo que tú no me haría demasiadas ilusiones —suspiró Gilbert—. Tú mismo te has buscado esta situación, Billy, pero ahora que estás dentro de mi jurisdicción tienes la oportunidad de hacer algo con tu vida. Tu madre te echa de menos, por supuesto, y Susan también. Querían acompañarme hoy, pero sabía que solo iba a causarles un gran disgusto.

Miró a Mullins y a la prisión flotante *Dunkirk*.

—¿Cómo está mi madre?

Hacía años que no la veía y Billy tragó saliva, empeñado en no flaquear.

—Tiene una salud de hierro —dijo Gilbert—. Está muy ocupada con sus nietos y sigue metiéndose en la vida de todos, como siempre.

Billy asintió. Recordaba bien el carácter mandón y la energía inagotable de su madre incluso en los momentos más aciagos. Se alegraba de que no hubiera cambiado. Después le sonsacó todo lo que pudo acerca de Susan y su familia y se quedó asombrado de que la vida hubiese cambiado tanto durante su ausencia. Finalmente le hizo la última pregunta, la más importante:

—¿Cuándo partimos?

—La próxima primavera.

—Otro año metido en este infierno —dijo, mirando de reojo a Mullins—. ¿No hay ninguna posibilidad de que me concedan un cambio de aires?

Gilbert negó con la cabeza.

—El juez se ha mantenido inflexible a pesar de mi insistencia

—dijo, caminando lentamente hacia el bote—. Te he traído unas cosas. Espero que consigas quedarte con ellas.

Billy contempló atónito el paquete de comida y el fardo de ropa que le entregó Gilbert. Después, el mariscal depositó unas monedas de plata en la palma de su mano.

—A un hombre lo asesinarían por muchísimo menos que esto.

—Ya he hablado con William Cowdry. Si quieres puedes darle el dinero y se encargará de que te lleguen algunas raciones extra. Puedes confiar en él. Es un hombre honesto.

Billy lanzó una mirada al carcelero jefe. Cowdry era tan honrado como los demás, pensó.

—Prefiero mil veces correr el riesgo de guardarlo yo mismo —murmuró, atando bien las monedas en una de las esquinas de su andrajosa camisa.

—Ojalá pudiera hacer más por ti.

Billy se encogió de hombros y estrechó los paquetes que le había dado contra el pecho, procurando que no tocaran el agua.

—Gracias, señor —dijo—, pero si pudiera mandarle un abrazo a mi madre y decirle que no se preocupe, ya sería mucho. —De repente sonrió de forma desafiante y añadió—: Todavía no han encontrado la forma de intimidar a Billy Penhalligan y dudo que a estas alturas lo consigan.

Gilbert lo miró fijamente como si quisiera evaluarlo. Por último le tendió su mano.

—Es posible que tengas razón. Nos veremos en Botany Bay.

11

Mousehole, mayo de 1786

El mes de abril había sido sorprendentemente cálido pero en mayo llegaron las tormentas, que impidieron a los pescadores salir a faenar y obligaron a los granjeros a proteger sus tierras. Una epidemia de la gripe había causado estragos entre los más vulnerables y Susan estaba ocupada con sus responsabilidades de la parroquia. Había aprendido mucho durante su matrimonio con Ezra y ahora entendía su indiferencia aparentemente estoica mientras hacían todo lo posible por aliviar el sufrimiento. Le había enseñado que era inútil mostrar compasión, asco, e incluso rabia ante las condiciones en las que los pobres tenían que sobrevivir: la compasión no ayudaba a nadie pero los consejos prácticos y la eficacia sosegada al menos aligeraba la carga que les tocaba llevar.

Hacía una noche tormentosa y Susan estaba acostada en la cama, escuchando cómo la lluvia golpeaba las ventanas y el viento rugía alrededor de las chimeneas. Parecía que la casa contenía la respiración mientras la tormenta agitaba el mar y las olas se estrellaban contra los acantilados. No era una noche para estar a la intemperie y Susan se acurrucó bajo las mantas, agradeciendo su calor y comodidad. Sin embargo, no conseguía conciliar el sueño. Faltaba poco para que Jonathan volviera a Cornualles.

Cerró los ojos y evocó su rostro, la forma que tenía de moverse y de hablar. La conversación breve que habían mantenido en el jardín tapiado había rebosado de emoción y a pesar de sus buenas intenciones, sabía que si volvían a encontrarse, no sería capaz de resistirse a él.

Intentó olvidarse del ruido de la tormenta y los ronquidos de Ezra. Jonathan no le había escrito como pensó que quizá haría, pero había esperado ansiosa alguna noticia de su regreso. Finalmente se la habían dado esa misma mañana cuando fue a visitar a la esposa del mayordomo de la finca. La pobre acababa de perder otro bebé y a pesar de su profunda angustia, insistía en que deseaba volver a la mansión para prepararla ante la llegada de Jonathan y Emily. A Susan le había costado mucho concentrarse y se había marchado en cuanto pudo hacerlo sin parecer brusca.

Ezra masculló unas palabras en sueños y se dio la vuelta, arrastrando consigo las mantas. Susan hizo un chasquido de enojo, tiró de ellas hasta taparse de nuevo y retomó sus agradables pensamientos. La presencia de Emily complicaría las cosas pero iba a arriesgarse a mandarle una nota.

Frunció el ceño e intentó poner orden en el caos de su cabeza. Sería inapropiado citarlo a solas en su casa y no podían correr el peligro de verse en un lugar público dado que nadie creería que fueran solo amigos. Sonrió recordando su lugar de encuentro predilecto: la cueva en el acantilado. No se veía desde arriba y teniendo en cuenta las inclemencias del tiempo, no habría excursionistas que pudieran espiarlos...

Treleaven House, Cornualles, mayo de 1786

—Es evidente por qué insistes en volver a esta casa después de tan poco tiempo —soltó Emily, plantándose delante de Jonathan en la biblioteca—. Siempre sales con lo mismo.

Llevaban menos de veinticuatro horas en Cornualles y ya le estaba sacando de quicio. Jonathan se apoyó en la repisa de la chimenea de mármol y tomó otro sorbo de coñac. Estaba ebrio, pero no lo suficiente para poder cerrar los oídos a su voz quejumbrosa. Llevaba lo que parecían horas escuchando la misma matraca.

—Nadie te ha obligado a venir. Estoy seguro de que los encantos de tu inhóspita sala de Londres te hubiesen resultado mucho más interesantes que cualquier cosa que pudiera ofrecerte yo.

—Con sarcasmo no vas a llegar a ninguna parte, señor —replicó, entrelazándose los dedos en el regazo—. Y si piensas que no te conozco, eres más idiota de lo que había imaginado.

Jonathan se la quedó mirando con los ojos brumosos. El coñac estaba surtiendo efecto por fin y notaba cómo su calor le invadía el cuerpo.

—Tengo que ocuparme de algunos asuntos relacionados con esta casa —dijo, arrastrando las palabras—. Lo que haya inventado tu mente pervertida no viene al caso. Si dejaras de emplear tanto la lengua y utilizaras el poco cerebro que tienes, comprenderías que esta finca te permite los lujos que explotas con tanto deleite.

A la luz del sol que entraba a raudales en la biblioteca, el rostro demacrado de Emily parecía el de una anciana. Sus ojos grises se habían perdido detrás de las arrugas y mostraba una boca encogida y mezquina.

—Me di perfecta cuenta de cómo mirabas a la esposa del pastor —chirrió—. Hemos venido por ella, no por la finca.

Jonathan dejó la delicada copa encima de la repisa de mármol antes de responder. Lo cierto era que quería ver de nuevo a Susan pero los asuntos de la finca eran urgentes y aunque iba a intentar hacer algunos huecos, dudaba que tuviera tiempo para llevar a cabo visitas de cortesía.

—Sé que no hay nada que pueda decir para convencerte de lo contrario —afirmó con voz cansada—, pero por lógica deberías darte cuenta de que hay mucho que hacer aquí. Si no me crees, te invito a acompañarnos mañana cuando venga Braddock a echarle un vistazo a la finca.

Emily se levantó del sofá con un susurro de la falda que recordaba a hojas muertas en otoño. Se acercó a él.

—No me toméis por boba, señor.

—Jamás me atrevería a hacerlo, señora. —Jonathan cogió la botella y le lanzó una sonrisa cautivadora—. Vamos, Emily, suéltate un poco y tómate una copa conmigo. Te sorprendería hasta qué punto cambia el mundo después de un poco de coñac —la animó—. Es posible que te diviertas y todo.

Emily se puso tensa.

—Aunque me tomara todo el coñac de Inglaterra, no conseguiría modificar la opinión que tengo del mundo. Ni de ti.

Al oír sus palabras, Jonathan sintió cómo le invadían todo el dolor y la decepción de su pasado.

—Los dos tenemos la culpa de que este matrimonio sea un fracaso, Emily. Lamento el dolor que te pueda haber ocasionado a lo largo de los años y siento que hayamos llegado a este punto muerto. Sin embargo, si no te hubieras mostrado siempre tan fría, tan seca, quizá las cosas hubieran ido de otra manera.

La bofetada que impactó en su mejilla lo cogió completamente desprevenido y se la quedó mirando perplejo.

—¿A qué viene eso?

—Por todas las mujeres con las que te has acostado durante nuestro matrimonio y por la humillación que he tenido que soportar a raíz del chismorreo —dijo Emily, resoplando, quizá debido a la ferocidad de su genio—. Te odio Jonathan. Te odio con cada fibra de mi cuerpo.

Jonathan parpadeó e intentó organizar sus confusos pensamientos.

—El sentimiento es mutuo, querida —dijo—. He tenido dos amantes desde que nos casamos, señoras discretas cuya dulzura y buena compañía he disfrutado durante varios años. —Levantó la mano para impedir que lo interrumpiera—. Me gustan las mujeres. Muéstrame un hombre que te diga lo contrario, sobre todo si su lecho matrimonial es menos acogedor que un bloque de hielo polar. Me gusta bailar y coquetear e ir a fiestas, pero siempre he respetado tu reputación, y la de nuestro hijo.

—No es eso lo que me dicen por ahí —replicó ella entre dientes—. Tengo entendido que tienes amantes por toda la ciudad y nuestro hijo se ha visto obligado a soportar la deshonra de saber que su padre es un crápula.

—¡Eso es mentira! —gritó Jonathan—. Esas arpías que dicen ser tus amigas no tienen nada mejor que hacer que alimentar tu martirio autoinfligido. Nunca he sido un crápula. ¿Cómo te atreves a difamarme de forma tal?

—Creo que me marcharé ahora —dijo de manera inexpresiva, recogiendo el bolsito y el chal y dirigiéndose hacia la puerta—. Nuestro hijo está solo en Londres. Mejor que haya uno de los dos con él por si nos necesita.

Jonathan no pasó por alto la pulla ni la mirada victoriosa que brillaba en sus ojos.

—Pues vete. ¡Adiós y hasta nunca! —gritó, sirviéndose otra copa de coñac.

Se la tomó de un trago y permaneció contemplando la puerta cerrada por la que acababa de salir su mujer. Luego lanzó la copa con fuerza contra ella.

—¡No voy a permitir que envenenes a nuestro hijo contra mí! —berreó. Cogió la botella de coñac y otra copa y se desplomó en un sillón al lado de la chimenea. Lo único que quería era beber para poder olvidarlo todo.

Un rato después, Jonathan oyó ruidos en el pasillo seguido de unos portazos y algunas voces. Miró por la ventana a los dos carruajes que se habían detenido ante la puerta principal. Su esposa salió de la casa al sol de la tarde y comenzó a dar órdenes entrecortadas a sus criados sobre cómo disponer las maletas. Finalmente, cuando pareció satisfecha, estos se subieron al más pequeño de los dos coches. Sin siquiera mirar hacia atrás, Emily montó en el más grande y ordenó al cochero que se pusiera en marcha. Con un chacoloteo de cascos y un traqueteo de ruedas, los caballos bajaron por la entrada y desaparecieron de la vista.

Jonathan levantó la copa en un saludo burlón.

—Que disfrutes del viaje —mascculló—, porque es el único que vas a tener en tu vida. A partir de ahora lo máximo que puedes aspirar a montar es un caballo, de eso puedes estar bien segura.

Soltó una risotada amarga, dio un trago y se puso a llorar.

Finalmente se sonó la nariz y se recriminó su falta de carácter. No había llorado así desde que era pequeño y sabía que las lágrimas no iban a disipar el desconsuelo que sentía. Su matrimonio no tenía arreglo y aunque su vida carecía de cariño desde que la última amante se había casado, aceptaba que siempre sería así. Tenía que continuar viajando, cumplir sus ambiciones y explorar los nuevos mundos que se descubrían cada año. Pero cómo le hubiese gustado tener a alguien a su lado que lo amara, alguien como Susan cuya mera presencia fuera capaz de iluminar su existencia.

Estaba sirviéndose lo que quedaba del coñac cuando se fijó en la carta del abogado de Josiah. Tuvo que tragar saliva para contener las lágrimas que amenazaban con manar de nuevo. La muerte de su tío había dejado un vacío enorme en su vida.

Josiah pareció revitalizado tras volver de la primera expedición de Cook y durante los años siguientes se había lanzado a viajar por el país dando una serie de conferencias que lo habían dejado agotado. Por último escribió un libro acerca de sus experiencias. Sin embargo, su constitución debilitada no fue capaz de luchar contra la reciente epidemia de gripe que había azotado el país. Sucumbió rápidamente y falleció mientras dormía apenas unas semanas atrás. Según parecía, Jonathan iba a heredar su considerable fortuna dado que su tío nunca se había casado.

La biblioteca se volvió borrosa mientras recordaba a Josiah en la playa con los niños aborígenes. Era la única vez que lo había visto realmente relajado, con esa pinta que llevaba tras quedarse descalzo y en mangas de camisa. Jonathan esbozó una sonrisa pero le dolía en el alma. Josiah había sido como un padre para él, un consejero sabio y un amigo. Ojalá pudiera hablar con él de nuevo y reírse de los recuerdos que compartían tras los meses que pasaron juntos en el *Endeavour.* Salvo el señor Joseph Banks, todos los hombres que habían despertado su sed de aventura estaban muertos. Cook había sido asesinado en las islas hawaianas, Sydney falleció cuando regresaban a casa desde Nueva Holanda, y ahora acababa de perder a Josiah.

Arrugó la carta y la dejó caer al suelo. Estaba abrumado por la soledad y la angustia. Josiah no había mirado con buenos ojos sus relaciones extramatrimoniales pero había sido comprensivo y nunca había dejado de ser un fiel confidente y consejero durante los primeros años terribles después del regreso, ayudando a Jonathan a superar el infierno de su matrimonio y a ser un buen padre para su hijo Edward. Ahora no le quedaba nadie. Nadie era capaz de entender el anhelo profundo que sentía de desvincularse de la esposa que tanto odiaba y de recuperar la libertad para perseguir sus sueños y quizá encontrar la verdadera felicidad.

—Oh, Susan —suspiro—. ¡Cómo me gustaría que pudieras consolarme ahora mismo! Tú eres la única que comprende lo mucho que significaba Josiah para mí.

Su agitación le obligó a levantarse del sillón y empezó a pasearse agitado de un lado a otro de la biblioteca. Estaba repleta de libros, cada uno de ellos encuadernado con un cuero exquisito que brillaba a la luz del sol de primavera que entraba por la ventana. Habían pertenecido a su padre y a su abuelo y pronto incrementarían en número cuando heredara las valiosas publicaciones científicas y libros de gran erudición de Josiah. Era una colección impresionante.

Se acercó a la ventana y se apoyó en el amplio alféizar. Treleaven House era una casa cuadrada de proporciones elegantes. Se levantaba sobre la cima de una suave colina y estaba rodeada de bosques y campos. La piedra de color crema resplandecía a la luz del sol y desde la doble fila de ventanas altísimas en la parte delantera de la casa se veía la entrada de grava donde el agua de la fuente formaba brillantes arco iris. Un césped muy cuidado se extendía verde y liso como una mesa de billar hasta un bosquecillo que quedaba al oeste, y detrás de la casa unos muros protegían el jardín del viento marino.

Desde la ventana de la biblioteca, Jonathan podía seguir el serpenteante sendero bordeado de árboles que conducía a las imponentes verjas de la entrada. La tormenta de los dos días anteriores ya había pasado y el paisaje y el mar brillaban como si los acabaran de lavar y planchar.

Se quedó mirando los barcos de pesca que rastreaban de un lado para otro acompañados de la bandada habitual de aves marinas que se arremolinaba a su alrededor. De repente pensó en Susan. Era la única persona que sería capaz de comprender su sufrimiento. Había visto con claridad el amor que todavía irradiaban sus ojos durante su conversación apresurada en el jardín, pero ¿sería justo para alguno de los dos reavivar esos sentimientos, sabiendo perfectamente adónde iban a llevar?

Se apartó de la ventana, giró con torpeza la minúscula llave y abrió el armario que contenía la licorera de oporto. Quizá si consiguiera emborracharse del todo olvidaría de una vez sus penas. Tomó la pila de correspondencia que había pasado por alto desde su llegada y volvió a desplomarse en el sillón.

Sacó las tarjetas de visita de rigor que le había mandado algunas familias de la pequeña nobleza de la zona y las echó a un lado sin siquiera leerlas. En algún momento tendría que ir a hacer algunas visitas pero ahora mismo no estaba en condiciones para concentrarse y la verdad es que le importaba un pepino. Había varias cartas relacionadas con su cargo de magistrado de la región y se dio cuenta de que tendría que acudir al juzgado durante al menos un mes para ponerse al día en sus obligaciones.

El director de la escuela de Edward le había escrito una carta de lo más educada, pero leyendo entre líneas, Jonathan se dio cuenta de que su hijo de trece años estaba convirtiéndose rápidamente en un joven agresivo y tramposo a quien le faltaba poco para ser expulsado. Tendría que hacer algo con el chico. No era una tarea que le hiciera gracia alguna dado que Edward, en el mejor de los casos, era un muchacho hosco y Jonathan no tenía ni idea de cómo tratarlo.

Cogió la siguiente carta, escrita en papel barato con un sello de mala calidad. Apenas podía descifrar los garabatos. Era del jefe de una de las minas de la finca. Había desperfectos en los techos de los pozos más profundos que yacían bajo el mar. Jonathan tomó nota mentalmente de pasar por ahí al día siguiente para ver con sus propios ojos qué pasaba. Debería haber llamado a un ingeniero. Después de todo, pagaba al hombre para que se encargara de tomar esa clase de decisiones, pero era un inútil y, por lo visto, la mina seguía desangrándose, al menos desde una perspectiva económica.

Con un suspiro de frustración abandonó el resto de las cartas y se tomó un buen trago de oporto. Todo el mundo quería aprovecharse de él y de su dinero; sin embargo, no podía confiar en nadie a no ser que estuviera delante controlando lo que hacía. Con lo fácil que era subir a bordo de un buque y zarpar. No resultaba extraño que apenas apareciera por la finca.

Cuando ya oscurecía, la bebida finalmente empezó a surtir efecto. Jonathan se quedó dormido. Al despertar ya era de noche y le sorprendió ver que alguien había encendido las lámparas y le había dejado la cena sobre la mesa junto a la ventana. No quedaba rastro de los pedazos de vidrio al lado de la puerta. Ahora que se habían ido los criados de Londres, se había quedado con los jardineros y el resto de los empleados que no trabajaban dentro de la casa. En realidad, las únicas que quedaban para cuidar de ella eran la cocinera y un par de criadas. Miró los cortes fríos de jamón, ternera y pollo, pero no se veía capaz de comer nada. Arrastrándose de la silla, vaciló un poco antes de recobrar el equilibrio y dirigirse hacia la puerta. Lo que necesitaba era respirar un poco de aire fresco.

Fue tambaleándose hacia la puerta principal y estuvo a punto de resbalar por las escaleras que llevaban al camino de grava. No tenía ni idea de adónde iba, pero pensó que quizá intentara encontrar a Susan. Ella lo escucharía sin juzgarlo. Ella era la única persona capaz de comprenderlo.

Millicent Parker estaba cansada y desalentada. Abrió la verja lateral e inició la caminata que le quedaba a través de los campos hasta llegar al bosquecillo. Solo libraba una vez al mes y había pasado casi todo el día andando y peleándose con su madrastra. La casita donde vivían en Newlyn estaba atestada de gente y su madrastra no dejaba de beber ginebra y de lamentarse de su suerte.

Millicent la había ayudado con los pequeños, que habían nacido uno detrás de otro desde que su padre se había casado con ella. Después había preparado la cena, había pasado un rato arreglando la ropa y lavando e intentando poner orden a la casa antes de que llegara su padre de trabajar. Len Parker era un hombre bueno y tranquilo que trabajaba duro en la cantera. Se merecía mucho más que una esposa borracha que se dedicaba a derrochar el dinero para los gastos domésticos en ginebra. Abrazó a su hija cuando se cruzaron en la puerta de la casa, y su silencio transmitió todo lo que jamás conseguiría expresar con palabras.

Millicent sabía que su padre la había seguido con la mirada mientras subía a toda prisa la calle de adoquines y la empinada cuesta hasta el camino que llevaba a Treleaven House, a varios kilómetros. Todavía le preocupaba que tuviera que recorrer tanta distancia de noche, pero ella no temía la oscuridad y los caminos que tomaba le eran muy familiares después de quince años. Le costaba mucho despedirse de su padre pero ya empezaba a notar el cansancio del día infernal que había pasado y cuando se volvió para hacerle adiós con la mano, lo único que deseaba era acurrucarse en su cama estrecha.

Se había levantado antes del amanecer y mañana volvía a estar de servicio así que tendría que levantarse a las cinco y media. Siendo la criada más humilde de la casa, debía encargarse de recoger las cenizas y limpiar las chimeneas antes de que apareciera su señoría para desayunar. Luego tenía que llevar las enormes jarras de agua caliente hasta el piso de arriba, vaciar los orinales y hacer las camas.

Normalmente el trabajo era tranquilo pero las pocas veces que venían los Cadwallader, no paraba en todo el día y acababa tan cansada que en ocasiones ni siquiera se molestaba en quitarse la ropa antes de acostarse. Sin embargo, le pagaban bien y no le faltaba comida. Además, cuando venía la señora siempre traía más criados que le ayudaban con el trabajo. Debería considerarse afortunada de haber encontrado semejante empleo.

Hacía una noche oscura sin luna. Las nubes tapaban las estrellas y soplaba un viento frío y cortante que venía del mar. Millicent contuvo un bostezo enorme y siguió caminando con pasos pesados en la oscuridad, hundiendo las manos en los bolsillos para protegerlas del frío. Sin embargo, a pesar del día arduo y el agotamiento que le hacía pesar las piernas, se sentía ligera y radiante. Había una pequeña posibilidad de que la estuviera esperando John.

Sonrió cuando llegó a la oscuridad de ébano del bosquecillo. John Pardoe trabajaba de aprendiz de jardinero en la finca y se habían visto por primera vez en el huerto hacía seis meses. Era alto, ancho de espaldas y llevaba una melena oscura que le tapaba los ojos cuando no llevaba gorra. Cada vez que se reía, Millicent se ruborizaba y le entraba la risa tonta. Sus ojos brillantes hablaban por sí solos cuando le rodeaba la cintura con el brazo y le robaba algún beso.

Millicent se sonrojó en la oscuridad mientras recordaba lo mucho que le gustaba sentir los labios de John aplastados contra los suyos y cuando sus brazos fuertes la rodeaban, achuchándola y consiguiendo que olvidara el resto del mundo. John la hacía sentirse segura.

De repente se olvidó de sus cálidos pensamientos cuando oyó el chasquido de una ramita y los pasos inequívocos de un hombre que se acercaba a ella por la maleza. Se le aceleró el corazón y se volvió ilusionada:

—¿John? —lo llamó suavemente—. ¿Eres tú?

Jonathan entró con aire resuelto por la puerta principal y se quitó el grueso abrigo. Lo dejó encima de una silla, se quitó los guantes y echó un vistazo al vestíbulo. ¿Dónde se había metido la criada? Necesitaba que alguien lo ayudara a despojarse de las malditas botas. Viendo que no aparecía, cogió las cartas que se encontraban sobre la mesa y se dirigió a la biblioteca.

Ya había una lumbre en la chimenea y la habitación estaba inundada de la luz del sol. Jonathan dio un suspiro de satisfacción, se instaló en una butaca y estiró las piernas. Ahora podía disfrutar del silencio sin las quejas de Emily, y el paseo que acababa de dar por la finca con el guardabosque le había despejado la cabeza. Se pasó los dedos son suavidad por encima de las sienes e hizo una mueca. Apenas se acordaba de lo que había hecho la noche anterior. Solo tenía un recuerdo confuso de la oscuridad, sombras que se movían a su alrededor y una voz de mujer que lo llamaba. Luego nada.

Se encogió de hombros, se levantó y tiró de la campanilla. No había desayunado y estaba hambriento después de tanto caminar. Mientras esperaba a la criada, se puso de pie delante del fuego con las manos cogidas detrás de la espalda y se calentó el trasero. Siempre le gustaba volver a su casa en Cornualles y en días como este, agradecía aún más el aire fresco y el mar centelleante de su tierra. Londres era una especie de pozo negro de barrios bajos y cloacas que se desbordaban, de gritos callejeros y el traqueteo de carruajes. Incluso en el centro de la ciudad era imposible escaparse de los mendigos y las furcias y las montañas de excrementos humeantes de los caballos. Pero en esta costa occidental, por fin podía respirar y aunque existiera la pobreza y la miseria, no apestaban tanto como en la ciudad.

Una llamada a la puerta interrumpió sus agradables reflexiones.

—Adelante —dijo Jonathan.

La criada entró a toda prisa e hizo una reverencia.

—Te llamas Millicent, ¿verdad? —preguntó amablemente a la criada nueva.

—Sí, señor —respondió la chica, mirando al suelo.

Jonathan le pidió que le sirvieran el almuerzo y Millicent volvió a salir tan rápidamente como había entrado. Su forma de corretear le recordaba a un ratoncito nervioso. Pero ¿qué demonios pensaba que iba a hacerle?

En cuanto cerró la puerta, Jonathan se olvidó por completo de ella y empezó a abrir su correspondencia. Halló un par de cartas que dejaría hasta más tarde y un sobre grande lleno de documentos del tribunal de los que tendría que ocuparse esa misma tarde. Los echó a un lado y esperó que le trajeran la comida.

Llegó unos minutos después en una pesada bandeja de plata. Se lo traía la cocinera, que entró jadeando después de subir tantas escaleras desde la cocina. A Jonathan le sorprendió verla y se asustó un poco al ver que se ahogaba.

—Vos no deberíais encargaros de esto. ¿Dónde está Millicent?

La cocinera dejó la bandeja cuidadosamente encima de la mesa y se secó la cara con la esquina de su delantal inmaculado que crujió como una vela almidonada encima de su seno imponente.

—Se encuentra indispuesta, señor.

Jonathan estuvo a punto de responder que le había parecido que gozaba de plena salud hacía apenas unos minutos, pero decidió no molestarse. Jamás comprendería la forma de pensar de los criados. Apartó todas las hipótesis posibles acerca del drama doméstico que podía estar teniendo lugar en el piso de abajo y atacó el estofado con verduras que le habían preparado. La cocinera se había lucido una vez más: la tarta de manzana que había hecho esa misma mañana no solo estaba deliciosa sino que iba acompañada de un cuenco lleno de la nata espesa y amarillenta típica de Cornualles imposible de conseguir en Londres.

Una vez saciado, volvió con una taza de café bien cargado a la butaca ante la lumbre y siguió abriendo cartas. Un rato después, cogió la última. No reconocía el sello pero cuando la abrió y leyó el contenido, se quedó boquiabierto. Susan quería verlo al día siguiente por la mañana en la cueva.

Permaneció contemplando fijamente el fuego, observando cómo las llamas bailaban alrededor de los troncos. Era como si le hubiera leído el pensamiento, como si hubiera sabido de alguna forma que la necesitaba. ¿Se atrevería a aceptar la invitación, con todas las consecuencias que eso acarrearía? Lo último que deseaba era hacerle daño.

Se volvió y miró por la ventana, tan cegado por sus pensamientos que ni siquiera se fijó en el resplandor del mar. Luego sonrió. Por supuesto que iría. No iba a hacer daño a nadie verla una sola vez.

Uluru, Australia, mayo de 1786

Las lluvias estivales habían dificultado la expedición hacia el sur más de lo habitual dado que los ríos estaban desbordados y la tierra se había convertido en barro. Aunque la tribu de Anabarru había conseguido elaborar unos refugios provisionales con ramas y hojas, habían tenido que vigilar día y noche porque la zona estaba plagada de cocodrilos.

Caminaba detrás de Watpipa con sus cuatro hijos menores a su lado, mientras miraba las llanuras que rodeaban el lugar sagrado de Uluru. La lluvia había cesado y el desierto rojizo estaba alfombrado de flores de vistosos colores y árboles florecientes. Se detuvieron durante unos instantes para admirar el paisaje antes de seguir caminando hacia las hogueras que lanzaban columnas de humo al aire inmóvil. El gran *corroboree* empezaría al día siguiente.

Watpipa era el Anciano más destacado de la tribu y después de escoger un lugar para acampar, fue junto con los otros hombres a presentar sus respetos a los guardianes de Uluru. Anabarru observó con orgullo cómo su hijo se unía a ellos. Ya era un hombre, plenamente iniciado y preparado para casarse con la hija de su prima Lowitja el último día de las ceremonias. Además, se notaba que la sangre de Djanay corría por sus venas dado que ya mostraba una sabiduría que excedía sus dieciséis años y se le consideraba el heredero legítimo de la posición que ocupaba su padre dentro de la tribu.

—Bienvenida, Anabarru.

Sonrió y abrazó a su prima predilecta.

—Lowitja, cuánto tiempo sin verte.

Se regalaron unos collares de barro y conchas mientras presumían de sus hijos y nietos.

—Es bueno que los descendientes de Djanay y Garnday se reúnan en un *corroboree* tan importante —dijo Lowitja, sentándose con Anabarru en el suelo—. El espíritu de Garnday me acompaña a todas horas y me ha dicho a través de las piedras que el matrimonio de mi hija con tu hijo será bienaventurado. Actuarán con gran sabiduría para el bien de nuestras tribus en los turbulentos tiempos que nos esperan.

Sus ojos de color ámbar escrutaron el rostro fruncido de Anabarru.

—En la reunión de las mujeres delante de la hoguera hablaremos de los hombres fantasma que vinieron a nuestras tierras sagradas, porque van a volver.

A Anabarru le inquietaban las palabras de su prima acerca de los tiempos turbulentos, pero cada vez que pensaba en el hombre que años atrás había impresionado tanto a Watpipa, no podía evitar una sonrisa.

—Es una buena noticia —murmuró.

Lowitja la agarró del brazo y la miró con el semblante serio.

—Lo que traerán es la muerte, Anabarru —le advirtió—. Me lo ha dicho Garnday.

Anabarru se estremeció. Lowitja había sido escogida por los espíritus de sus antepasados y sus predicciones del futuro eran legendarias entre las tribus.

—Pero ya los hemos conocido, hemos hablado con ellos, hemos cazado con ellos y hemos compartido carne con ellos —balbuceó—. Tienen la piel pálida y unas costumbres raras pero siguen siendo hombres, igual que los nuestros.

—Llegarán en tropel y se extenderán por la tierra —dijo Lowitja, cogiendo un puñado de la arena rojiza y lanzándola a la brisa suave para ver cómo se esparcía—. Igual que el polvo al viento, ocuparán cada rincón de nuestras tierras sagradas y nos aniquilarán.

Anabarru se mordió el labio inferior. Las palabras de Lowitja la asustaban, pero no era capaz de identificarlas con su propia experiencia de la llegada del hombre blanco.

La mirada firme de Lowitja se posó de nuevo en su prima.

—Tenemos que pedir a los Espíritus que nos ayuden a expulsarlos. Su llegada pondrá fin a la espiritualidad de nuestra gente y aunque esta gran reunión no sea la última, nunca más nos uniremos tantos.

Anabarru observó el inmenso remolino de gente que se extendía casi hasta el horizonte. Igual que cada año, habían acudido tribus de todo el país, una tradición que habían observado desde que los Espíritus Ancestrales caminaban por la tierra. Lowitja estaba equivocada: había interpretado mal las piedras. Anabarru se giró hacia su prima y sintió un escalofrío premonitorio. En los ojos de Lowitja vio las sombras oscuras del futuro, acontecimientos que sobrepasaban la sencillez de su imaginación.

Mousehole, mayo de 1786

Susan creía que nunca saldrían por la puerta y la impaciencia la hacía actuar de forma brusca. Menos mal que Ernest estaba en la granja y George en el colegio, porque si no, jamás los hubiera podido sacar de allí. Ezra había tardado lo que parecían horas en recoger sus libros después de desayunar, Florence había perdido sus partituras y Emma había insistido en que quería escribir una carta a Algernon para que pudiera salir con la diligencia que partía hacia Londres esa misma mañana. Su romance con el joven teniente había florecido el día de su cumpleaños y todas las misivas que había recibido como respuesta estaban atadas con una cinta y bien escondidas de las miradas indiscretas de sus hermanos.

La mañana había amanecido clara y luminosa, pero mientras Susan se despedía de Ezra y Emma antes de que descendieran el camino que llevaba a la escuela, habían empezado a llegar las nubes y ahora ya ocultaban buena parte del mar.

—Me parece que va a llover otra vez —comentó a Florence, que por fin había encontrado sus partituras y estaba preparándose para salir—. Coge un abrigo y date prisa.

Florence la miró de reojo.

—¿Quieres deshacerte de mí? —le replicó.

La mirada penetrante de su hija la aturullaba y Susan comenzó a quitar las migas de la mesa y a recoger las servilletas.

—Claro que no —respondió—. Lo que no quiero es que llegues tarde.

—Nunca llego tarde —contestó Florence, al tiempo que terminaba de ponerse la gorra y el abrigo—. Cualquiera diría que tienes prisa por llegar a otra parte.

Los perspicaces ojos de su hija no perdían detalle y ahora se estaba dejando dominar por las emociones, pensó Susan. Respiró hondo y aunó los esfuerzos para calmarse.

—Este tiempo me tiene harta —dijo, ahora sonriente—. La lluvia siempre me pone nerviosa y me está entrando dolor de cabeza.

Florence pareció ablandarse.

—¿Quieres que vaya a buscar los polvos antes de irme?

El remordimiento la atormentaba y tuvo que eludir la mirada de su hija. Se sentó.

—No, gracias. Voy a descansar un rato y tomaré un té. Seguro que se me pasa.

Forzó otra sonrisa, odiándose por su propia hipocresía.

Florence le sirvió una taza de té, recogió sus cosas y salió de casa. Era una chica más bien reservada, así que no le dio ningún beso de despedida.

El corazón de Susan se aceleró cuando se sentó a la mesa y miró cómo desparecía su hija. No sentía ninguna admiración por lo que estaba haciendo pero tenía la necesidad imperiosa de verlo y su impaciencia le impedía centrarse en nada que no fueran los latidos violentos en su pecho. Jonathan acudiría a la cita, lo sabía con la misma certeza que si hubiera respondido a su nota, pues se había enterado de que Emily había regresado a Londres.

Sin embargo, su emoción estaba teñida de miedo y aunque una mínima parte de su mente le suplicaba que actuara con precaución, su corazón se negaba a reconocerlo. Le inquietaba su familia, pero razonó que lo que no sabían no podía hacerles daño e iba a asegurarse de que jamás saliera a la luz. Subió a la habitación para terminar los preparativos. El suave vestido de lana y la capa gruesa serían ideales.

El sol brillaba con fuerza entre las nubes que cruzaban raudas el cielo. Susan caminó por lo alto del acantilado, pasando por delante de las chimeneas de piedra de Wheel Dragon. El viento salado azotaba su cara y le tiraba de la gorra y la capa. Caminaba con paso ligero, rebosante de una felicidad juvenil y una sensación de abandono. Extendió los brazos y bajó la cuesta corriendo y gritando de alegría. Volvía a ser una niña, una joven pescadera que no tenía que preocuparse por el mundo agobiante de la etiqueta y los modales que ahora habitaba. Había olvidado lo maravilloso que era ser libre.

Subió la siguiente colina y se detuvo para recobrar el aliento. El pueblo quedaba lejos y ahora apenas divisaba el contorno de Newlyn. La playa estaba desierta y solo había un barco pesquero en el agua con las velas hinchadas y poniendo rumbo al muelle. Ya casi había llegado.

El camino que habían recorrido de niños apenas se distinguía y mientras se abría paso entre la aulaga y los árboles enanos y artríticos que se aferraban a los bordes de la senda, advirtió que era más empinada de lo que recordaba. Las botas le resbalaron y, durante un segundo de infarto, Susan pensó que iba a caerse, pero su determinación la mantuvo erguida y poco después se encontró de pie en la playa de guijarros. Se dio cuenta de que ya no era tan ágil ni tan atrevida como antes, cuando descendía a la carrera el mismo camino, casi desafiante en su seguridad de que no le pasaría nada.

Susan aguardó hasta que se le normalizó el pulso, se enderezó la gorra y la capa, se inclinó hacia el viento y empezó a caminar encima de los guijarros. La marea estaba baja, y dejaba una banda ancha de arena amarilla y húmeda. La playa estaba repleta de aves zancudas que exploraban las charcas entre las rocas, cangrejos que corrían para todos lados y algas que marcaban la línea de pleamar.

Las gaviotas chillaban y se lanzaban en picado, peleándose por los peces muertos que yacían sobre la arena. Susan se envolvió con la capa. Hacía un frío glacial para el mes de mayo y las ráfagas de aire soplaban con tanta fuerza que le costaba caminar sin tropezar. El acantilado oscuro descollaba sobre la playa y las rocas inmensas que se habían desmoronado se alzaban encima de los guijarros como pasarelas gigantes que llevaban hasta el mar.

Se levantó la falda para sortear las rocas pero cuando llegó a la última, vaciló. De repente se dio cuenta del riesgo que estaba a punto de correr. Cerró los ojos. Los pensamientos turbados se arremolinaban en su cabeza. ¿Qué demonios creía que estaba haciendo? ¿Tan loca estaba que no le importaba echarlo todo a perder a cambio de pasar unos instantes con Jonathan? ¿Y si la habían visto? ¿Y si Ezra ya sospechaba de ella? La había mirado de forma extraña esa mañana después de que le metiera tantas prisas para que saliera de una vez de casa.

¿Y los niños? ¿Se habían tragado sus mentiras o eran demasiado listos? ¿Podría seguir engañándolos si todo salía bien hoy? Se quedó paralizada, zarandeada por el viento y luchando con su conciencia. Quizá no apareciera Jonathan. Por una parte iba a alegrarse si no venía porque estaba comportándose como una auténtica idiota. Lo que tenía que hacer era dar media vuelta antes de que fuera demasiado tarde y dejarlo en el pasado, donde correspondía.

—Pensé que no ibas a venir.

Susan abrió los ojos y lo vio, a menos de un metro, con la mano extendida para ayudarla con los últimos pasos. Regresaron las palpitaciones y la boca se le quedó seca. Perdió completamente la razón cuando Jonathan le cogió de la mano y, cuando se abrazó a él, supo que era capaz de jugárselo todo por estar a su lado.

12

Mousehole, septiembre de 1786

Ya estaban a mediados de septiembre y el verano había acabado con las mismas lluvias intensas que al inicio. Higgins, el criado de Ezra, había marchado hacía meses a otro puesto más cercano a la capital donde podía hacer mejor uso de sus servicios. La señora Pascoe estaba muy resfriada y Susan la había mandado a casa, así que ahora se encontraba sola en el comedor poniendo la mesa para cenar.

Ya oscurecía y después de atizar el fuego, corrió las cortinas de terciopelo contra la noche tempestuosa. La sala se veía agradablemente alegre a la luz de las velas y Susan tarareó mientras se movía por el comedor pensando en Jonathan. Habían tenido que poner fin a sus reuniones secretas hasta después del invierno. Pronto iba a regresar a Londres y tendría que esperar hasta que volviera en primavera.

La lluvia no les había supuesto ningún impedimento. En realidad, les había ido bien para ocultar sus encuentros dado que el tiempo había obligado a los excursionistas y turistas a quedarse en casa. Hacer el amor con Jonathan la había colmado de una energía que creía haber olvidado y de una alegría que jamás había experimentado. Se sentía más viva que nunca cuando la acariciaba y Susan se había entregado a él de forma libre y despreocupada, dejando que sus besos despertaran en ella una pasión que le hacía sentirse casi lasciva. Anhelaba que le recorriera la piel con las manos y sentir cómo sus cuerpos desnudos se deslizaban el uno contra el otro mientras hacían el amor en el útero oscuro de la cueva.

Se detuvo detrás de una de las sillas tapizadas y apoyó la mano en el tallado respaldo. Con solo recordarlo ya notaba un hormigueo delicioso en la piel. La cueva se había convertido en una gruta mágica con las velas y las mantas que había traído Jonathan después del primer encuentro. También habían tomado vino, fruta y pastelillos mientras se acurrucaban bajo las mantas y miraban el mar antes de volver a hacer el amor. Susan esbozó una sonrisa irónica y se ajustó el canesú. Después de tantos pastelillos, ahora se le clavaba un poco.

—¿Cuándo cenamos? Estoy hambriento.

Se encontraba tan absorta que ni siquiera había advertido la presencia de George. Le pasó una mano por el cabello áspero y oscuro.

—Cuando vuelva tu padre de Truro —dijo.

George no soportaba que lo despeinaran e hizo una mueca.

—¿Qué se le ha perdido en Truro? —preguntó, dejándose caer en un sillón y cogiendo un trozo de lana para hacer el juego de la cuna.

Susan lo contempló durante unos instantes y suspiró. Llevaba los pantalones cortos rasgados, los zapatos sucios e iba con los bolsillos llenos de bultos muy sospechosos.

—No tengo ni idea —respondió.

Le metió la mano en uno de los bolsillos e hizo una mueca de asco al sacar un pañuelo indescriptiblemente sucio, una colección de conchas, unos pedazos de huesos viejos, varios guijarros y una manzana media comida.

—¡De verdad, George! —le reprendió—. Acabas de estrenar esta chaqueta y ya está estropeada.

George le lanzó una sonrisa pícara y sacó una rana muerta de otro bolsillo.

—Voy a cortarla en pedazos para mirarle las tripas —dijo entusiasmado.

Susan se estremeció y lo echó del comedor. Una cosa era tener una mente curiosa en los tiempos de exploración e invención que corrían, pero esta vez, George había desafiado a la suerte.

—Lávate las manos antes de bajar a cenar —gritó a su espalda.

Oyó el trueno de sus pasos en las escaleras seguido de un portazo. Susan cerró los ojos. La realidad se le hacía el doble de insoportable cuando Jonathan estaba en Londres y se preguntó cómo sobreviviría al invierno sin él.

Ezra llegó a casa justo cuando había empezado a creer que se les iba a estropear la cena. Acudió rápidamente a ayudarlo a quitarse el abrigo mojado y lo acompañó hasta el comedor, donde todos, incluido Ernest, habían empezado a dar muestras de impaciencia.

—¿Por qué te has retrasado tanto? —le preguntó una vez su padre terminó de bendecir la mesa y se puso a trinchar el cordero.

—He tenido que solucionar muchas cosas —contestó de forma imprecisa—. No me he dado cuenta de la hora.

Susan sirvió la verdura y repartió los platos.

—No me hubiese imaginado que los asuntos escolares pudieran llevar tantas horas. Solo tienes diez alumnos.

—Hoy he tenido que resolver unos asuntos que no tienen nada que ver con la escuela —contestó—. Me ha tocado atar algunos cabos sueltos y acabar de hacer planes.

Susan lo miró con severidad. Se estaba comportando de forma deliberadamente evasiva. ¿Qué demonios había ido a hacer en Truro?

—¿A qué viene tanto misterio? —preguntó en tono desenfadado, intentando disimular su irritación—. Espero que en algún momento me cuentes tu secreto, a no ser que sea tan terrible que debas guardarlo para ti.

Ezra empezó a cenar sin levantar la vista del plato.

—En absoluto —dijo—. De aquí a poco lo sabréis todo. Pero no te dejes llevar por tu imaginación, querida. No es sano.

Susan permaneció observándolo con los labios fruncidos. Ezra estaba empezando a fastidiarla, cosa que pasaba con frecuencia últimamente. Apartó la vista y se encontró con la mirada curiosa de Florence. De repente le invadió una sensación de malestar e intentó concentrarse en la cena, que ahora le sabía a cenizas. Habían sido muy discretos durante los últimos cuatro meses y estaba convencida de que no los habían descubierto, convencida de que había mentido lo bastante bien para borrar las huellas y despejar las sospechas, pero esta noche se respiraba un ambiente extraño que no presagiaba nada bueno.

Siguieron cenando. George no paraba de parlotear, ahogando el murmullo entre Emma y Florence, pero Susan no tenía apetito. Su marido apenas abrió la boca excepto para comer y, a pesar de la conversación animada entre los niños, ella notó que la tensión iba en aumento y lo único que deseaba era que acabaran todos de una vez para que pudiera meterse en el cuarto de costura con la puerta cerrada y soñar con el regreso de Jonathan.

—Hoy me he enterado de una noticia muy interesante —dijo Florence, aprovechando una pausa en la conversación y callando durante unos segundos para asegurarse de que todos estuvieran pendientes de ella—. Cuando he bajado al pueblo, me he encontrado con Katy Webster.

Todos la miraron con una expresión vaga así que se apresuró a aclarar quién era:

—Katy trabaja en las cocinas de Treleaven House y es una auténtica mina de información de las cosas que pasan en esa casa.

Susan unió sus manos en el regazo, intentando no inmutarse aunque el torbellino de pensamientos que le martilleaban la cabeza amenazaba con descontrolarse del todo.

—No deberías escuchar el chismorreo de la gente —dijo Ezra, dejando la servilleta sobre la mesa—. Es obra del diablo.

—Más diabólico es lo que le ha pasado a Millicent Parker —replicó Florence—. Katy me ha dicho que la han despedido. Solo le dieron una hora para hacer las maletas y esfumarse de la casa.

—A veces pasa —masculló Ezra—. Seguro que la pillaron robando.

—Embarazada —dijo Florence, disfrutando de cada momento—. Cuando la cocinera se enteró, se ve que Millicent montó un escándalo terrible. Katy me ha dicho que no paraba de gritar y llorar y culpar a su señoría.

Susan se quedó lívida. Estaba completamente aturdida.

—Es mentira —consiguió decir—. Su señoría jamás se rebajaría tanto.

Florence negó con la cabeza.

—Katy dice que chillaba tanto que su señoría la oyó y entró en la cocina para ver qué pasaba. Por lo visto, se puso como un basilisco y después de agarrarla del brazo, la arrastró por las escaleras de atrás hasta la biblioteca.

Susan quería huir del comedor pero era incapaz de levantarse de la silla. No podía apartar los ojos de su hija, no podía desoír lo que estaba diciendo. Sus palabras golpeaban salvajemente su cabeza.

—Según me ha dicho, Katy subió con sigilo las escaleras, pero solo consiguió oír el llanto de Millie y los gritos de su señoría. Al fin, Millie bajó a la cocina con sus bolsas y cajas ya hechas. Cuando la cocinera volvió la espalda, Millie le enseñó a Katy el dinero que el señor le había dado. —Florence se detuvo para recobrar el aliento y entonces dijo—: La chica llevaba dos guineas en el monedero. Si su señoría fuera inocente, no le hubiera dado ni un penique, digo yo.

Susan estaba atrapada como un conejo en la mirada inocente de su hija. Cuando consiguió apartar los ojos de Florence, se volvió hacia Ezra, pero su marido estaba absorto, escrutando la copa de oporto que tenía en la mano y con una expresión impenetrable.

Sintió náuseas. Se le derrumbó el mundo y la nube de felicidad que la había envuelto durante todo el verano se despejó de golpe, poniendo de manifiesto que el amor que había vivido con Jonathan no era más que una aventura sórdida y barata. Le había creído cuando le susurró que la amaba. Había pensado que era suficiente para él, que era su amor perdido más preciado. Sin embargo, él había dedicado su tiempo libre a acostarse con la criada. ¿Cómo había podido ser tan idiota? ¿Cómo había podido arriesgar todo lo que tenía por un hombre así?

—No sé qué tiene que ver todo esto con nosotros —dijo Emma, desconcertada—. Solo sabes la versión de Katy y no deberías ir difundiendo cotilleos por ahí, Florence. Lo único que vas a conseguir es meterte en algún lío.

George no paraba de moverse en la silla y Ernest estaba visiblemente incómodo. No era la clase de conversación que solían tener en la mesa.

—Pobrecita —susurró Ezra, dejando la copa encima de la mesa—. Sea cual sea la verdad, debemos rezar para que su familia la acoja.

—Alzó la vista y por fin miró a su esposa con una tristeza infinita—. La lealtad familiar es tan importante, ¿no crees, querida?

Susan apenas consiguió asentir con la cabeza. Tenía un nudo en la garganta que le impedía respirar bien. *Lo sabe*. Las palabras resonaban fuertemente en su cabeza y no pudo hacer nada por acallarlas.

Ezra no parecía haberse dado cuenta de su desasosiego, ya que mientras jugueteaba con su copa, solo miraba a sus hijos.

—Florence no es la única que trae noticias —dijo por último—, aunque lo que voy a deciros no pueda calificarse como un cotilleo. En realidad, se trata de una exposición de los hechos. —Se volvió hacia Susan con el rostro pálido y la mirada angustiada—: Antes me has preguntado qué he estado haciendo en Truro y creo que ha llegado el momento de decíroslo.

Susan tragó saliva y un escalofrío de aprensión le recorrió la columna. Sabía que sus ojos delataban el miedo que sentía y que estaba tan pálida como su marido. Se sobresaltó cuando uno de los troncos crepitó en la chimenea, llenándola de chispas. Tenía los nervios destrozados. ¿Nunca iban a acabar las revelaciones de esta noche?

—He estado entrevistando a posibles candidatos para la gestión de la escuela. Hoy he contratado los servicios de una viuda muy amable —anunció, levantando la mano para que Emma no le interrumpiera—. También he acordado con el Consejo Eclesiástico que en cuanto termine mi misión aquí, cederé la casa a mi sucesor.

Los niños protestaron pero la expresión extrañamente severa de su padre los silenció. Susan lo miró atónita.

—Pero ¿por qué? —preguntó en voz queda.

—Porque nos vamos de aquí —contestó, volviéndose de nuevo hacia sus hijos, que lo miraban aturdidos—. Vuestro tío Gilbert y yo nos hemos escrito con frecuencia y esta mañana me he enterado de que Arthur Phillip, nada menos, me ha pedido que me una a él y al pastor Johnson en su viaje a Australia.

Florence palideció, Emma rompió a llorar, Ernest se quedó boquiabierto y George empezó a correr alrededor de la mesa dando gritos de alegría. Susan no pudo ni reaccionar. La estaba castigando, estaba castigando a todos por lo que había hecho. La oleada de ira que le invadió de repente la obligó a ponerse de pie. Echó la silla hacia atrás y golpeó la mesa con el puño.

—¡No! —gritó—. ¡No, no, no!

Ezra la miró sin inmutarse.

—Ya es demasiado tarde —dijo en voz baja—. Ya está todo arreglado.

—¡Es una idea absurda! —bramó Susan—. No voy a permitirlo. No cederé ni un milímetro. ¿Cómo te atreves a poner a nuestros hijos en peligro entre tantos salvajes y presidiarios? —Susan jadeaba y el canesú le oprimía tanto que se sentía mareada—. Esta es nuestra casa y me niego a irme de aquí. Ve a Australia si quieres pero los niños y yo nos quedamos.

—Eres mi esposa y has jurado ante Dios que me honrarás y me respetarás —le recordó—. Prometiste en la iglesia que estarías a mi lado y que me serías fiel hasta que la muerte nos separe.

Ezra le apartó la mirada durante un instante y Susan notó cómo se ruborizaba de vergüenza. Sin embargo, su marido no vaciló:

—Te guste o no, Susan, nos marchamos de aquí a finales de abril del año que viene para zarpar con la Primera Flota en mayo.

—Deberíamos hablar de esto con tranquilidad, Ezra —arguyó, haciendo todo lo posible por calmarse.

La miró con firmeza y asintió.

—Id a vuestras habitaciones —ordenó a los niños.

Sus protestas fueron acalladas por su tono de voz y salieron a toda prisa, confusos e inquietos por el vuelco que iban a dar sus vidas.

—¿Por qué haces esto? —preguntó Susan.

Tenía que estar segura de sus motivos y averiguar exactamente cuánto sabía acerca de su relación con Jonathan.

—No hace falta ni que te lo diga —respondió, sirviéndose una segunda copa de oporto.

Sus ojos oscuros reflejaban una profunda tristeza.

—¿Cómo quieres que sepa lo que está pasando si no me informas de una decisión tan importante antes de anunciarla en la mesa?

Todavía estaba enfadada, pero a la vez tenía miedo.

—¿Y cómo quieres que consulte las cosas contigo si apenas estás en casa? Lo cierto es que pasas tanto tiempo con Cadwallader que lo que me sorprende es que todavía te molestes con nosotros.

Tenía el rostro más pálido de lo habitual y en sus ojos veía un dolor tan inmenso que se le hacía insoportable mirarlo.

—Lo has sabido desde el principio, ¿verdad? —susurró.

—Desde el día del cumpleaños de Emma. Vi cómo te cambiaba la cara cuando llegó. En ese momento supe que iba a perderte.

—Te has dejado llevar por la imaginación.

—Mi imaginación no tiene nada que ver con todo esto, Susan —espetó, golpeando la mesa con los puños—. Te seguí el día que te fuiste corriendo a esa cueva y me quedé sentado en lo alto del acantilado mientras ibas a su encuentro. A partir de ese día, procuré seguirte cada vez que salías de casa.

Ezra suspiró, llenando el silencio del comedor.

Susan estaba estupefacta.

—¿Y por qué no hiciste nada por evitarlo si tanto te preocupaba? —dijo ofuscada y con la respiración entrecortada—. ¿Qué clase de marido hay que ser para permitir que tu esposa se comporte de semejante manera y no decir ni una palabra?

—Lo que esperaba es que se esfumara, que entraras en razón —dijo, y gruñó asqueado—. Temía perderte, esperaba contra toda esperanza que volverías a mi lado cuando se te hubiera pasado la tontería. —Ahora la miraba con odio—: Pero veo que cada vez que retozabas con tu amante no nos tenías en cuenta ni a mí ni las promesas que nos hicimos.

—Eso no es cierto —soltó Susan—. Por supuesto que pensé en ti. Y en los niños. No me gustaba lo que estaba haciendo pero no pude evitarlo.

—¡Claro que pudiste! —Esta vez golpeó la mesa con tanta fuerza que saltaron los platos—. ¡Eres mi esposa! ¡La madre de mis hijos! ¿Tienes la más remota idea del daño que has hecho?

Susan se estremeció cuando Ezra empujó la silla hacia atrás y se acercó a la chimenea. Era la primera vez que le levantaba la voz, la primera vez que le veía perder los estribos, y la intensidad de su rabia le asustaba.

—Los niños no saben nada —dijo—. Lo único que se ha dañado aquí es tu dignidad.

Sabía que era una provocación rastrera y no se sintió muy orgullosa de sí misma. Contuvo las lágrimas, cruzó los brazos y le dio la espalda.

—¿Y mi dignidad no tiene ningún valor?

Ya no le quedaba rabia y cuando Susan se volvió para mirarlo, vio que tenía los hombros encorvados y la cabeza caída.

—Tú sabes que no es así. —El dolor de su esposo se le estaba haciendo insoportable—. Ezra, lo siento. Lo siento de verdad —dijo, acercándose a él y poniéndole una mano encima de su hombro en un intento de consolarlo—. He sido idiota. He actuado como una tonta ciega y estúpida. Pensé que iba a reanimar el amor de mi juventud, pero ahora comprendo que Jonathan Cadwallader no es el hombre que creía conocer y que he puesto en peligro mi matrimonio, que vale mucho más que mi pasado. Castígame, si quieres, pero no metas a los niños en todo esto. Ellos no tienen la culpa de nada.

Jonathan movió el hombro para quitarle la mano y se giró hacia ella.

—No me has entendido, Susan —replicó con la voz cargada de lágrimas no derramadas—. No nos queda más alternativa que marcharnos de aquí si queremos tener una familia unida. Hemos de alejarnos de Cadwallader y de todo lo que representa. Ya no puedo confiar en ti, Susan. Si nos quedamos aquí, te verás expuesta de nuevo a la tentación.

Ezra permaneció mirando las llamas y Susan alargó la mano hacia él una vez más, pero su marido se estremeció de forma casi imperceptible y Susan tuvo que aceptar que no era el momento.

—Te demostraré que puedes confiar en mí —dijo—. Jamás volveré a traicionarte.

—Las palabras son fáciles, Susan. La confianza es algo que se gana.

—Entonces la ganaré —insistió—, pero te ruego que olvides estos planes absurdos de llevarnos a una colonia penal. Podemos volver a empezar aquí, en casa, donde los niños estarán seguros.

—Ya está todo arreglado. Partimos en primavera —le informó Ezra con el rostro demacrado de tristeza y hastío—. A partir de ahora dormiré en mi despacho. Así tendrás el espacio y el tiempo que necesites para apreciar el alcance de tu propia traición.

Susan lo siguió por las escaleras implorándole perdón, pero Ezra ni siquiera la escuchó y entró en el despacho, cerrando la puerta en sus narices. Ella no se movió durante un buen rato; luego, se dirigió a su habitación donde se acurrucó en el asiento empotrado bajo la ventana. Finalmente la vencieron unas lágrimas amargas de angustia y vergüenza.

Mirando por la ventana observó cómo la luna salía de detrás de unas nubes. El brillo frío e impersonal la dejó helada. De repente notó un regusto amargo en la garganta al recordar cómo les había ido el verano. No había hecho el amor ni una sola vez con Ezra. Siempre había fingido que dormía o se había esperado a que estuviera roncando antes de meterse en la cama. Jonathan la había embrujado y se había adueñado de sus pensamientos hasta el punto de que se había vuelto distante y desconsiderada con las necesidades de su marido.

Volviendo la vista atrás, se dio cuenta de que había visto el dolor en la mirada de Ezra, las preguntas sin hacer que bailaban en sus labios y una profunda tristeza en su comportamiento que ella había pasado completamente por alto. Lo había sabido desde el principio y había vivido atormentado, incapaz o indispuesto a confrontarla por miedo a perderla. En la cruda claridad de esa noche de luna, comprendió la gravedad de su traición.

Se quedó sentada abrazándose las rodillas y llorando a lágrima viva. Su aventura había estado a punto de destrozar a un hombre cuyo único pecado había sido amarla.

—Oh, Ezra —susurró—. ¿Cómo he podido hacerte esto?

A medida que fueron pasando las solitarias horas de la noche, Susan advirtió que debía marcharse de allí. La frialdad de Ezra se volvería insoportable y las cosas que habían llegado a decirse no se borrarían de la noche a la mañana. Necesitaban un tiempo para sanar las heridas y lo conseguirían si ella se marchaba de Cornualles. Se mordió el labio intentando pensar en algún lugar donde pudiera ir.

Cuando la luna ya menguaba y la luz del día empezaba a asomar sobre el horizonte, Susan se levantó y se sentó delante del escritorio. Ann vivía en Bath y ahora que Gilbert había tenido que marcharse para encargarse de los preparativos de la Primera Flota, sería un momento ideal para ir a visitarla. Nadie se extrañaría de que fuera a pasar una temporada con su cuñada. Ni siquiera Ezra pondría reparos a su razonamiento. Cogió la pluma y escribió una larga carta a la única amiga que tenía en la que podía confiar plenamente.

Prisión flotante Dunkirk, Plymouth, marzo de 1787

Según los días se volvían más calurosos, el hedor dentro de la prisión flotante se hacía cada vez más inaguantable y las pulgas se multiplicaban sin parar. Billy tenía ganas de que amaneciera ya de una vez para poder salir de los confines de la bodega y respirar el aire fresco del puerto. Muy grave tenía que ser la situación, pensó, para que un hombre prefiriera doce horas de trabajo agotador a pasarse el rato gandulcando en un catre de paja, pero al menos no tendría que soportar los chinches y los gemidos de los enfermos. Además, el trabajo lo mantenía en forma y con la mente ocupada. No le sentaba nada bien darle vueltas a la vida, cuando la única opción que le esperaba era la deportación.

Todo estaba a oscuras en las entrañas de la carraca podrida y Billy no podía dormir. Estaba esperando ver cómo la primera luz del día se filtraba entre las rendijas del casco. Hacía meses que habían acabado de construir el embarcadero y ahora él y los presos más fuertes estaban haciendo una carretera que iba de la barrera de portazgo hasta el puerto principal.

Movió los brazos, sacando músculos de donde antes solo había piel y huesos. Desde la visita del mariscal de campo, había comido mejor, le habían dado ropa limpia y Mullins se había guardado el látigo. Valía la pena tener amigos con influencias aunque nunca presumiera de ello. La vida era muy dura y si los demás sospechaban que recibía un trato preferente, iba a acabar con un cuchillo entre las costillas.

Tumbado en la oscuridad, oía la respiración dificultosa de Stan. Había destinado parte del dinero a conseguir comida de mejor calidad para su amigo de Norfolk, pero era evidente que le quedaba poco de vida. Conocía bien las señales dado que la Muerte visitaba a menudo la prisión flotante. ¿Qué iba a ser de Bess, su esposa, y su hijo? Billy no tenía ni idea. Seguramente acabaría pescando a otro. Ya lo había visto en otras ocasiones. Las relaciones entre los presos eran frágiles y no tenían nada que ver con el amor y la lealtad. La gente se aferraba a los demás en busca de consuelo y seguridad y Billy había decidido tiempo atrás que estaba mejor solo.

Oyó el estertor que salía del pecho de Stan y su amigo se movió inquieto bajo la manta delgada que lo cubría. Entonces oyó a Bess, que intentaba reconfortarlo. Finalmente se dio la vuelta y cerró los ojos, tratando de apartar el ruido de su cabeza.

Stan había sido un fiel aliado de Billy desde que llegaron juntos a Plymouth. Después de tantos años, conocía el sistema carcelario como la palma de la mano y aunque su salud se había resentido, conocía todos los trucos de supervivencia. A pesar de su aspecto deteriorado, solo se llevaba cinco años con Billy. Seguramente hubiesen podido ser grandes amigos si no fuera porque Billy pronto descubrió que era mejor evitar todo vínculo con los demás. Tarde o temprano la muerte o el traslado ponía fin a todo.

Al rayar el alba, Billy y el resto de los presos fueron sorprendidos por unos ruidos extraños que venían de fuera. Nadie se movió en la bodega, y se hizo un silencio de expectación y temor entre los prisioneros mientras escuchaban. Por el jaleo, Billy dedujo que había venido una flota de botes pequeños, que ahora golpeaban el casco del buque. Entonces, por encima de sus cabezas, oyeron un ruido de pasos que no parecía acabar nunca.

Billy se incorporó. Su corazón latía a un ritmo descontrolado. Algo ocurría y sospechaba de qué se trataba. De repente se abrió la escotilla y la bodega se inundó de luz.

—¡Todos en pie! —gritó el celador—. Formad una fila ordenada e id subiendo de cuatro en cuatro.

Billy cogió el fardo de ropa y comprobó que aún tenía las monedas que había escondido en el dobladillo de la camisa. Con toda probabilidad no tendría opción de volver después y si ese cabronazo de Mullins se creía que iba a robarle lo poco que poseía, iba listo. Se envolvió con una manta mugrienta y miró a Stan.

Milagrosamente seguía vivo, y entre Bess y Billy consiguieron ponerlo de pie. Bess enrolló las pocas pertenencias andrajosas que tenían, cogió a su hijo en brazos y lo abrazó contra el pecho, asustada y con los ojos como platos.

—¿Qué coño está pasando, Billy? —gritó Nell desde la otra punta de la bodega.

—Ni puñetera idea —le respondió con otro grito.

Todos se acercaron arrastrando los pies a la escalera de mano. Billy y Nell intercambiaron una mirada y se sonrieron. Era una chica hermosa, y pechugona además. Sin duda alguna, sus encantos le habían servido bien para ganarse unas raciones extra.

—Prepárate, muchacha —gritó por encima de las cabezas que los separaban.

Nell se puso en jarras, echó su mata de rizos pelirrojos hacia atrás y sacó su formidable pecho.

—¿Por qué? —le retó—. ¿Por fin te has decidido a meterte en la cama conmigo, Bill?

Una cascada de risitas nerviosas recorrió el tumulto. Todos sabían que Nell todavía no había podido emplear sus dotes con Billy a pesar de sus enérgicos esfuerzos de los últimos meses.

—Ahora mismo ando un poco liado —contestó, dando unos pasos hacia adelante—. Pero te prometo que merecerá la espera.

Nell soltó una carcajada escandalosa.

—Eso espero. No quiero pensar que he estado perdiendo el tiempo.

Subieron los cuatro primeros y todos permanecieron en silencio mientras les veían salir a cubierta. Se oyó un murmullo de consternación y algunas de las mujeres rompieron a llorar. A pesar de la degradación, la bodega se había convertido en una especie de hogar. Se habían acostumbrado a ella, habían formado relaciones y algunas incluso habían dado a luz en su interior, aunque pocos eran los niños que sobrevivieron. Lo que les aterrorizaba era lo desconocido.

Billy observó el destello de un uniforme de color escarlata. Su corazón se aceleró y se lamió los labios secos. El mariscal de campo le había dicho que todo empezaría en primavera. Se había fijado en los jacintos silvestres que ya brotaban en los bordes herbosos de la carretera que estaban construyendo y calculaba que debían de estar a finales del mes de febrero, o incluso principios de marzo. Le dio un codazo a Stanley.

—Despabílate, Stan —susurró—. Si no, te vas a quedar aquí.

—¿Cómo que se va a quedar aquí? —preguntó Bess, asustada, apoyando la cabeza de su hijo en el hombro.

—Ahora lo entenderéis todo —respondió Billy.

Sabía que era injusto no decírselo a Bess, pero no quería que todos se enteraran de lo que él ya sabía. Era mejor que las peleas estallaran a bordo cuando los demás descubrieran qué estaba pasando. En la bodega ya andaban muy apiñados y conocía de sobra la destrucción que podía causar un altercado.

Por fin les tocó subir la escalera. Billy sujetó a Stan por detrás y en cuanto llegaron arriba, se agachó para ayudar a Bess, que con el fardo de ropa en una mano y el bebé en el otro, apenas podía agarrarse a los travesaños.

La siguiente en subir fue Nell, que le cogió la mano y con la fuerza que la caracterizaba, estuvo a punto de tirarlo de nuevo escotilla abajo.

—Gracias, cariño —dijo la chica alegremente.

Acto seguido, se arregló como pudo la falda roñosa, se alzó el pecho bajo la blusa holgada e intentó poner orden a la mata revuelta de cabellos pelirrojos que le cubría la cabeza.

—¡Caray! Esto de salir a tomar el aire me va a despeinar toda. Si parezco una bruja.

Billy tuvo que sonreír. Nell también le echó una mirada risueña, pero el muchacho veía el recelo que delataban sus ojos. Por muy brava que pareciera, pensó, estaba tan aterrada como los demás.

Miró a su alrededor de forma disimulada. A cada lado de la cubierta había varias filas de soldados y oficiales e infantes de Marina, todos vestidos del mismo uniforme rojo chillón. Junto a Cowdry, el carcelero jefe, y un poco apartados de los demás, había dos hombres que vestían unos trajes más discretos. A cada extremo de la cubierta se estaban formando dos filas de presidiarios: a la derecha iban colocando los presos jóvenes y más fuertes; a la izquierda, los más viejos y enfermos.

—No os mováis mientras os examina el médico —gritó Mullins.

Billy se tensó mientras el médico le auscultaba el pecho y examinaba sus dientes. Se sentía poco más que un caballo en una subasta y tuvo que dominarse para no morder los dedos indiscretos que olían a tabaco. Consiguió resistirse. No era lo más aconsejable, teniendo en cuenta la cantidad de chaquetas escarlatas que tenía a su alrededor.

—Allí —dijo el médico con brusquedad, pasando a examinar a Stanley.

Billy se unió a la fila de la derecha con el corazón palpitante. ¿Y eso qué quería decir? ¿Iban a deportarlo? ¿Iban a mandarlo a otra prisión? Lo mismo había ocurrido cuando se hundió el *Chatham*. Los ancianos y los enfermos habían acabado Dios sabía dónde. ¿Y si todos los rumores acerca de la deportación eran una simple estratagema para deshacerse de los hombres y mujeres que ya no les resultaban útiles?

Permaneció de pie, atormentado por la incertidumbre y observando cómo el médico enviaba a Stanley a la otra fila. Ahora le tocaba a Bess. Después de un reconocimiento, le ordenó que se colocara al lado de Billy.

La siguiente fue Nell, que se puso al lado de Bess, no sin antes menear la falda y echar la cabeza hacia atrás. Haciendo caso omiso a la fila de soldados, cogió al bebé de Bess en brazos y lo reconfortó.

—¡Mira qué guapo, mi niño! Todo emperifollado y sin tener dónde ir, como el resto de nosotros.

—Calla, Nell —dijo Billy entre dientes—. Haz el favor de devolverle el niño antes de que lo asfixies con esa pechera.

Entregó el niño a su madre y sonrió de forma burlona.

—A ti sí que te voy a asfixiar algún día —susurró.

La mañana se alargó, haciéndose interminable. Las filas fueron creciendo. Había más de doscientos presidiarios a bordo del *Dunkirk* y aquello no avanzaba. Billy intentó no prestar atención a los sollozos de Bess y a los gemidos de su hijo, pero entendía que estuviera tan aterrorizada. Por lo visto, fuera cual fuese su destino, no iba a incluir a Stanley.

A media mañana, todos los presidiarios estaban ya repartidos entre las dos filas y nadie se atrevía a moverse. Todos habían aceptado su suerte sin rechistar. No se había producido ni una pelea, ni un forcejeo, y aparte del llanto del bebé, todos guardaban un silencio sepulcral mientras un oficial de Marina caminaba de acá para allá entre las filas.

Finalmente se detuvo justo en medio de la cubierta con la mano apoyada en la ornamentada empuñadura de su espada.

—Los presidiarios a mi izquierda irán a la prisión de Exeter. Los que tengo a mi derecha serán deportados a la colonia penal de Nueva Gales del Sur.

Se oyó un clamor de protesta y cuando los soldados y celadores decidieron intervenir, todos empezaron a repartir puñetazos. Billy quitó a Bess de en medio. En cambio, Nell no parecía necesitar protección alguna. La vio en lo más reñido de la pelea, repartiendo golpes y patadas como si estuviera disfrutando de la oportunidad de vengarse de los carceleros que la habían maltratado.

Cuando finalmente consiguieron restablecer el orden, el oficial de Marina acompañó a los más frágiles hasta los botes que los esperaban. Bess chilló cuando vio cómo se llevaban a Stanley. Forcejeó, se retorció y clavó alguna patada en la espinilla del soldado que la sujetaba mientras suplicaba al oficial que no los separase. No era la única: había otras mujeres en la misma situación que Bess y sus gritos hubiesen roto incluso el corazón más insensible.

—No te preocupes por mí, Bess —gritó Stanley encima del barullo—. Cuida de ti y del niño.

Cuando ya se acercaba a la pasarela, miró por encima del hombro y buscó los ojos de Billy, rogándole en silencio que se ocupara de su familia.

Billy abrazó a Bess a regañadientes y asintió con la cabeza. Haría todo lo que pudiera por cuidar de ella y su hijo hasta que pudiera valerse por sí sola. Se lo debía a Stan.

Los botes pequeños desaparecieron de la vista. Los presidiarios iban con la cabeza baja. Nadie miró hacia atrás, nadie abrió la boca: todos sabían lo que les esperaba en la prisión de Exeter.

El resto de los presidiarios se callaron y Billy sostuvo a Bess, que lo agarró con fuerza con una mano, mientras sujetaba al niño con la otra. Bess no tenía nada, y el pequeño le complicaba aún más las cosas.

—¡Caray! —dijo Nell en voz baja—. ¿Y ahora dónde nos llevan?

—Al otro lado del mundo —contestó Billy—. Pero sobrevivirás.

Nell sacudió la melena.

—Hombre, solo faltaría —dijo con seriedad—. No voy a dejar que estos cabrones me hundan.

El oficial de Marina ya estaba dando vueltas otra vez, deteniéndose para escrutar a los presidiarios antes de seguir caminando. Se acercó a Bess, la miró con detenimiento y se giró para dirigirse al infante de Marina que tenía al lado:

—Llévate al niño y encárgate de buscar un orfanato que lo acepte.

—¡No! —chilló la mujer, abrazando con tanta violencia a su hijo que el pequeño se puso a llorar de nuevo—. No tenéis ningún derecho a separarme de mi hijo.

—Tengo todo el derecho del mundo —respondió el oficial con frialdad—. Es demasiado pequeño para considerarlo un delincuente y no tengo ninguna autorización para mandarlo a bordo de un buque de presidiarios.

Hizo un gesto al infante de Marina.

Billy dio un paso hacia adelante, colocándose entre el hombre y Bess.

—Este niño todavía toma leche materna —dijo—. Bess ya ha perdido a su marido y si os lo lleváis, seréis responsables de la muerte de esta mujer.

—¿Nombre? —gritó el oficial de Marina.

—Penhalligan, señor —contestó Billy, manteniéndose firme y convencido de la justicia de su razonamiento.

—¿Y qué sabes tú de las leyes penales relacionadas con los buques de presidiarios, Penhalligan?

—No sé nada, señor. Solo sé que no está bien separar a un bebé del pecho de su madre minutos después de separar a sus padres, señor —replicó, fijando la vista en un punto justo por encima del hombro del oficial.

La carcajada del hombre sonó como un ladrido cínico.

—¿Cómo te atreves a hablarme de moralidad cuando apestas a maldad? —le preguntó, frunciendo la nariz y volviéndose de nuevo hacia el infante de Marina—. Ponedle grilletes a este desgraciado. Es un alborotador.

—Estoy convencido de que el mariscal de campo Collinson me daría toda la razón, señor —dijo Billy en voz baja mientras le colocaban los grilletes alrededor de los tobillos de forma no precisamente delicada.

El oficial se lo quedó mirando estupefacto y se sonrojó.

—¿Y por qué le iba a importar un carajo al mariscal de campo lo que piensas tú?

Billy lo miró, intentando contener una sonrisa triunfal:

—Soy pariente suyo por afinidad.

El oficial se alejó a grandes zancadas. Siguió una discusión acalorada entre él y Cowdry.

A Billy le hubiese encantado oír lo que estaban diciendo, aunque más o menos era capaz de imaginárselo. Sintió un codazo en las costillas y bajó la mirada. Nell le sonreía de oreja a oreja.

—¡Vaya, vaya! ¿Quién lo iba a decir? Conque pariente de un encopetado, ¿eh? —dijo, guiñándole el ojo—. Eres un campeón. Hay que demostrarles que no estamos dispuestos a aguantar sus tonterías. —Entonces se mordió el labio y le susurró—: Tú y yo estamos hechos el uno para el otro, corazón.

Billy sonrió y abrazó a Bess, que seguía aplastando al niño contra el pecho como si le fuera la vida en ello.

—Me parece que de momento ya tengo bastante —comentó con picardía.

Nell lo miró sin pestañear.

—Puedo esperar —dijo.

Billy estaba a punto de contestar pero calló, al ver que el oficial de Marina ya volvía hacia él.

—Puede quedarse con el niño hasta que lleguemos a Portsmouth —concedió, mirando con desprecio a Bess y a su hijo—. Pero tú, Penhalligan, no vas a subir a bordo del *Charlotte* hoy, sino que tendrás que llegar a Portsmouth a pie. Ah, y con los grilletes puestos. Así tendrás tiempo de despejarte la cabeza y aprender a respetar a tus superiores.

Dio media vuelta y se marchó.

Uno de los infantes acompañó a Bess a uno de los botes y Billy la observó, maldiciendo su sentido de la justicia. El *Charlotte* y el *Amistad* estaban a pocos minutos, anclados y meciéndose en el puerto inmenso, pero él solo notaba el peso de los grilletes de hierro alrededor de sus tobillos y la cadena que se arrastraba en la cubierta cada vez que se movía. No quería ni pensar en lo que iban a pesar durante la caminata a Portsmouth.

Mousehole, marzo de 1787

A Ann le habían escandalizado las revelaciones de Susan, pero demostró ser una buena amiga. No la juzgó ni la sermoneó, sino que le proporcionó la amistad afectuosa que tanto anhelaba.

La visita de Susan a Bath se había alargado varios meses, pero por fin se había armado de valor y había regresado a casa. Se movía por ella como un fantasma. Apenas comía ni dormía y el remordimiento se le clavaba cada vez más hondo en el corazón. Intentó mostrarse alegre por el bien de los niños, pero vacilaba cada vez que veía la angustia reflejada en el rostro de Ezra.

Lo que más le costaba era aceptar su perdón porque sabía que era sincero. Sin embargo, sus creencias cristianas no le permitían olvidar y se había instalado definitivamente en el estudio. La tristeza y la decepción de su marido se hundía cada vez más en su corazón porque a lo largo de los últimos meses se había dado cuenta de lo mucho que lo quería y estaba dispuesta a correr el riesgo que fuera para no perderlo: significaba mucho más de lo que jamás se pudiera haber imaginado.

La vida, por muy dolorosa que fuera, tenía que seguir. Era un regalo precioso y no había que derrocharlo en remordimientos ni en oscuros recuerdos. Aunque ahora se sentía vacía por dentro, se aferró a la esperanza de que algún día Ezra dejara de lado su dolor y redescubriera el amor que sentía por ella. Además, el año 1787 iba a marcar una serie de despedidas inesperadas, separaciones y nuevos comienzos.

Poco después de la llegada de los vientos de marzo procedentes del norte y su amenaza de nieve, Susan se encontró de pie en el muelle de Southampton, envuelta en su abrigo de piel y mirando a través de sus lágrimas a Emma, que acababa de salir a la cubierta del enorme buque de vela y se acercaba a su marido, apoyado en la baranda. Habían ascendido a Algernon a capitán e iba a ocupar su nuevo cargo en Ciudad del Cabo.

Se habían prometido a finales de febrero, pero apenas tuvieron tiempo de celebrarlo dado que Emma estaba decidida a no acompañarlos a Australia. La boda se había organizado a toda prisa y de forma casi impropia para ajustarse a la fecha de partida de Algernon. Ahora estaban despidiéndose de la pareja, que zarpaba hacia su nueva vida en África. Susan apenas soportaba el dolor porque sospechaba que nunca volvería a ver a su hija.

—Parece que fue ayer cuando celebramos su primer cumpleaños —dijo Ezra, sonándose la nariz y secándose los ojos.

A Susan le costaba pensar, mucho más hablar, mientras miraba a su preciosa hija. Todavía era muy joven para irse a vivir tan lejos de su casa y su familia, pero resultaba evidente que Emma no compartía los miedos de su madre. Sonreía feliz y las plumas que llevaba en el sombrero bailaban en la brisa mientras les decía adiós con la mano. El vestido azul de lana le favorecía, pensó Susan distraídamente, aunque el echarpe de piel que le había regalado su suegra era demasiado sofisticado para una chica tan joven.

Ezra pareció darse cuenta de su angustia y se desenmarañó de las manos pegajosas de Florence. Extendió los dedos y le dio una palmadita en el hombro.

—Está en buenas manos —dijo con suavidad—. Además no será para siempre. Los soldados se pasan la vida cambiando de lugar.

—Dudo mucho que Algernon sea destinado a Australia —contestó con amargura.

La respuesta de Ezra se perdió en el estrépito de las campanas y los gritos de los marineros que habían empezado a trepar rápidamente por los mástiles para desplegar las velas. Recogieron las cuerdas de los cabrestantes en el muelle, levaron anclas y, en un santiamén, unos botes más pequeños empezaron a arrastrar el buque hasta sacarlo del muelle.

George no paraba de dar brincos, agitando el sombrero mientras el buque se deslizaba de forma majestuosa hacia mar abierto. Se volvió hacia Susan con los ojos brillantes de emoción y le tiró del brazo.

—¿Nosotros vamos a viajar en un barco tan grande como el de Emma? —le preguntó—. ¿Tendremos tantas velas como ella?

Susan lo abrazó y le dio un beso en la frente. A sus doce años estaba creciendo sin parar y pronto superaría en altura a su madre, pero esta todavía apreciaba estos momentos fugaces de intimidad.

—Supongo que sí, cariño.

George se apartó de ella y bajó corriendo por el muelle. Susan lo siguió con la mirada y vio a Ernest, que estaba de pie al final del malecón. Era inconfundible, tan alto y ancho de espaldas.

Dijo un último adiós a su hermana mayor con la mano y a Susan se le hizo un nudo en la garganta cuando observó que Florence y George se habían acercado para estar a su lado. También ellos se marcharían algún día no muy lejano. Se sentía abrumada por la soledad, como si el vacío de su vida durante los últimos meses amenazara con hundirla por completo. Se giró hacia Ezra, necesitada del consuelo de sus brazos y ansiando que le demostrara una vez más el amor y la confianza que siempre había dado por sentados.

Pero Ezra no la abrazó. Se alejó, una figura solitaria que caminaba lentamente por el muelle hacia sus hijos. Su incapacidad para olvidarse de la traición de su esposa los había distanciado y ya no se sentía cómodo cuando se encontraba a su lado.

Portsmouth, 13 de mayo de 1787

Billy había tenido que recorrer el camino a Portsmouth encadenado a cuatro presos más y con cada paso que daba, había crecido su odio. Sin embargo, se había fortalecido y estaba más resuelto que nunca a sobrevivir a lo que le viniera. Cuando llegaron, condujeron a Billy delante del mismo oficial de Marina y el muchacho se puso firme, observándolo fijamente mientras le quitaban los grilletes de sus ulcerados tobillos.

El oficial se negó a mirarlo a los ojos. Esperó a que le soltaran los grilletes y se volvió hacia el celador que los había acompañado en su caminata tortuosa.

—Llevadlos al *Charlotte* —ordenó—, y daos prisa porque si no, va a cambiar la marea.

—¿Y el niño de Bess? —preguntó Billy con insolencia.

—Los dos están a bordo del *Lady Penrhyn*.

El oficial se alejó y Billy sintió la emoción del haber logrado algo importante. El mariscal de campo era un hombre de confianza, pensó. Quizá realmente fuera su oportunidad de hacer bien las cosas, de empezar de nuevo y borrar sus delitos del pasado.

Tuvo que abandonar estos pensamientos cuando el celador le dio un brusco golpe en la espalda. Caminó sin prisa hacia el *Charlotte*, cada vez más temeroso, mirando a su alrededor con sus ojos perspicaces y asimilando los increíbles acontecimientos que estaban teniendo lugar en el muelle.

El puerto de Portsmouth estaba repleto de buques y, sin embargo, todos los negocios permanecían cerrados y la ciudad se hallaba desierta. No se veía ni un perro corriendo sobre los adoquines. Según parecía, a los tenderos y los habitantes no les hacía ninguna gracia la afluencia de tantos presidiarios y guardias. Hizo una mueca y se subió al buque que lo alejaría para siempre de su casa y de su vida para llevarlo a un futuro incierto. La gente de Portsmouth se estaba perdiendo un verdadero espectáculo.

Algunos de los buques que componían la Primera Flota se habían cargado en Woolwich y Gravesend en el mes de enero. Los cargados en Plymouth habían llegado a finales de marzo y ahora estaban en Portsmouth, preparados para zarpar.

Susan se encontraba con su familia en la cubierta del *Golden Grove*, mirando el bullicio en el muelle. Le había pedido el telescopio a Gilbert e intentaba localizar a Billy entre los hombres desaliñados y descuidados que habían tenido que venir a pie desde Plymouth. Sentía tanto asco y rabia por la brutalidad del castigo que tenía ganas de arremeter contra los oficiales que se lo habían impuesto. Daba mucha pena verlos y había sido incapaz de distinguirlos. Todos parecían medio muertos de hambre.

Entonces se fijó en el segundo grupo de cinco hombres encadenados. Uno de ellos le llamó mucho la atención. Susan enfocó el telescopio y se echó a llorar al comprobar cómo le quitaban las cadenas a su hermano. Estaba demasiado lejos para llamarlo y tuvo que conformarse con poder verlo mientras lo acompañaban al *Charlotte*. Debía de estar atemorizado, pensó, y se juró en silencio que encontraría alguna forma de paliarle la travesía y asegurarse de que se mantuviera fuerte.

Cerró los ojos e intentó recuperar la calma para no romper en llanto. Lo más duro había sido despedirse de su madre porque Maud ya era muy mayor y, aunque Billy no lo supiera, no gozaba de muy buena salud. No comprendía por qué se iba su hija. Susan la había abrazado durante unos instantes antes de huir de la casita. La viuda de su hermano mayor había prometido que iría a visitarla y el nuevo ministro se encargaría de llevarle toda la correspondencia y de enviar sus respuestas. Sin embargo, Susan sabía que era ella quien hubiera debido cuidar de Maud en sus últimos años de vida. Era un peso más en la enorme carga de culpabilidad que ya llevaba a rastras.

Jonathan no había vuelto a Cornualles como prometió y Susan daba gracias, pues una cosa era odiarlo por lo que había hecho y otra encontrarse con él cara a cara y poner a prueba ese sentimiento. En el fondo más oculto y secreto de su ser, sabía que todavía quedaba una chispa de amor que jamás podría apagar.

Hizo un esfuerzo sobrehumano por parecer serena. De nada le iba a servir mostrar sus sentimientos cuando los pocos miembros que quedaban de su familia estaban ansiosos por partir. Si no dejaba traslucir cierta alegría, solo conseguiría desalentar a los demás y acabarían aislándola más todavía. Todo formaba parte de la penitencia que le tocaba cargar por su pecado.

George no cabía en sí de emoción. Después de una salva de cañonazos, una banda militar comenzó a tocar una melodía conmovedora en el muelle. Señaló excitado las puertas y postigos de las casas y tiendas que habían abierto por vez primera desde su llegada. Los habitantes de Portsmouth invadieron el muelle para ver cómo abandonaba el puerto aquella flota tan insólita.

Ernest se había fijado en una guapa joven, hija de uno de los oficiales, y había ido a investigar. Florence estaba cogida del brazo de su padre con la mejilla apoyada en su hombro. Siempre había tenido predilección por él y ahora apenas se apartaba de su lado. A Susan le costaba no estar resentida.

Se volvió para contemplar cómo izaban las enormes velas que poco a poco el viento iba hinchando. El contraste del blanco con el color azul del cielo resultaba precioso y la imagen de tantos buques juntos le cortó la respiración. Siempre había envidiado a los pescadores y había escuchado cada una de las palabras de Jonathan con atención cuando le describía sus aventuras más allá del horizonte. Pero ahora se había visto obligada a abandonar su hogar y no conseguía quitarse de la cabeza la casa al lado de la iglesia y el pueblecito minúsculo apiñado al pie del acantilado. Nunca más volvería a Cornualles, nunca más oiría la voz de su madre, nunca más saborearía el gusto ni el olor a arenque recién pescado. Se estremeció y respiró hondo para contener las lágrimas que enturbiaban su vista. No podía soportarlo.

—Sé que esto tiene que ser muy duro para ti —dijo Ann, que se había acercado a Susan. Entrelazó los dedos con los de su cuñada e intentó reconfortarla—: Solo quiero que sepas que no estás sola.

Susan esbozó una sonrisa.

—Pero es que estoy dejando atrás casi toda mi vida —replicó a través de las lágrimas.

—Todos estamos dejando una parte de nosotros, Susan —respondió Ann con suavidad—, sobre todo esas pobres almas en pena.

Susan siguió su mirada hasta los buques que ya se hacían a la mar. Igual que ella, los presidiarios no tenían otra alternativa que aceptar su destino, así que no era la única que temía por su futuro.

—Pobre Billy —sollozó—. Odia el mar. No sé si podrá resistirlo.

Ann le apretó la mano.

—El espíritu humano es muy fuerte, Susan. Encontrará fuerzas para seguir adelante, ya verás. Tienes que intentar considerar este viaje como una aventura —añadió, sonriéndole con una mirada de comprensión y ternura—. Piensa que nos han dado la oportunidad de hacer algo que solo está al alcance de pocos. Vamos a hacer historia.

TERCERA PARTE

Convictos y conflictos

13

Botany Bay, 20 de enero de 1788

Llevaban ocho meses en alta mar y la cubierta del *Golden Grove* estaba atestada de gente. Habían avistado la costa y todos hablaban animados y expectantes, aliviados de que el viaje estuviera a punto de terminar.

Sin embargo, a medida que la orilla se fue definiendo con más claridad bajo el sol implacable que caía a plomo del cielo despejado, todos callaron al comprender que ese paisaje árido iba a ser su nueva casa. No había vuelta atrás, no había indulto. Hasta los pasajeros más optimistas vieron aniquilados sus sueños al contemplar la desolación del lugar que se abría ante sus ojos.

Susan asió la baranda sin poder apartar la mirada de esa extensión interminable de árboles marchitos y ciénagas fétidas. ¿Dónde estaban los prados verdes que les habían prometido, las tierras fértiles y cultivables que solo necesitaban el trabajo de los presidiarios para convertirse en dorados campos de trigo?

—Esto no es lo que nos prometieron —dijo con un temblor en la voz, mientras miraba a Ezra con los ojos llorosos—. ¿Cómo vamos a sobrevivir en un lugar así?

Ezra no le ofreció ningún gesto de consuelo. Permaneció a su lado, muy tenso y con la expresión adusta, contemplando desolado el paisaje.

—El Señor proveerá —respondió, pero a pesar de su enorme fe, ni él parecía convencido de sus palabras.

—¿Ah, sí? ¿Y cómo? —replicó Susan con una franqueza que no le caracterizaba en absoluto—. Los árboles no dan frutos, los pantanos nos harán enfebrecer y no hay ni un centímetro cuadrado de tierra para pastorear los animales ni para arar. —Susan alzó la voz, sin poder controlar el miedo que se había apoderado de ella—. Hemos tenido que soportar tormentas, enfermedades y gorgojos en la harina, ¿y para qué? —gritó—. ¡Para llegar a un maldito pantano!

Su angustia dejó indiferente a Ezra, y Susan consiguió calmarse después de observar los rostros de sus hijos. Vio sus propios temores reflejados en ellos y supo que debía tranquilizarse.

—El Señor lo va a tener muy crudo y nosotros también —dijo, intentando quitar hierro al asunto para no asustar todavía más a los niños.

—Él nos dará las fuerzas para convertir este páramo en nuestra casa —sostuvo Ezra. Florence rompió a llorar y su padre le acarició distraídamente el cabello—. Siempre que nuestra fe no flaquee, Él nos guiará.

Susan apretó los labios. No se atrevía a expresar su opinión, pero sabía que Dios iba a tener más bien poco que ver con la lucha que les quedaba por delante. Miró hacia los buques de los presidiarios. Si su propio viaje ya había sido duro con las tormentas que habían encontrado, ¿qué habría sido de Billy y los demás, encadenados en la bodega? ¿Cómo soportarían el trabajo que les aguardaba bajo ese calor sofocante y con la perpetua amenaza de enfermedades y fiebres todavía más espantosas que el látigo? Temía por la vida de todos. Ningún ser humano podía sobrevivir a semejante infierno.

Los buques estuvieron anclados en la bahía durante cinco días mientras Arthur Phillip y algunos de sus oficiales alcanzaban la costa en un bote pequeño en busca de un desembarcadero más adecuado. A Billy y a los demás les dieron permiso para salir de la bodega y cuando subieron a cubierta, parpadeando bajo la cegadora luz del sol, se quedaron tan anonadados que no pudieron ni hablar. Nada les había preparado para lo que tenían ante sus ojos.

—A ver quién es el listo que intenta escaparse ahora —soltó Mullins con malicia—. Por mí ya podéis desertar. Si no os matan los tiburones, moriréis en la selva.

Billy observó atónito el paisaje que tenía delante. La tierra reseca estaba cubierta de árboles hasta donde alcanzaba la vista. La orilla ocultaba numerosos pantanos amenazadores y las raíces de los árboles cercanos salían de ellos como dedos de bruja cubiertos de velos de algas marchitas. El aire estaba repleto de nubes de mosquitos y el único ruido que se oía en ese silencio fétido y aletargado eran las carcajadas estridentes de algún extraño bicho que parecía empeñado en burlarse de ellos. Se volvió hacia Mullins:

—Ahora mismo, tú eres tan prisionero como yo —dijo en voz baja—. Aquí se acaba para todos.

Mullins lanzó un escupitajo al agua y replicó:

—Para mí, no. Me iré con el próximo buque que pase por aquí —aseguró con la mirada llena de maldad—. Pronto estaré en Londres con una cerveza en la mano y una puta a mi lado mientras que vosotros seguiréis aquí hasta que se os pudran los huesos.

Se alejó a grandes zancadas.

Billy cerró los puños, resistiendo la tentación de derribar a ese cabrón y darle una buena paliza. Sin embargo, sabía que era exactamente lo que quería. Estaba deseando que le proporcionara una excusa para ponerle los grilletes y darle un par de latigazos. Billy procuró tranquilizarse y miró el resto de buques anclados que se mecían sobre el agua. Al menos había sobrevivido al viaje aunque hubo momentos en que creía volverse loco de miedo, como cuando la bodega se llenó de agua, amenazando con ahogarlos a todos.

Localizó el *Golden Grove* y pensó en Susan y los niños. Había conseguido que le llegaran más raciones y ropa limpia durante la travesía. Pero ¿qué clase de demencia se había apoderado de Ezra para tomar la decisión de traer a toda la familia a este país desolado? Nadie les había obligado a venir, no eran presidiarios y, sin embargo, acababa de sentenciar a su esposa y a sus hijos a una muerte tan segura como si les hubiera puesto una soga alrededor del cuello.

—¡Eh, Billy! ¡Aquí!

Se giró hacia la voz. Nell lo saludaba desde la baranda del *Lady Penrhyn*. Su pecho bailaba con cada gesto de sus manos. Le devolvió el saludo, alegrándose de verla.

—¿Cómo estás? —gritó—. ¿Y Bess?

—Yo estoy bien, pero el pequeño de Bess murió hace algunas semanas y lo lleva muy mal.

Billy sintió una punzada de culpabilidad. Quizá se hubiera equivocado insistiendo en que se quedara con su madre. Ahora Bess tendría que correr los mismos riesgos que los demás. Estaba a punto de contestar cuando recibió un empujón en las costillas.

—Nada de hablar con las mujeres —espetó Mullins—. Ya puedes bajar, Penhalligan, y ni se te ocurra salir hasta mañana.

Billy observó a Nell, que forcejeaba con uno de los infantes de Marina. Mientras la empujaba hacia la bodega, consiguió gritar:

—Nos vemos en el infierno, Billy.

Arthur Phillip volvió de su viaje de exploración por la costa y declaró que había encontrado el «puerto más perfecto del mundo en el que mil buques de guerra podían navegar con total seguridad». Zarparían rumbo a Port Jackson en pleamar.

Su regreso les alegró a todos. No solo habían visto a unos negros agresivos armados de lanzas en la orilla de Botany Bay, sino que habían avistado el primer buque de la expedición francesa bajo el mando de La Pérouse cerca del cabo. Habían ganado a los franceses y ahora resultaba fundamental establecer la colonia de Nueva Gales del Sur y anexionar la isla de Norfolk para que pudieran empezar a plantar lino.

Lowitja no se sorprendió cuando llegaron porque los había visto en las piedras hacía ya muchas lunas. Era una vidente y hechicera muy respetada, pero sus últimas visiones la habían llenado de preocupación: mostraban días oscuros y mucha sangre, imágenes de muerte, magia y terror.

Esa mañana se había despertado muy temprano, más alterada de lo normal por sus sueños, pero con una necesidad imperiosa de acudir al cabo, como si la guiaran los Espíritus. Cuando llegó, observó cómo entraban en la pequeña bahía que su tribu conocía con el nombre de Kamay y supo que su habilidad no la había fallado. Tenía tanto miedo que se le secó la garganta y después de recoger su bolsa de juncos y sus lanzas, corrió a avisar a sus tíos Bennelong, Colebee y Pemuluwuy.

Los hombres de la tribu bajaron a la orilla donde blandieron sus lanzas y dieron alaridos en tono desafiante, pero los hombres blancos continuaron acercándose en sus enormes canoas de vela. Lowitja permanecía escondida con las otras mujeres, pero recordaba la primera vez que habían venido estos hombres y supo que era el principio de los días oscuros que había presagiado.

Después de que el sol saliera cinco veces, creyeron que habían conseguido ahuyentarlos porque izaron las velas y navegaron costa arriba. Sus tíos estaban eufóricos, pero Lowitja sabía que sus problemas acababan de empezar.

Al día siguiente, llegó otro barco. Los árboles deshojados que sujetaban las velas mostraban unas telas de diferentes colores. Los hombres bajaron corriendo a la playa para lanzar improperios contra ellos y amenazarlos con sus lanzas. Lowitja los observó asustada desde lo alto de un árbol.

De repente, un trueno terrible rasgó el aire.

Lowitja y los demás se arrojaron al suelo.

Algo voló por encima de sus cabezas y cayó con una explosión que sacudió la tierra, haciendo volar los árboles y los arbustos a su alrededor.

Se refugió junto con sus hijos bajo uno que sobresalía de las rocas. Las visiones se estaban convirtiendo en una realidad. Se acercaba el fin del mundo.

Pasó un buen rato antes de atreverse a levantar la cabeza. Después de contemplar cómo morían descuartizados dos chicos jóvenes, se dieron a la fuga. El miedo los oprimía y buscaron los escondites más recónditos, oscuros y apartados que les ofrecía el monte.

Lowitja volvió a echar las piedras una y otra vez, deseando con todas sus fuerzas que le dieran alguna esperanza o alguna indicación de cómo salir del apuro. Pero incluso después de entrar en trance y consultar con los Espíritus Ancestrales, supo que se hallaban ante un enemigo contra el que no podrían competir: espíritus malignos habían fabricado sus armas y vencerían con facilidad a las lanzas y bumeranes de su gente.

Bennelong, que aparte de ser su tío era Anciano del clan, envió a unos rastreadores a advertir a la tribu de Cadigal de lo que estaba sucediendo y a averiguar hacia dónde habían ido los buques después de alejarse de la bahía. Cuando regresaron, propuso que las dos tribus se reunieran rápidamente en Warang, donde las bahías eran más extensas y las ensenadas más profundas, para determinar qué clase de enemigo había alcanzado sus orillas.

Port Jackson, 26 de enero de 1788

Susan y los demás permanecieron en la cubierta mientras entraban en la cala de Sydney y Port Jackson. Los salvajes que habían visto en la orilla de Botany Bay los habían asustado y aunque sus lanzas no los alcanzaron y se habían retirado, desapareciendo entre los pantanos, los pasajeros del *Golden Grove* se preguntaban aterrorizados con qué iban a encontrarse en la siguiente bahía.

Su ánimo mejoró al contemplar el césped exuberante y los árboles verdes, el agua cristalina y las bahías de arena protegidas del enorme puerto. En el horizonte vio unas suaves y onduladas colinas y unos ríos resplandecientes que abrían un camino serpenteante a través de las enormes extensiones de bosques y praderas. Tal vez no fuera tan horrible después de todo, pensó, apartando toda la desesperación que había sentido días antes.

—Nos llevará muchas horas de trabajo despejar todas esas tierras antes de poder cultivarlas —dijo Ernest, al tiempo que se pasaba las manos por sus abundantes cabellos rubios y entrecerraba los ojos para protegerlos del reflejo del sol en el agua—. Pero el suelo promete y tenemos manos suficientes para empezar a despejar y arar. —Sonrió a su madre y añadió—: ¡Con las ganas que tengo de ensuciarme las manos y de pisar tierra firme!

Susan se alegró de que al menos uno de ellos mostrara entusiasmo. Observó a Florence, aferrada al brazo de Ezra. Le hubiese gustado disipar sus temores, pero como siempre, su hija había ido a buscar el consuelo de su padre. Intentó mantener una expresión de optimismo. Lo único que podía hacer ahora era rezar para que lograran volver a ser la familia que habían sido y mirar hacia el futuro con esperanza.

Susan compartía la misma impaciencia que el resto de las familias de los oficiales que observaban cómo trasladaban a los militares hasta la orilla en botes de remos. Igual que su hijo, tenía ganas de pisar tierra firme, aunque fuera una tierra desconocida que solo prometía un trabajo durísimo.

Miró a los soldados que estaban acampando sobre la línea de pleamar. El ruido de las hachas y los gritos de los hombres les llegaban en ráfagas por encima del agua mientras despejaban el terreno y montaban numerosas tiendas blancas. Tenía toda la apariencia de un campamento militar, con el correspondiente ajetreo y las órdenes gritadas de rigor. Susan se preguntó cómo iba a poder vivir bajo una lona sin las instalaciones necesarias para lavar y cocinar.

Ya atardecía cuando descendió la escala de cuerda para meterse en el bote. Ezra la ayudó a sentarse, sin perder la formalidad severa de los últimos meses, y aunque George y Ernest reventaban de emoción, observó que Florence se agarró al costado y no lo soltó hasta que llegaron a la orilla.

El calor era casi insoportable y por mucho que agitara el abanico, las nubes de moscas negras se le enjambraban alrededor de la cara.

—Menos mal que seguí tus consejos y me deshice de las fajas y las enaguas —susurró a Ann.

El rostro de su cuñada estaba colorado y llevaba los rizos castaños pegados a las mejillas.

—Tenemos que dar gracias a los años de experiencia de Gilbert en la India —contestó—. Cuesta un poco acostumbrarse pero me ha dicho que estaremos mucho más cómodas sin ellas.

Finalmente arrastraron el bote hasta la arena y las dos se quedaron calladas.

Cuando Susan desembarcó, notó cómo el suelo oscilaba bajo sus pies. Ernest apartó a su padre bruscamente y la sujetó del brazo hasta que recobró el equilibrio.

—Todavía estamos acostumbrados al movimiento del buque —dijo con una sonrisa—. El tío Gilbert dice que pronto se nos pasará.

Susan le acarició la mejilla con la mano y notó que le estaba saliendo barba. Su hijo se hacía mayor, ya era casi un hombre, y lo adoraba por la forma en que la cuidaba. Ojalá Ezra pudiera hacer lo mismo.

—¡Salvajes! ¡Vienen a matarnos!

Susan agarró a George, Ezra a Florence, y Ernest tomó el rifle.

En un santiamén, los soldados y los infantes de Marina formaron una falange entre los emigrantes y el puñado de nativos agresivos que gritaban y arrojaban lanzas.

—Disparad por encima de sus cabezas —gritó Arthur Phillip—. No quiero ni una sola baja.

Los oscuros aborígenes se retiraron rápidamente, pero siguieron chillando y arrojando piedras y lanzas.

—¿Adónde nos has traído? —gritó Susan por encima del estruendo de los disparos—. Nos van a masacrar.

Ezra intentaba tranquilizar a Florence, que estaba histérica.

—No corremos ningún peligro —le contestó entre gritos—. El ejército nos protegerá.

Susan se refugió con su familia detrás de un árbol. Seguía aferrada a George, que parecía empeñado en acudir a la ayuda de los soldados. Buscó asustada a Ernest y lo vio al otro extremo del claro. Su respiración se convirtió en un sollozo mientras miraba cómo cargaba y recargaba su rifle antes de disparar al aire. A pesar de su juventud no parecía tener ningún miedo. La verdad es que parecía disfrutar con la conmoción, cosa que la asustaba todavía más.

—¡Por el amor de Dios, Ezra! —gritó—. ¡No podemos quedarnos aquí! Tenemos que proteger a nuestros hijos.

—Estarán protegidos —replicó con firmeza, mientras veía retroceder a los nativos y a los hombres reanudar el trabajo—. Contamos con el Ejército, la Infantería de Marina y el gobernador Phillip para mantener el orden. No debemos abandonar ahora, Susan.

Sus ojos brillaban de euforia. Susan se desmoralizó todavía más y rompió a llorar desconsoladamente.

—Piensas que esto será una oportunidad para ti de llevar a cabo la obra de Dios, ¿verdad? —preguntó.

Ezra asintió con la cabeza.

—Los presidiarios son impíos, igual que aquellos pobres negros desgraciados. Dios me ha enviado aquí para llevar a cabo su obra, Susan. No quiero ni pienso apartarme.

—¿Aunque eso signifique poner en peligro la vida de tus hijos?

Las lágrimas se habían secado, pero una sensación de certeza fría le inundaba el corazón.

—Dios nos protegerá —dijo en voz queda. Extendió la mano hacia Susan en ademán de coger la suya, pero la retiró rápidamente—. Ten fe en Él, Susan, y en mí. Hemos venido aquí con un objetivo muy importante y solo conseguiremos realizarlo si obramos con una resolución de hierro.

Susan deseaba creerlo, quería decirle que lo amaba, que lo seguiría hasta el fin del mundo si pudiera mostrarle un poco del afecto que habían perdido. Pero no estaba dispuesta a sacrificar a sus hijos.

—Quiero que me prometas que mandarás a los niños a casa en el primer buque que regrese a Inglaterra —dijo—. Pueden vivir con mi familia en Cornualles hasta que termines tu misión.

—Es posible que la Segunda Flota tarde mucho en llegar —le recordó—, y Ernest ya no es un niño. —De repente, suavizó su gesto y asintió con la cabeza—. De acuerdo. Si cuando lleguen los siguientes buques los niños quieren volver a casa, se lo permitiré. Te doy mi palabra.

A Billy le temblaban las piernas y le costó mantener el equilibrio cuando pisó la arena junto con el resto de los presidiarios del *Charlotte*. Buscó a Nell, pero le dijeron que las mujeres pasarían unos días alejadas de la orilla. Sonrió. Seguro que el gobernador Phillip quería asegurarse de que el campamento estuviera completamente montado antes de que llegaran: una vez pisaran tierra firme, los hombres estarían agotados. Se subió el pantalón, tratando de no pensar en la piel tersa y suave de Nell ni en sus acogedores pechos, y fue a buscar a su hermana.

—¡Billy! —gritó Susan, corriendo hacia él y arrojándose a sus brazos—. ¡Oh, Billy! ¡Cuánto me alegro de verte!

El abrazo de Susan estuvo a punto de tumbarlo y la estrechó contra su pecho sin dejar de sonreír. También él se alegraba de verla y su fuerza fibrosa le colmaba de esperanzas. Se apartó un poco de ella y escrutó su rostro. Estaba más delgada de lo que recordaba y tenía los ojos hinchados por el llanto. Le dio un beso en la mejilla, disimulando la rabia que sentía hacia Ezra por haberla traído a semejante lugar.

—Hemos llegado hasta aquí —dijo—. Sobreviviremos.

Susan le hizo un sinfín de preguntas y Billy procuró ahorrarle los detalles más escabrosos del viaje. No le hacía ninguna falta que le describiera las ratas y la mugre que había en la bodega, donde los hombres se habían peleado a puñetazo limpio por unos restos de comida rancia y unas gotas de agua salobre. No le hacía ninguna falta conocer el carácter sádico de Mullins ni el placer que había visto en sus ojos cuando le pelaba la espalda con el látigo, ni el terror que se había apoderado de él cada vez que el agua había subido hasta su cintura, ni que había tenido que ponerse a nadar para evitar morir aplastado contra las cuadernas del buque cada vez que se bamboleaba y cabeceaba en una tormenta.

—Estás en los huesos —dijo Susan—. ¿Te han llegado las raciones? ¿Dónde está la ropa que te envié?

De repente él cayó en la cuenta de que su aspecto y su olor debían ser de lo más repugnantes. Dio un paso hacia atrás, sonrojándose de la vergüenza.

—Lo recibí todo y te lo agradezco, Susan —respondió con frialdad—, pero las condiciones solo permitían que nos laváramos una vez por semana con agua del mar. Todo acababa pudriéndose en pocos días.

La suave mano de su hermana acarició su rostro.

—Ay, Billy. Ojalá...

—Lo sé —intervino apresuradamente—. Pero cuando encuentre al mariscal de campo y me entere de lo que espera de mí, supongo que me darán ropa limpia y un poco de jabón. —Enjugó una lágrima que se había formado en las pestañas de su hermana—. Estoy en una posición de lujo comparado con la mayoría de los que estamos aquí —dijo con suavidad—. Al menos tengo a mi familia.

—¿Podrás venir a vivir con nosotros? —preguntó Susan.

Billy oyó el temblor en su voz y se le encogió el corazón cuando tuvo que negar con la cabeza.

—Sigo siendo un presidiario —le recordó—. Tendré que dormir allá con los demás.

Más tarde, cuando el sol ya se ponía detrás de las colinas verdes y ondulantes, todos se reunieron en el claro. Billy se encontraba con el resto de los presidiarios. Desplegaron la bandera británica sobre la cala de Sydney. Dispararon varias veces al aire y elevaron muchos brindis. Era una fecha para recordar: la fecha en que el hombre blanco vino para quedarse en Australia.

6 de febrero de 1788

Nell había esperado con impaciencia que las liberaran de una vez del *Lady Penrhyn*. Sin embargo, ahora que se encontraba sentada en uno de los numerosos botes de remos, su impaciencia se había convertido en miedo. Había muchísimos más hombres que mujeres, y todos las aguardaban en la orilla, aullando como lobos hambrientos.

Miró a las mujeres a su alrededor. Bess permanecía agarrada a uno de los marineros y no tenía ninguna intención de soltarlo. Al menos había encontrado a alguien que la protegiera, pensó Nell, aunque Dios sabía cuánto iba a durar. Sally y Peg estaban acicalándose y echando una mirada a los marineros y presidiarios que jadeaban en la orilla, pero después de todo, eran furcias.

Intentó sofocar sus temores al ver reflejado el miedo en los ojos de las mujeres que nunca habían hecho la calle ni conocían las tabernas. Algunas ni siquiera se habían entregado a un hombre por voluntad propia y aunque apenas habían alcanzado la adolescencia, lo habían pasado muy mal a bordo. Nell sospechaba que sería aún peor una vez llegaran a la orilla.

Se envolvió con el chal gastado e intentó controlar el temblor que se había apoderado de su cuerpo. Nunca había conocido el miedo, pero ahora sentía auténtico pánico. Acababa de cumplir veinte años y cuando ejercía la prostitución en las calles de un barrio al este de Londres, ya sabía qué podía esperar, pero aquí, en este país salvaje, estaba a la merced de la anarquía y la lujuria. ¿Qué iba a ser de ella?

De repente vio que Billy se había metido en el agua y venía hacia ella, apartando a todos los que se interpusieron en su camino. Finalmente llegó a la proa del bote.

—¡Billy! —chilló Nell—. ¡Sácame de aquí!

Se lanzó al agua y Billy la cogió.

—Deprisa —le ordenó—. Aquí va a haber un motín.

Mientras la arrastraba por la arena, Nell tropezó y antes de que Billy pudiera levantarla, la agarraron tres presidiarios, arrancándola de sus brazos.

—¡Billy! —chilló una vez más, repartiendo patadas y puñetazos e intentando sacar los ojos de sus agresores con las uñas.

Billy también sacó los puños y Nell continuó forcejeando hasta que los hombres se retiraron. Entonces la cogió en brazos y se adentró corriendo en el bosque.

Cuando volvió a dejarla en el suelo, estaba temblando tanto que apenas podía levantarse. Se echó a llorar:

—Por Dios, Bill, nunca he pasado tanto miedo en mi vida —gimió, aferrándose a él.

No le quedaba ni rastro de la bravuconería que la caracterizaba. Billy la abrazó e intentó calmarla.

—Menos mal que he llegado a tiempo. Antes de que anochezca habrá violaciones y asesinatos —dijo jadeando—. Hay demasiados hombres para tan pocas mujeres y el ron se encargará del resto.

Se refugiaron bajo un árbol y se abrazaron. Poco tiempo después oyeron los primeros gritos y chillidos. Había empezado el caos. Nell agradeció sus brazos fuertes y su perspicacia.

—Billy —sollozó—, no sé qué hubiera hecho sin ti.

La guio hasta las sombras más oscuras del bosque.

—Son unas bestias —mascullό él—. Dios sabe qué hubiese pasado si...

Nell no paraba de temblar y le costaba respirar.

—Todavía podrían encontrarnos —susurró, mirando al claro a través de los árboles—. Tenemos que escondernos.

—Lo sé. Va a ser una noche muy larga, pero he ocultado una cuba de ron y un poco de comida. Nadie va a buscarnos hasta el amanecer.

Nell se aferró a él y se adentraron en el bosque. Llegaron a un claro alejado del ruido procedente de la orilla. El entorno les resultaba extraño y espantoso y la joven no paraba de mirar por encima del hombro.

—¿Y los nativos? —preguntó—. Podrían estar rondando por aquí, preparados para matarnos en un santiamén.

—Creo que tienen más miedo que nosotros —respondió él, mientras la ayudaba a sentarse—. Además, ahora deben de estar a muchos kilómetros de aquí.

—Gracias, Billy. Sabía que me protegerías. —Se fijó en que era guapo, a pesar de la suciedad y la ropa harapienta que lo cubría—. Creo que necesito un trago —aseguró, entre el castañeteo de sus dientes.

Billy desenterró la pequeña cuba que había escondido ese mismo día y los dos bebieron. La comida era escasa: pan, carne salada y un par de manzanas medio podridas.

Una vez saciados y más tranquilos, Nell lo atrajo hacia sí y se tendieron en la hierba. Billy le rodeó la cintura con el brazo y la muchacha advirtió cómo brillaban sus preciosos ojos azules.

—Tú y yo estamos hechos el uno para el otro —susurró.

Billy se inclinó sobre ella, tapando la luz cegadora del sol y encerrándolos en un mundo íntimo del que Nell no deseaba salir jamás.

Se entregó a él con gusto, pues era el hombre que había deseado desde el momento en que lo vio, el hombre que iba a protegerla como ningún otro. Sus días de prostituta habían acabado para siempre.

Susan había visto cómo Billy sacaba a la chica del bote y se había quedado boquiabierta al contemplar cómo los habían atacado tres presidiarios que parecían empeñados en arrancar a la chica de sus brazos. Suspiró aliviada cuando su hermano logró huir con ella hacia el bosque. Ahora solo podía contemplar horrorizada la escena que tenía delante.

Las otras mujeres no habían tenido tanta fortuna. Fueron arrancadas sin ceremonias de los botes y violadas allá donde caían. Los presidiarios, ebrios de ron, se peleaban entre varios por la misma mujer, ansiosos por desfogarse de la forma más brutal. Algunas de las prostitutas se defendían a brazo partido mientras bebían ron y repartían bofetadas, pero Susan veía que estaban perdiendo la batalla. Los hombres seguían abusando incluso de las que yacían inconscientes.

—¿Es que no piensan intervenir los soldados? —gritó por encima del barullo.

Ezra intentaba proteger a Florence, que estaba aterrorizada. Miró hacia la fila de soldados que se retiraban.

—Son demasiados —le dijo su marido—. Han perdido el control.

—Llévate a Florence de aquí —chilló Susan, agarrando con fuerza a George y tratando de alejarse de uno de los hombres que había salido del tumulto y se aproximaba tambaleándose hacia ellos. Estaba desnudo y manchado de sangre y roña. Sus intenciones eran inconfundibles.

—Si le pones un dedo encima, morirás —gritó Ernest, apuntando el cañón al torso desnudo del hombre.

La amenaza tuvo el efecto deseado y el reo dio media vuelta y se alejó arrastrando los pies.

Susan se acercó a Ezra y a Florence, tan sobrecogida que apenas era capaz de hablar.

—¡Huid! —les rogó—. ¡Alejaos de aquí!

Rompieron el cordón de soldados que habían recibido la orden de proteger a las mujeres y a los niños y se refugiaron en la tienda de campaña, lejos de las infernales escenas.

Ernest montó guardia en la entrada con el rifle cargado, preparado para disparar a cualquier intruso. Ezra comenzó a rezar y Florence se agarró a él, sollozando. George cogió el rifle de su padre y fue a sentarse con su hermano. Susan intentó arrimarse a su marido, anhelando una muestra de consuelo, por pequeña que fuera.

Hacía un calor espantoso bajo la lona y poco después se sentían sudorosos y sedientos. Susan repartió agua de un cubo que había llenado por la mañana y permanecieron allí, abatidos y aterrados, aguardando que cayera la noche.

Cuando se puso el sol, la lluvia repicó con fuerza encima de la lona. La humedad alcanzó un nivel insoportable y la tormenta formó ríos que fluyeron sobre la tierra abrasada, amenazando con llevarse la tienda por delante. Sin embargo, las cuerdas y las estacas resistieron, y los soldados se mantuvieron en sus puestos bajo la mirada estricta de Arthur Phillip.

Al alba, los soldados habían desaparecido. Ezra fue a echar un vistazo por la playa.

—La lluvia parece haber acabado con la orgía bacanal. Las tropas están llevando a los transgresores al claro grande.

—Hay mucho trabajo por hacer —dijo Susan, mientras iba en busca de vendas y ungüentos—. Después de lo que pasó ayer, tendremos que atender a las mujeres.

—Son putas —espetó Florence—. No necesitan tu ayuda.

—Son seres humanos —replicó Susan. Le dolía la rabia de su hija, aun sabiendo que seguía dominada por el miedo. Se acercó a ella y acarició su mejilla—. Ellas no se buscaron lo que les pasó ayer, Florence —dijo con suavidad—. Ten un poco de compasión.

Habían conseguido restablecer el orden en el campamento, pero iban a tardar mucho en arreglar los destrozos causados por la tormenta y las peleas. Las tiendas estaban rasgadas, la cerámica esparcida en pedazos por todo el suelo y los muebles hechos trizas. Habían saqueado las reservas de comida y se veían barriletes de ron vacíos por todas partes. Susan y las otras mujeres hicieron cuanto pudieron para restañar las heridas que todavía sangraban y encajar los huesos rotos. Habían muerto tres mujeres y cuatro hombres. La colonia no había tenido un comienzo precisamente prometedor.

Por fin apareció Arthur Phillip. Iba acompañado de una banda militar. Se subió a un podio provisional y prestó debido juramento, convirtiéndose en capitán general y gobernador de Nueva Gales del Sur.

Gilbert leyó en voz alta un nombramiento largo y aburrido y su nuevo gobernador, con una mano sobre la Biblia, juró lealtad al rey. Susan estaba de pie con su familia buscando entre las filas de presidiarios a su hermano. Lo encontró al lado de la chica del día anterior, ambos con un aspecto decididamente desmejorado.

Susan fijó su atención en la mata pelirroja de la chica, sus pechos medio expuestos y su descarada postura y enseguida se dio cuenta de que venía de la calle. Suspiró y se volvió. Billy no tenía dónde elegir y todo el mundo necesitaba a alguien a su lado, sobre todo en un sitio como este.

El calor aumentaba por minutos y los presidiarios desaliñados y magullados refunfuñaron y se revolvieron inquietos mientras Arthur Phillip dedicaba la siguiente hora a sermonearlos sobre los males de la promiscuidad, encomiando el matrimonio como el estado bueno y correcto para todo ser humano. Luego los animó a casarse y a poner fin a escándalos como el que habían vivido la noche anterior. Finalmente amenazó con llenar de perdigones el trasero de cualquier reo que merodeara por las dependencias de las mujeres después del anochecer.

Susan lanzó una mirada a su hermano, que le guiñó el ojo y le sonrió con picardía. Era justo la clase de reto que más le gustaba y ella rezó para que actuara con sensatez y no hiciera peligrar su posición al lado de Gilbert.

Campamento de los Eora y los Cadigal, febrero de 1788

Las mujeres y los niños habían recibido órdenes estrictas de mantenerse bien alejados después de que les lanzaran desde el buque aquella bola espantosa de trueno mortal. Habían seguido a distancia a Bennelong y al resto de los Ancianos, que habían decidido caminar hasta Warang, donde se habían enfrentado con valentía a sus enemigos en la playa. Sin embargo, su actitud desafiante y su demostración de fuerza habían servido de bien poco. Los palos-trueno del hombre blanco habían llenado el aire, haciendo temblar la tierra, y se habían visto obligados a cobijarse en el bosque.

Desde su escondite, Lowitja observó cómo los hombres blancos invadían la playa como termitas que corrían a preparar un nido. Poco después, montaron un campamento de lona blanca por toda la orilla. Talaron árboles, profanaron piedras sagradas y asolaron lugares ancestrales. Lo pisotearon todo. Luego, unos hombres envueltos en unas telas de color rojo y con unas lanzas rarísimas ayudaron a otros a meter unas extrañas bestias en unos cercados.

Lowitja contempló con una impotencia furibunda cómo destrozaban los lugares sagrados del *Dreaming* de los pueblos Eora y Cadigal. Estaba dispuesta a sacrificar su vida para expulsar a estos invasores blancos, pero Bennelong y Pemuluwuy le habían aconsejado que no lo hiciera, y Lowitja había entendido su sabiduría. Los hombres blancos los superaban en número y llevaban unas armas demasiado poderosas para poder combatirlos con lanzas y bumeranes.

Volvió con el resto del clan y uno por uno, los miembros de las tribus Eora y Cadigal se desvanecieron entre los árboles. Iban a montar un campamento unido y tenían que buscar una estrategia. Antes, sin embargo, debían pedir consejo a los Espíritus.

Lowitja se había ganado el respeto de todos los miembros de ambas tribus no solo porque tenía el poder de comunicarse con los Espíritus, sino porque era descendiente directa de Garnday, la madre de la antigua tribu que había guiado a su clan a los cazaderos fértiles cerca de las orillas sureñas de Warang, huyendo del hambre que azotaba la zona del norte. Cuando se acercó al grupo de Ancianos, estaban más que dispuestos a escucharla, dado que cada una de sus palabras contenía la sabiduría de su antepasada.

—Vienen con sus mujeres e hijos —empezó en voz baja—. Traen animales, armas y refugios. No proceden de una tribu nómada. —Observó cada uno de los rostros levantados antes de seguir—: El trueno mortal es demasiado poderoso para combatirlo con nuestras armas, así que debemos acercarnos en son de amistad. Debemos enseñarles las costumbres de nuestra gente para que puedan aprender a respetar nuestra tierra y a nuestros Espíritus Ancestrales.

—No quiero deshonrar tu sabiduría —dijo uno de los Ancianos—, pero ¿qué debemos hacer si el hombre blanco no está dispuesto a aprender?

—Nos han mostrado el terrible poder de sus armas, pero sus palos-trueno retumbaron en el cielo, no en nuestros cuerpos. El Gran Espíritu de Garnday me ha dicho que no tienen intención de matarnos.

—Sin embargo, ya han destrozado nuestros lugares sagrados del *Dreaming* —gritó uno de los hombres jóvenes—. ¿Cómo ha podido permitirlo?

Lowitja tragó saliva. Había visto los días oscuros que se avecinaban y sabía que debía actuar ahora, antes de que se convirtieran en una realidad.

—Es una advertencia de su fuerza y de su ignorancia —dijo a los hombres silenciosos—. Si queremos evitar un derramamiento de sangre y la destrucción total de nuestros lugares sagrados, hemos de iniciarlos en nuestras tradiciones e instruirlos en nuestra espiritualidad.

Pemuluwuy y Bennelong asintieron con la cabeza, pero Lowitja comprobó que no todos los Ancianos estaban de acuerdo. Se acumulaban unos nubarrones negros en el horizonte y si no atendían a sus palabras, llegaría una tormenta tan violenta que eliminaría todas sus costumbres ancestrales para siempre.

Lowitja sabía que la mejor forma de guiar al clan era a través de su ejemplo. Unos días después, se dirigió al campamento del hombre blanco, se agachó entre las sombras de los árboles cercanos y observó a la mujer que cocinaba. Tenía la piel muy pálida y llevaba unas envolturas extrañas que le llegaban al tobillo. Lowitja se fijó en las pieles que le cubrían los pies y se preguntó para qué servirían. No entendía nada, pero la mujer parecía agradable y tampoco podía pasarse todo el día sentada bajo los árboles.

Lowitja salió sigilosamente de las sombras y se acercó a ella.

Susan la había visto escondida entre las sombras y había percibido que la niña estaba igual de nerviosa que ella, o incluso más. Continuó preparando la cena, mientras lanzaba miradas encubiertas a la aborigen.

—Hola —dijo en voz baja cuando la chica se atrevió a dar algunos pasos más hacia ella.

Le sonrió con amabilidad y le hizo señas para que se acercara más.

La pequeña vaciló, recorriendo el claro rápidamente con la mirada, lista para salir corriendo al menor ruido.

Susan no se movió de donde estaba y permanecieron en silencio, estudiándose con detenimiento. De cerca, Susan pudo comprobar que no se trataba de una niña sino de una mujer madura. Era menuda y más bajita que ella. Lucía una serie de verdugones en su piel de color ébano que solo podían ser marcas tribales. Sus cabellos formaban una maraña de color castaño oxidado y tenía los ojos oscuros, la nariz ancha y los labios carnosos. Iba completamente desnuda salvo por un cinturón fino de bramante, pero poseía una nobleza imponente.

La mujer dio un paso hacia ella, con vacilación.

—Lowitja —tanteó.

—Susan.

Le sonrió para animarla a acercarse más, alegrándose de que estuviera sola porque la presencia de los hombres la hubiera asustado.

Lowitja dio otro paso y extendió una mano tímida para tocar la falda de Susan. Por lo visto, el tacto le resultó agradable porque sonrió, mostrando su impecable dentadura blanca.

Susan cogió el pañuelo limpio que se había metido en la cinturilla y se lo ofreció.

—Para ti —dijo—. Un regalo para Lowitja.

Lowitja tomó el pañuelo y lo escrutó minuciosamente antes de devolvérselo. Intentó hacerle entender que era para ella, pero la nativa no parecía quererlo. Permanecieron en el claro en silencio, sin poder comunicarse y Susan comprendió la frustración que Jonathan había sentido con Watpipa y los nativos del norte. Estaba a punto de ofrecerle un poco del estofado que estaba preparando cuando la mujer le lanzó un torrente de palabras ininteligibles y desapareció de nuevo entre los árboles.

Con el paso de los meses, Susan se acostumbró a la presencia silenciosa de Lowitja a su lado. Se enseñaron algunas palabras, pero solían hablar por señas, sonrisas e inclinaciones de la cabeza.

Cuando se sentaba para escribir a su madre y a su hija, nunca mencionaba los apuros, ni los cocodrilos y las serpientes venenosas que merodeaban por ahí, ni lo duro que resultaba pasarse el día delante de una cocina cuando el barómetro marcaba casi cuarenta grados. Llenaba sus cartas con las maravillas de la nueva colonia e historias sobre las frágiles amistades que los colonos habían forjado con los nativos.

> Hoy por primera vez he visto un canguro. Es un animal extrañísimo que se desplaza saltando sobre sus enormes patas traseras. Me han asegurado que tiene una carne muy suculenta y los hombres salen a menudo a cazarlos para la olla comunal.
>
> Los aborígenes han empezado a comprender que hemos venido para quedarnos y han llevado a cabo algún intento de acercamiento. Les hemos ofrecido comida, pero parecen preferir el ron, que les sienta fatal. Su constitución no lo tolera bien y enseguida los deja sin sentido.
>
> Son cazadores recolectores primitivos y no tienen granjas. Tampoco poseen animales de ningún tipo y ni siquiera se construyen casas. Les hemos dado herramientas, mantas y ropa, pero lo rechazan todo y Ezra está desesperado por su falta de pudor. Yo no le encuentro ninguna fealdad, pues para ellos y para su entorno resulta de lo más natural. En los días de calor asfixiante, cuando la ropa me oprime, también a mí me gustaría desnudarme e ir a nadar en el mar como hacen ellos. El problema es que dejaría a todos tan estupefactos que creo que será mejor que siga abrasándome.

El gobernador Phillip esperaba que los nativos nos ayudaran a construir la colonia, y la verdad es que unas manos de más nos hubiesen ido muy bien, pero todos los intentos de convencerlos han fracasado. Los negros se niegan rotundamente a trabajar para nosotros, así que los presidiarios tienen que cavar, despejar piedras y construir unos alojamientos más permanentes para nosotros sin la ayuda de nadie.

Lo de robarnos comida, ron y ganado se ha convertido en un juego. Nuestros hombres los persiguen, pero los nativos son demasiado rápidos y casi nunca los cogen. Mi amiga Lowitja se ríe de los intentos de nuestros hombres de adentrarse en los bosques que nos rodean y he de reconocer que son patosos y cualquier ladrón con un mínimo de amor propio los oiría a un kilómetro de distancia.

Yo estoy bien. Paso la mayor parte del tiempo ocupándome de los enfermos y de mi huertecito. Ezra está adaptándose bien a su nuevo trabajo con Florence a su lado y la escuela ya cuenta con muchos alumnos. Ernest ha comenzado a trabajar en una de las granjas del gobierno con el fin de prepararse para cuando le concedan su propia parcela y George se está transformando en un jovencito muy apuesto. Esta nueva vida le viene como anillo al dedo. Está alto y bronceado, con unos niveles de energía sorprendentes. Es incapaz de centrarse en sus libros cuando sabe que afuera le aguardan caballos, pesca y travesuras de toda clase.

El trabajo de Billy como intendente para Gilbert está dando muy buenos frutos. Le han concedido permiso para montar su tienda lejos del resto de los presidiarios y Gilbert se deshace en elogios para con sus esfuerzos. Se ha enamorado de una chica que se llama Nell. Tiene una energía inagotable y una actitud dura ante la vida, y aunque a veces pueda parecer un poco ordinaria, sé que será valiosísima para esta nueva colonia.

Campamento de los Eora y los Cadigal, abril de 1788

El juego de robar a los blancos terminó de repente, cuando tres jóvenes murieron a causa de un palo-trueno. No era la primera incidencia: algunas mujeres habían sido tomadas contra su voluntad y los hombres habían sido arrastrados a obrar mal con la tan codiciada bebida oscura y dulce. Poco a poco, su espiritualidad y sus lugares sagrados habían sido destruidos y se había abusado de la madre tierra.

Había llegado la hora de hacer caso omiso a las advertencias de Lowitja, de deshacerse del invasor y restablecer la paz de antes.

Lanzaron los primeros ataques. Uno de los jóvenes guerreros arrojó su lanza contra dos hombres que habían ido a cortar juncos a la orilla del río en Kogerah. Durante días, le siguieron la pista con perros y cuando finalmente lo cogieron, los hombres de rojo lo tomaron preso. Nunca volvieron a verlo.

Unas estaciones después, tras atacar el nuevo poblado de Parramatta, retuvieron a Bennelong y Colebee, pero ese solo fue el inicio de sus problemas. El hombre blanco había traído consigo una enfermedad que estaba matando a los miembros de las tribus Eora y Cadigal. Se trataba de un mal que llenaba el cuerpo de un fuego insoportable y la cabeza de una gran confusión para luego cubrir de ampollas la piel del enfermo. Uno a uno murieron los niños, seguidos de los ancianos y los débiles. Las llamas que ardían en su interior vencieron incluso a los más fuertes y robustos.

Lowitja sabía que se trataba del *galgala*, que su amiga Susan denominaba *viruela*. Había llegado hacía muchas generaciones y aunque no había afectado a los colonos, los Ancianos insistían en que la habían traído consigo los hombres blancos, otra señal de que debían ser expulsados.

Susan no tenía ningún remedio mágico que pudiera curar a los enfermos, así que Lowitja volvió a sus piedras para pedir la ayuda de los Espíritus Ancestrales. A pesar de sus vastos conocimientos, pronto descubrió que no podía hacer nada por frenar su evolución. Los pocos que sobrevivían quedaban debilitados, con las extremidades hinchadas y la piel llena de horribles cicatrices.

En menos de una estación, la población de las dos tribus se había reducido a la mitad. Lowitja perdió a tres de sus cinco hijos además de a su madre, su tía y su hermano menor. El odio hacia el invasor blanco se intensificó y a pesar de los discretos consejos de la vidente en contra de la violencia, Pemuluwuy se convirtió en líder de lo poco que quedaba de las veinte tribus del sur.

Con su hijo Tedbury a su lado, lanzó una campaña de ataques en guerrillas que duró varios años y se cobró numerosas víctimas más.

14

Cala de Sydney, Port Jackson, 3 de junio de 1790

Susan se tomó un descanso para secarse el sudor de la frente. Tenía las manos ásperas de tanto trabajar. Hacía un calor insoportable y una nube de moscas zumbaba sin parar a su alrededor, empeñadas en incordiarla mientras fregaba la mesa rugosa e intentaba poner orden a su humilde choza de madera. Ezra se había negado rotundamente a solicitar que los presidiarios los ayudaran con los trabajos más pesados. Mantenía que la esclavitud era el más malvado de los pecados humanos y que su familia no tendría nada que ver con ella. A Susan le hubiese gustado que no se mostrara tan firme en sus convicciones. El trabajo ya era duro de por sí sin que las circunstancias lo complicaran todo aún más. Ojalá tuvieran una casa más bonita, como la de Ann y Gilbert, pensó con melancolía. Al menos así la vida le resultaría más llevadera.

Dejó el cepillo de fregar dentro del cubo metálico y salió fuera, tratando de encontrar una forma de huir del calor. Sin embargo, el agua en la cala de Sydney seguía en calma, el sol continuaba abrasando sin tregua en un cielo completamente despejado y no corría ni un soplo de viento. Susan buscó sombra bajo un árbol inmenso y se dejó caer al suelo, asomando los pies descalzos por debajo de la falda hecha jirones. Su cabeza daba vueltas y le sonaban las tripas. Se levantó la gruesa trenza de la nuca para refrescarse.

Durante los dos primeros años, la cosecha se había malogrado y el gobernador Phillip se había visto obligado a reducir las raciones semanales a cuatro libras de harina, dos libras y media de tocino y una libra y media de arroz. La mayoría de los soldados tenían que asumir sus funciones descalzos, dado que las botas se les habían hecho trizas y la ropa de todos estaba podrida.

El buque de provisiones *Sirius* había naufragado cerca la isla de Norfolk en el mes de febrero y aún no había aparecido la Segunda Flota, que debería haber llegado hacía ya algunos meses. Ahora la colonia que habían fundado con tantas esperanzas se moría de hambre.

Ya había fallecido mucha gente, sobre todo los presidiarios que llegaron delicados de salud. Susan había atendido a un hombre que sobrevivió unos días más alimentándose de hierba. El robo de los suministros era tan frecuente que se había convertido en un delito castigado con la pena de muerte, pero ni eso servía para disuadir a los ladrones. Habían atrapado a dos hombres pocos días atrás y como al gobierno no se le había ocurrido incluir un verdugo entre los emigrantes, se le ofreció el indulto a uno a condición de que aceptara el cargo. La alternativa era morir fusilado. Su primera tarea consistió en ahorcar a su cómplice.

Susan cerró los ojos e intentó no pensar en el hambre y en la dureza de su situación. No solo se sentía hambrienta y quemada por el sol, sino que tras la muerte hacía dos años de un par de presidiarios en Rushcutters Bay, los nativos que aún merodeaban por ahí los amenazaban con correr idéntica suerte. Eran unos auténticos salvajes, con sus lanzas y sus estridentes gritos de guerra. No comprendía por qué Gilbert no se ocupaba de ellos en lugar de limitarse a arrestar a unos cuantos. Ahora parecían más resueltos que nunca a dejar que la bebida los llevara a la tumba, si es que antes no asesinaban a todos los colonos.

Odiaba este país. Odiaba la grosería de las presidiarias y la lascivia de los hombres, el calor y las moscas, la ausencia de decoro y de la moralidad más básica de la civilización. Pero más que nada se odiaba a sí misma: si hubiese sido fiel a Ezra, nunca hubieran abandonado su casa de Cornualles.

Se incorporó y sacudió con sus manos el polvo de la falda. Por mucho que cosiera y remendara las pocas prendas que poseía, siempre iba cubierta de harapos y la ofendían porque durante toda su vida se había preocupado mucho por su aspecto. Si además del resto de pecados que había cometido, Dios quería ahora castigarla por su vanidad no podría haber escogido un método más eficaz.

Permaneció observando al grupo de presidiarios andrajosos y hambrientos que estaban despejando unos árboles. El herrero batía hierro en la forja y otro grupo de hombres no paraba de acarrear ladrillos de un lado a otro. Susan no dudaba que ellos estuvieran sufriendo todavía más que ella, pero todo el tema de los presidiarios era un caos. Si hubiese estado en sus manos, se habría asegurado de que algunos de los presidiarios deportados tuvieran conocimientos de agricultura, crianza, construcción y carpintería, pero por lo visto, a los hombres de Londres ni siquiera se les había pasado por la cabeza.

La tierra que rodeaba la colonia era dura como una piedra, capaz de torcer sus azadas; la madera les estropeaba las hachas, el calor era opresivo, las serpientes andaban siempre al acecho y las hormigas gigantes picaban. Los nativos habían desdeñado cualquier oferta de recibir una educación o de adaptarse a la civilización británica y se habían negado rotundamente a trabajar para los blancos, ni siquiera a cambio de mantas y comida. Ahora todos estaban a merced de una serie de gandules más acostumbrados a robar carteras y a prostituirse a cambio de un trago de ron que a trabajar en serio. No era de extrañar que se hubiera malogrado la cosecha.

Se apartó de la escena y contempló la choza de madera que habían levantado tras su llegada. Se alzaba junto a la pequeña iglesia de madera que el pastor Richard Johnson había hecho construir al poco tiempo y que les había servido de protección contra las fuertes lluvias que cayeron durante gran parte de los primeros meses. Era un cuchitril.

El suelo era de barro, las ventanas no tenían cristales y durante los meses de invierno el viento penetraba por cada grieta, ahuyentando cualquier calor que pudiera proporcionarles la cocina de hierro fundido. La humedad había enmohecido las finas sábanas que trajeron de Inglaterra, la mayoría de la porcelana se había roto durante el viaje y el piano de Florence estaba tan desafinado que no podía tocarlo. Los muebles que no se habían podrido estaban plagados de termitas y Ernest y George se habían encargado de montar a toda prisa un mobiliario provisional de madera áspera y lino, disfrutando como siempre de los retos que les planteaba este país hostil.

Susan suspiró. Ernest ya había cumplido diecisiete años y se había marchado de la cala de Sydney. El gobierno les había concedido sendas parcelas cerca del río Hawkesbury. Su hijo mayor había partido felizmente hacía casi un año para empezar a desbrozar y luego sembrar. George no tardaría en seguir sus pasos, supuso, porque a sus quince años, ya estaba haciendo planes para su propio terreno.

—¡Un buque! ¡Un buque!

El grito la arrancó de sus cavilaciones y se volvió hacia el agua. A lo lejos, abriéndose camino lentamente entre las ensenadas, pasando por delante de las bahías hacia Port Jackson, vio un buque enorme repleto de velas. Ondeaba el pabellón británico.

Susan se levantó la falda y comenzó a correr. Por fin iban a rescatarlos. Por fin podrían comer y llegarían noticias de casa. Dios le había concedido el milagro por el que tanto habían rezado ella y Ezra. No los había abandonado, después de todo.

Entró a toda prisa en la enfermería en busca de su marido. Hacía un calor sofocante bajo la lona y el velo de la muerte envolvía a todos los que se encontraban en su interior. Lo encontró al fondo del todo, leyendo en voz alta a un niño consumido y con los ojos apagados que yacía de espaldas en el colchón.

—Viene un buque hacia aquí —le dijo—. Por fin van a rescatarnos.

Ezra no apartó los ojos de la página.

—Entonces debes ir a ver qué trae —contestó.

—Ven conmigo —le pidió, poniéndole una mano en el hombro.

—Estoy ocupado —respondió con frialdad, mientras hacía un gesto para quitarle la mano.

Susan se mordió el labio. No iba a dejar que su distancia la afectara. Se encontraba demasiado agotada para derramar más lágrimas. Lo dejó con el niño y salió corriendo.

Los colonos y los presidiarios contemplaron admirados el *Lady Juliana* cuando se puso al pairo y echó anclas. Pero a medida que bajaban los pasajeros, se extendió un murmullo de desasosiego que fue adoptando un tono cada vez más desagradable.

—Es un buque de furcias —susurró Billy, que se encontraba a su lado en el muelle—. ¡Y míralas! Cebadas como cerdos y vestidas para trabajar. Pero ¿adónde se creen que van? ¿A una maldita ceremonia de té?

El ambiente no presagiaba nada bueno mientras las mujeres con sus vestidos chillones descendieron de los botes de remo. Sus seductoras sonrisas se desvanecieron de golpe y cuando vieron que el grupo de gente que las esperaba se apartaba en silencio para dejarlas pasar, bajaron la cabeza y apretaron el paso.

—¿Dónde está la comida? —gritó un hombre.

—Eso digo yo. Lo que queremos es comer, no follar.

La multitud dio unos pasos hacia adelante. Gilbert agarró a su esposa, a Susan y a Florence y las alejó de ahí.

—Vamos a tener problemas —dijo—. El capitán me ha dicho que solo traen las provisiones necesarias para dar de comer a las mujeres. El gobernador Phillips deberá reclutar a algunas y lograr que el resto embarque de nuevo rumbo a la isla de Norfolk. No podemos arriesgarnos a otro disturbio.

Susan se lo quedó mirando, perpleja.

—¿Por qué han enviado un buque tan grande si no trae víveres? ¿Todavía no se han enterado en Londres de que estamos muriéndonos de hambre?

Gilbert se alisó el bigote y echó una mirada fulminante a las recién llegadas.

—El gobierno, en su infinita sabiduría, ha decidido que necesitamos más mujeres para poner paz y estabilidad en la colonia, aunque Dios sabe cómo creía que íbamos a conseguirlo con esta chusma.

Susan observó cómo las furcias se abrían paso entre la multitud silenciosa, aunque belicosa, y se preguntó si a los de Londres les importaba un pepino qué iba a ser de ellos. Parecía que estaban condenados a morir.

El Surprise, *26 de junio de 1790*

Jack Quince se hallaba tumbado, cubierto de sus propias heces y encadenado a un hombre muerto. Estaba esquelético y debilitado después de muchos días sin comer ni beber, pero él y todos los demás habían comprendido rápidamente que por mucho que suplicaran, nadie les iba a proporcionar sustento. El capitán del *Surprise* parecía resuelto a matarlos a todos.

Ya no se rascaba los piojos ni notaba el escozor de las putrefactas heridas causadas por los latigazos que había recibido a lo largo de los interminables meses que llevaba en alta mar. Ya no percibía el hedor a carne podrida ni los excrementos que se arremolinaban dentro de las aguas de pantoque. Ya no le afectaba el terror de la claustrofobia. Solo sabía que si pasaba un día más en la bodega, moriría. Estaba preparado.

Cerró los ojos, intentando abstraerse de los cadáveres que lo rodeaban y las ratas que correteaban por la bodega, hundiendo sus hocicos en la carne purulenta que encontraban a su paso. Trató de recordar la sensación de estar en casa. Ahora Sussex le parecía otro mundo, un mundo en el que el sol calentaba la espalda de un hombre cuando salía a cosechar el trigo o a ocuparse de su ganado en los valles de las Downs. No existía el hambre ni el dolor y la muerte llegaba de forma discreta y digna con la vejez. Los setos vivos y caminos verdes, los pueblos tranquilos con sus casitas encaladas y sus techos de paja, los animales en los campos y la pequeña granja que una vez había sido suya: ahora todo le parecía casi irreal.

Y luego estaba Alice. Al recordarla, esbozó una sonrisa y se le agrietaron los labios secos. Jack y Alice Hobden se habían enamorado cuando eran niños. Recordó sus abundantes cabellos castaños y sus ojos oscuros, su piel cremosa y su risa gutural. Habían trazado juntos muchos planes para el futuro antes de que interviniera el destino y lo acusaran injustamente de robo.

Se le hizo un nudo en la garganta y tragó saliva. Conocía bien a su acaudalado acusador, un terrateniente vecino que siempre había codiciado sus tierras de pastoreo y estaba empeñado en conseguirlas, aunque fuera de la forma más ruin. No fue ningún accidente que el toro apareciera en un prado junto a las vacas de Jack, pero antes de que pudiera hacer algo al respecto, se lo habían llevado rápidamente al tribunal superior del condado.

El juicio había durado muy poco porque su acusador tenía amigos con influencias y el dinero necesario para sobornar el juez. Jack pasó los tres primeros años de los quince que tenía que cumplir en una prisión flotante. Gracias a la amabilidad de un amigo, había conseguido poner la granja a nombre de Alice. Al menos protegería su casa del hombre que lo había traicionado y proporcionaría estabilidad económica a Alice para el futuro.

Sin embargo, no fue capaz de soportar la idea de volver a verla. Se negó a permitir que lo visitara, incluso cuando se enteró de que iba a ser deportado. Sabía que debía despedirse de ella y liberarla de todas las promesas que se habían hecho.

Pensar en ella le resultaba insoportable y abrió los ojos. Le costaba menos aceptar la cruda realidad que la idea de que Alice pudiera casarse con otro hombre y criar a sus hijos en la casa que él tenía pensado compartir con ella.

Escuchó los ruidos que lo rodeaban. Los chirridos de los bichos y los gemidos de los enfermos y moribundos le resultaban tan familiares como los crujidos de las cuadernas del buque. Al menos ya no tenía que esforzarse por permanecer incorporado: el agua ya no le llegaba a la cintura como las veces en que habían tropezado con un mar embravecido. Durante aquellas horas interminables se había sentido abrumado por la claustrofobia porque la bodega era oscura como boca de lobo y conforme ascendía el nivel del agua y el buque se bamboleaba cada vez con más fuerza, se había sentido paralizado por un miedo tan intenso que había perdido todo control. Pero sus gritos, igual que los de sus compañeros, habían caído en saco roto. Daba la impresión de que a nadie le importaba si morían todos ahogados. Los dueños del buque ya habían sido generosamente remunerados y no les importaba lo más mínimo que el cargamento no llegara intacto.

Estuvo a punto de cerrar los ojos de nuevo y prepararse para el sueño ansiado de la muerte cuando se dio cuenta de algo extraño. El *Surprise* ya no se movía: se balanceaba como si se encontraran en aguas poco profundas y oía gritos y los crujidos de unos remos.

Con gran dificultad, Jack se apoyó en un codo y aguzó el oído. Una chispa de esperanza acababa de encenderse en su interior.

Port Jackson, 26 de junio de 1790

Los buques habían aparecido al otro lado del cabo unas semanas después de la llegada y la despedida apresurada del *Lady Juliana*. Los hombres y mujeres de la colonia se habían congregado una vez más en la orilla, aunque en esta ocasión no se atrevían a aventurar que se tratara de la Segunda Flota, ni a esperar que por fin hubiera llegado su salvación.

Billy rogó a Gilbert que le permitiera salir con la flotilla enviada por el gobernador Phillips para recibir al *Neptune*. Ahora se encontraba en un bote con cinco hombres remando hacia la flota. Se le hacía la boca agua al pensar en la comida que llevaría a bordo. Por lo visto, por fin podrían olvidarse de la amenaza del hambre. Después de todo, quizá existiera el Dios de Ezra.

Estaban a punto de desarmar los remos cuando les llegó la orden del gobernador de regresar a la orilla. Billy apenas pudo resistir la tentación de desacatarla. Se encontraban tan cerca, casi tocando el costado del *Neptune*. Entonces se fijó en el rostro de Gilbert y se dio cuenta de que algo iba muy mal: estaba blanco como la muerte.

Remaron de nuevo hasta la orilla, intrigados por qué demonios pasaba y con una decepción aguda en sus estómagos vacíos. Aguardaron impacientes, sin dejar de mascullar, al lado de la dársena provisional que habían construido los presidiarios poco después de su llegada. Era pequeña e insuficiente pero las aguas de la bahía eran lo bastante profundas para que los buques al menos pudieran acercarse.

—¿Qué ocurre? —preguntó a Gilbert.

Este se limpió la boca con un pañuelo. Había vomitado y todavía quedaban restos en sus botas gastadas.

—He luchado en campañas por todo el Imperio, pero jamás he visto algo tan horrible como lo que acabo de presenciar —consiguió decir, mirando a Billy con los ojos rojos—. Es una flota de la muerte. Las bodegas están repletas de cadáveres y moribundos, todos encadenados, muriéndose de hambre e infectados de todas las enfermedades conocidas por el hombre.

A Billy se le retorció el estómago. Ya había pasado por una bodega y sabía perfectamente cómo era la vida en ellas, pero también había sobrevivido y ahora solo le interesaba saber cuándo iban a traer las provisiones.

—¿Y los suministros?

Los hombros de Gilbert se abatieron.

—El buque de provisiones, el *Guardian*, se hundió y lo perdieron todo —declaró con voz queda, encorvado como un hombre derrotado—. El *Scarborough* y el *Justinian* llevan algunos suministros, pero van muy justos si tenemos en cuenta todos los que acaban de llegar. El gobernador Phillip les ha ordenado que se aparten hasta que hayan descargado los tres buques de presidiarios. No podemos arriesgarnos a otro saqueo.

—¿Y a cuántos esperamos exactamente?

Billy se protegió los ojos del sol y observó los cinco buques que se acercaban despacio a la orilla.

—Mil diecisiete presidiarios más los tripulantes.

Billy profirió una maldición.

—Pues eso no me va a facilitar el trabajo, que digamos. Con lo que ya me cuesta mantener a esos jodidos rateros alejados de las provisiones, ¿cómo voy a apañarme ahora que vienen más cabrones hambrientos en busca de una comida como Dios manda?

—No solo van a necesitar comida —contestó el mariscal de campo, poniéndose derecho—. Tenemos que proporcionarles cobijo y medicinas. Encárgate, Billy, y espabila. De aquí a poco desembarcarán los primeros.

Billy se giró parar mirar a Gilbert, que se encontraba en el pequeño embarcadero de madera con los pies separados y las manos cogidas detrás de la espalda. Estaba decidido a no mostrar hasta dónde llegaba su desesperación e indignación, pero el menor de los Penhalligan vio cómo se le agarrotaba la columna cuando el *Surprise* echó anclas. La ironía del nombre del buque no se les había escapado a ninguno de los dos y Billy se dio cuenta, incluso desde lejos, de que el casco filtraba agua. Con las temperaturas tropicales de Port Jackson, el hedor a muerte, a aguas de pantoque estancadas, a cuadernas podridas y a excrementos humanos era indescriptible.

Miró al gobernador y vio el mismo asco y la misma vergüenza reflejados en sus ojos. Phillip dirigió un gesto a Gilbert para indicarle que serían los primeros en subirse a bordo del *Surprise*. Con la bilis ascendiendo como el ácido hasta su boca, Billy solo podía conjeturar lo que encontrarían en la bodega. Cuando finalmente abrieron la escotilla, la fetidez resultó tan fuerte que estuvo a punto de tumbarlo. Había empezado a dar media vuelta cuando oyó la voz poderosa del gobernador:

—Desembarquen a estos presidiarios ahora mismo —rugió a los marineros que estaban ocupados lanzando miradas lascivas y silbando a las mujeres en la orilla—. ¿Dónde están el oficial médico y el capitán? Juro por Dios que nunca olvidarán la flagelación que les espera por esta negligencia en el cumplimento del deber. —Billy lo vio bajar furioso del *Surprise* para dirigirse hacia el *Neptune*—. Voy a empezar a cortar cabezas y el capitán de la flota será el primero.

Jack Quince notó que le quitaban las esposas, pero estaba demasiado débil para levantarse. Durante algunos segundos forcejeó, pero se relajó enseguida cuando unos brazos fuertes lo levantaron de la inmundicia de la bodega del buque y lo subieron por la escala al aire libre. La luz del sol lo deslumbró y escondió la cara entre sus manos, pero el olor a cultivos llenaba el aire y respiró hondo. También olía a hierba y paja, caballos, perros, ovejas y ganado y durante unos instantes se preguntó si lo habían rescatado o si quizá la muerte lo había devuelto a su casa en Sussex.

Apenas estaba consciente cuando lo trasladaron en brazos hasta la orilla, pero según fue acostumbrándose a la luz, observó unos edificios toscos de madera, un bosque de tiendas de campaña, una iglesia e incluso un rebaño de vacas que pastoreaba en un campo cercano. No estaba en Sussex, pensó, porque el sol brillaba con demasiado fuerza en el cielo descolorido y la tierra era de un color rojo oscuro parecido a la sangre.

Entonces se desmayó y cuando recobró el conocimiento, notó que alguien le había tapado la cara con un paño fresco y húmedo y que le estaban aplicando una crema balsámica a las heridas abiertas que le cubrían el cuerpo.

—Ten —dijo una voz femenina —. Bebe un poco, te sentirás mejor.

Jack Quince tomó unos tragos del agua fresca y después se fijó en los ojos azules de la chica.

—¿Estoy en el paraíso? —preguntó, solo medio en broma.

Su propia voz le resultó extraña después de tantos meses de silencio.

—Ni mucho menos —respondió la chica de los ojos azules, esbozando una leve sonrisa—. Pero tampoco es el infierno del que acabas de salir, de eso puedes estar bien seguro.

Jack tomó otro trago y tuvo que descansar cuando se le rebeló el estómago. Sabía que debía dejar que se acostumbrara al agua, aunque ya notaba cómo lo iba llenando de vida. La chica esperó a que estuviera preparado y entonces le dio un cuenco lleno de pan y leche. Masticó lentamente, disfrutando de cada cucharada, del sabor y la textura en su boca, a pesar del dolor que sentía cada vez que un pedazo de pan se le quedaba atrapado entre los dientes y le arañaba las encías podridas.

—Me llamo Jack Quince —dijo, viendo que la chica estaba a punto de marcharse—. ¿Y tú?

—Nell —dijo, sonriéndole con una dulzura que le reconfortó—. Nos vemos, Jack.

Susan no daba crédito a lo que veían sus ojos. Estaban arrojando por la borda los cadáveres de hombres, mujeres y niños desde las cubiertas del *Neptune* y el *Scarborough*. Observó cómo los que apenas seguían vivos escapaban de la bodega a gatas, demasiado débiles para caminar, demasiado temerosos para hablar. Algunos fallecieron nada más salir a la luz del sol y otros se quedaron tumbados en la cubierta, esperando a que alguien los llevara a la orilla. Las marcas de los latigazos destacaban con claridad sobre la fina capa de piel bajo la que asomaban las costillas y la columna. En sus muñecas y tobillos se observaba un color blanco donde las esposas se les habían clavado hasta los huesos.

—¡Oh, Dios mío! —exclamó Susan, cuando la alcanzó el hedor.

Se tapó la boca y la nariz con el pañuelo.

—Dios no va a ayudar a ninguno de estos pobres desgraciados —dijo una voz tosca que conocía bien—. Vamos, Susan, tenemos mucho trabajo que hacer.

—Tienes razón —respondió ella en voz baja, intentando contener las náuseas—. Adelante.

Se arremangó y siguió a la chica de Billy hasta las tiendas de campaña que componían la enfermería provisional y el depósito de cadáveres.

El hedor se fue haciendo insoportable conforme fueron apilando a los muertos; serían enterrados en un foso profundo que algunos de los presidiarios ya habían empezado a cavar. Susan vio cómo otros ayudaban a los soldados a sacar a los hombres y mujeres de la bodega y corrió a auxiliar a quienes no podían caminar, y a dar agua a los moribundos. Billy lanzaba órdenes como un sargento mayor y, poco a poco, los hombres montaron más tiendas de campaña mientras un grupo de cazadores salía en busca de canguros y ualabis. Otros se encaminaron a ordeñar las vacas y las cabras para poder alimentar a los más pequeños.

En algún momento del día, Susan se enteró de que ya habían sacado las provisiones de los buques de abastecimiento y que las estaba vigilando un guardia armado. No estalló ni una pelea entre los colonos y los presidiarios. Solo se palpaba una sensación de muda desesperación entre los supervivientes de la Primera Flota, que intentaban salvar todas las vidas que podían de la Segunda.

Susan trabajó junto a los demás hasta bien entrada la noche. Se detuvieron solo una vez para rezar ante la fosa común que había ayudado a cavar su hermano. Se sentía a punto de sufrir un colapso, pues no había comido en todo el día y estaba exhausta tras soportar el calor del día y ayudar al médico en su terrible labor. Sin embargo, continuó de buen grado. Por fin tenía la impresión de que estaba haciendo algún bien.

Se movió entre los presidiarios, limpiándoles las heridas de gusanos y dándoles agua y comida. La rabia que sentía hacia los que habían cometido unos crímenes tan atroces contra hombres, mujeres y niños indefensos era tan grande que apenas podía contenerla. En su vida había visto tanta crueldad y degradación. Era como si Dios hubiese abandonado a aquellos que más necesitaban su ayuda.

Al rayar el alba, la enviaron a la tienda de las mujeres. Cuando entró, halló una escena igualmente espantosa. Las mujeres que habían viajado en el *Neptune* lo habían pasado igual de mal o peor que los hombres. Los marineros no habían tenido ninguna compasión con el sexo débil y todas se encontraban en los huesos, con los ojos hundidos y envejecidas antes de tiempo. A la mayoría de ellas, pensó, solo les quedaban unas pocas horas de vida.

Susan llenó una palangana de agua caliente de la cocina, cogió la última toalla limpia y se acercó al primer jergón de paja. Le costó calcular le edad de la mujer porque tenía el rostro del mismo color que el sebo y sus cabellos eran una mata enmarañada de mugre y piojos. Empezó a lavarle la cara y el cuello, fijándose en los moratones que cubrían sus brazos y costillas. No le cupo ninguna duda de que los golpes eran recientes porque todavía estaban negros.

La mujer no abrió los ojos cuando Susan la tumbó de costado para lavarle la espalda. Tampoco reaccionó cuando el agua entró en contacto con los verdugones que le había dejado el azote. Susan se mordió el labio. No iba a llorar, pero ¿qué demonios le habían hecho a esta pobre mujer?

Volvió a recostarla de espaldas y despojó su cuerpo consumido de los harapos roñosos e infestados de piojos. Los lanzó a un rincón donde se apilaba la ropa que iría directamente a la hoguera. Luego tapó a la mujer con una sábana limpia y almidonada, esperando que al menos sirviera para reconfortarla.

Estaba a punto de irse cuando notó los dedos delgados de la mujer en su muñeca.

—Gracias —susurró tan suavemente que Susan apenas la oyó entre el barullo que la rodeaba.

Contempló los ojos oscuros de la mujer y vio que centelleaban: no estaba dispuesta a rendirse a pesar de todo lo que le había pasado.

—Siento no poder hacer más —respondió Susan, cogiéndole una mano y apretándola.

—Ya es mucho —dijo, y una sonrisa apenas perceptible apareció en sus labios llagados—. Soy una de las afortunadas que vivirán para contarlo.

Susan la miró fijamente.

—¿Cuántos años tienes?

—Diecinueve —contestó la chica antes de parpadear un par de veces y quedarse profundamente dormida.

Permaneció contemplándola unos momentos más. La lástima que sentía en el corazón era tan intensa que temía que se le rompiera. La chica podría haber sido su propia hija. Solo tenía dos años más que Ernest. Remetió la sábana cuidadosamente bajo sus hombros y se alejó. Las otras también necesitaban ayuda, pero juró que volvería a ver a esa muchacha porque había algo en su espíritu que la había conmovido.

Billy había hecho cuanto Gilbert le había pedido y más. Se había encargado de las tiendas, había racionado los víveres del almacén, había organizado el grupo de cazadores y después se había dedicado a buscar material para las mujeres y los médicos, que habían trabajado sin parar todo el día y toda la noche. Ahora estaba sentado con Gilbert y Ezra en la orilla del río, compartiendo un dedo de ron mientras contemplaban la salida del sol. Ya no importaba que su posición social fuera incompatible. Los acontecimientos del día habían servido para difuminar las líneas divisorias. Ahora solo eran tres hombres agotados que intentaban asimilar lo que habían presenciado.

—Doscientos setenta y ocho muertos —masculló Gilbert—, y habrá más antes de que se acabe este nuevo día.

—Espero que los responsables no se queden sin castigo —dijo Ezra—. Pensaba que había garantías contra esta clase de atrocidades.

Gilbert tomó un sorbo de ron.

—Las hay cuando se encarga la Marina británica pero esta flota de presidiarios estaba en manos de una pandilla de corsarios. Debido a la ignorancia e ineficacia de los oficiales y la falta de una responsabilidad directa, una vez en alta mar, los presidiarios se hallaron a merced de los tripulantes. Y entre la poca o inexistente comunicación entre los encargados del bienestar de los presidiarios y el hecho de que los tripulantes eran hombres recién salidos de las tabernas y de los barrios bajos, el desastre estaba garantizado.

—Apuesto a que no detienen a nadie —gruñó Billy—. Los presidiarios importan poco a los gobiernos.

—Ahí es donde te equivocas, Billy —dijo Gilbert—. Pienso encargarme personalmente de que se lleve a cabo una investigación sobre el tratamiento que han recibido estos reos en cuanto los buques regresen a Inglaterra. Me aseguraré de que detengan a los capitanes y a los médicos por su desatención abominable hacia aquellos que estaban a su cuidado.

Billy permaneció con la vista clavada más allá del puerto, en mar abierto. No dudaba que Gilbert se encargara de hacer justicia porque era un hombre de palabra, pero sospechaba que nunca habría un juicio y que los responsables procurarían desaparecer antes de que los obligaran a presentarse ante los tribunales por sus delitos.

15

Cala de Sydney, noviembre de 1790

A Ezra le estaba costando escribir el sermón. Las palabras no acudían y sus pensamientos no le permitían concentrarse. Había desplazado la mesa y el áspero banco hasta la colina con vistas al agua. La brisa no paraba de remover las hojas de su Biblia y los papeles que reposaban sobre la mesa, como si quisiera recordarle su deber.

Tenía la mirada perdida en el mar y pensaba en Susan. Se había comportado de forma distante y cordial, por no decir desdeñosa con ella a pesar de la firmeza de carácter que había mostrado en los últimos dos años y medio de penuria. Había trabajado sin descanso para ayudar a los enfermos y moribundos, y aunque todos se vieron obligados a aguantar las terribles condiciones de esta nueva colonia, no había faltado ni una sola vez a sus responsabilidades. Se mordió el labio recordando la cantidad de veces que la había sorprendido mirándolo con esos ojos azules tan tristes. Había intentando por todos los medios que olvidara de una vez el pasado y ahora estaba hablando de la posibilidad de partir con sus hijos en el próximo buque.

Pese a su obstinada incapacidad de olvidar lo que había hecho, sabía que si ella lo abandonaba, se hundiría. ¿De qué servía predicar a los presidiarios sobre el amor, el perdón y lo sagrado del matrimonio y de la forma de vida cristiana cuando en su propia casa reinaba el caos? Él le era infiel a Dios y al mensaje que tenía que divulgar y su propia falta de carácter le impedía acercarse a ella. Debía encontrar la fuerza y el valor para empezar de nuevo, para tener fe y confiar otra vez en su esposa.

De repente, la voz de Gilbert interrumpió sus pensamientos y Ezra se sobresaltó.

—Tengo una noticia sorprendente, amigo mío.

El banco crujió y se estremeció cuando Gilbert se sentó al lado de su hermano y le mostró la carta.

La llegada de la Segunda Flota y los buques que la siguieron trajo consigo datos de la Revolución francesa y de la plena recuperación del rey Jorge. Pero lo que más ansiaban los colonos eran noticias de casa. Las cartas eran escudriñadas y atesoradas como si un pedacito de Inglaterra hubiese conseguido alcanzar el otro lado del mundo.

Ezra dejó la pluma y apoyó los brazos en la mesa, aliviado de apartar sus inquietudes de su mente, aunque solo fuera por un momento. Aparte del peso que había perdido, Gilbert apenas había cambiado: su bigote seguía siendo tan magnífico como siempre, y su forma de ser era igual de franca. Además, había demostrado una lealtad fraternal fuera de lo común en numerosas ocasiones a lo largo de los años y los hermanos se guardaban un profundo afecto mutuo.

—Veo que explotarás si no me la cuentas —dijo Ezra.

Gilbert se alisó el bigote con el dedo e intentó disimular su emoción:

—Ahora mismo estás en presencia del conde de Glamorgan.

Ezra lo miró boquiabierto.

—Eso quiere decir que James ha muerto.

—Me temo que sí —murmuró Gilbert—. Se ve que el pobre sufrió un ataque en medio de un discurso en la Cámara de los Lores. Cayó fulminado.

Gilbert no se caracterizaba precisamente por tener pelos en la lengua, pensó Ezra, aunque la verdad es que ninguno de los dos había tenido una buena relación con su hermano mayor. Siempre fue un imbécil pedante. No obstante, rechazó estos pensamientos tan poco cristianos en vista de lo ocurrido.

—Qué mal lo habrán pasado su esposa y sus hijas —dijo en voz baja—. Debe de haber sido un duro golpe para ellas.

—Por lo visto, no —replicó Gilbert, entregándole la carta—. Su esposa dice que hacía tiempo que se encontraba mal, pero que en lugar de hacer caso a los médicos, seguía ingiriendo esos vinos y esa comida tan pesada que tanto le gustaba. Las chicas están casadas y no les falta de nada y a Charlotte le quedan recursos económicos de sobra. Lo que pasa es que James solo tenía nietas así que el siguiente en la línea de sucesión soy yo.

A Ezra le resultaba imposible imaginar la vida sin su hermano después de los últimos años de intimidad y se desmoralizó.

—¿Tienes que volver a Inglaterra?

—En el siguiente buque —respondió Gilbert, mientras apretaba el brazo de su hermano—. Siento dejarte de esta manera pero no me queda más alternativa.

No era capaz de permanecer serio durante mucho tiempo y su enorme sonrisa delataba el entusiasmo pueril que todavía conservaba a sus cincuenta y tres años.

—Ann está que no cabe en sí —le confió—. Ya ha empezado a hacer planes para renovar la mole solariega y tener donde dar unas fiestas por todo lo alto. Menos mal que el condado es una ocupación bien remunerada porque si no, me llevaría a la quiebra en menos de un año.

Ezra sonrió.

—Es una mujer maravillosa —dijo—. Y ha sabido sacar lo mejor de ti, Gilbert.

Su hermano se atusó el bigote y se quedó mirando el agua, absorto en sus pensamientos.

—Susan también lo es —contestó, volviéndose para mirar a su hermano—. ¿No crees que se merece un trato más cálido, Ezra?

Por primera vez en su vida, hablaba sin alzar la voz.

Ahora le tocó a Ezra mirar hacia el mar porque aunque las palabras de Gilbert reflejaban sus propios pensamientos, aún se sentía incapaz de aliviar el dolor de su traición, un dolor que se le clavó de nuevo como un cuchillo en el corazón.

—Lo he intentado, pero cada vez que la miro, solo lo veo a él.

Parpadeó rápidamente para ocultar hasta qué punto se había apoderado de él la soledad.

—«Quien esté libre de pecado que tire la primera piedra.» Nadie es perfecto, Ezra.

—«Errar es humano, perdonar es divino» —dijo Ezra, mirando de nuevo a su hermano—. Supongo que ha llegado la hora de poner en práctica lo que predico, ¿verdad?

Gilbert asintió con la cabeza.

—No te arriesgues a perderla por culpa de tu orgullo y tu obstinación. Tu matrimonio vale mucho más que todo eso —suspiró—. Tus hijos ya son mayores, Ezra. Ernest se marchó hace tiempo, George acaba de seguirlo y Florence no tardará en casarse. Tú y Susan os vais a quedar solos. No dejes que el rencor destruya los últimos años que compartiréis juntos.

Apretó el hombro de Ezra, dio media vuelta y se fue.

Ezra observó cómo su hermano se alejaba en dirección al pueblo. Llevaba los hombros derechos, la cabeza bien alta y la columna recta. Por muchos años que pasaran, Gilbert siempre caminaría como un soldado. Ezra se alegraba de que le hubiese surgido la oportunidad de regresar a casa, pero echaría de menos su compañía, sus consejos ecuánimes, su franqueza y su amistad.

Miró una vez más al mar. Gilbert tenía razón. Había llegado la hora de olvidarse del pasado y empezar de nuevo, si Susan estaba de acuerdo. Recogió los papeles, puso la Biblia bajo el brazo y se encaminó hacia la iglesia. Necesitaba rezar para que lo orientaran en esta iniciativa tan importante.

Susan no tardó en darse cuenta de que Florence no miraba con buenos ojos la amistad que había florecido entre ella y la presidiaria, y de que le avergonzaba que Billy hubiese elegido como pareja a Nell. Su hija estaba llena de ira, algo comprensible teniendo en cuenta sus condiciones de vida, pero no justificaba la hostilidad que mostraba hacia su madre.

Intentó no darle demasiadas vueltas mientras caminaba hacia las tiendas de la enfermería con una manta sobre el brazo. Su trabajo con los presidiarios y su parentesco con Billy se habían convertido en un tema de conversación entre las esposas de los oficiales de su pequeña comunidad y a Florence quizá le preocupara que afectase a sus posibilidades de un buen enlace.

Pasó por delante del depósito del gobierno y saludó con la mano a Billy y a Nell, que estaban aprovechando unos minutos de intimidad junto a las tinas de lavar. Cuando se volvió, a unos metros de donde estaba, observó cómo la esposa de un oficial hacía un esfuerzo premeditado por no saludar a Florence. Al ver el rechazo de la mujer hacia su hija, Susan enfureció. Le parecía intolerable que la arrinconaran por sus vínculos familiares y por la compasión que Susan sentía hacia los presidiarios. Tendría que darle unos consejos a su hija para que lograra alzarse por encima de semejantes prejuicios.

Se apresuró para alcanzar a su hija.

—Florence, no le hagas caso —dijo, rodeándola con el brazo—. Es una pobre idiota que no tiene nada mejor que hacer que darse aires de importancia. No pierdas la dignidad y no muerdas el anzuelo.

—Necesito hablar contigo —respondió Florence bruscamente.

A Susan le dolió el odio que reconoció en la mirada de su hija.

—¿Qué te pasa, cariño? —preguntó, resistiendo su intento de alejarla de la enfermería—. Dime qué ocurre.

—Nosotros también te necesitamos en casa —dijo Florence, marcando sus palabras y con los ojos llenos de ira—. No debería tener que recordarte que tu obligación está con papá, no con los presidiarios.

—¿Cómo te atreves a hablarme de esta manera? —espetó Susan—. Si no puedes ser cortés, te agradecería que me dejaras trabajar tranquila.

—Será que prefieres la compañía de los presos a la de tu propia familia.

—En absoluto —suspiró—, pero tu padre y tú ya sois mayorcitos y sabéis cuidaros solos. Esta pobre gente me necesita.

Susan se quedó mirando a su hija sin poder pasar por alto el resentimiento en sus ojos, su boca estrecha y el rencor de su expresión. Había algo en su comportamiento que la inquietaba mucho. Se preguntó por un instante si había otra cosa que le hubiese provocado tanta hostilidad. Debía de haber algo más que el rechazo de la mujer y el trabajo de Susan con los presidiarios.

—Tienes que aprender a ser más compasiva, Florence —dijo Susan con tristeza—. Cada quien carga su cruz, hija, pero lo que determina nuestro camino en la vida es cómo la cargamos. —Florence frunció el ceño—. Es posible que no andemos sobrados de comodidades materiales, pero comparado con otros, somos ricos —añadió Susan—. ¿Por qué no pruebas a mostrar un poco de la amabilidad cristiana que tu padre y yo hemos intentado inculcarte, Florence?

—Porque no me da la gana —repuso—. Los presidiarios se lo han buscado. Son sucios, groseros, impíos y vagos. ¿Por qué tengo que mostrarles nada, salvo quizá el desprecio que se merecen?

Susan perdió la paciencia.

—Porque eres hija de tu padre y con cada palabra que pronuncias estás pisoteando sus creencias.

Agarró a su hija del brazo y, haciendo caso omiso de sus protestas, la obligó a entrar en la enfermería de las mujeres y la arrastró hasta la cama que se hallaba en uno de los rincones del fondo.

—Siéntate —le ordenó—. Y ni se te ocurra moverte hasta que yo te lo diga.

Florence la miró con el ceño fruncido y se cruzó de brazos, pero era evidente que le había impresionado la actitud inusitada de su madre porque acató su orden sin rechistar.

Susan se sentó en el borde de la cama y cogió la mano de la presidiaria.

—Te he traído una visita —susurró—. Te presento a mi hija. Te he hablado de ella, ¿recuerdas? Me gustaría que le contaras las circunstancias que te llevaron a estar en ese buque.

Cruzaron una mirada. Susan la animó con una sonrisa.

—No tengo ninguna gana de escucharla —masculló Florence—. Si tuviera que tragarme una cuarta parte de las historias que cuenta esta gente, acabaría creyendo que los buques de presidiarios solo llevan a personas inocentes.

Susan la miró con severidad.

—Ahora vas a escucharla —dijo sin alterarse—, y lo harás con cortesía.

Las dos se observaron desafiantes.

Susan se giró de nuevo hacia la chica.

—Sé lo mucho que te cuesta hablar de lo que te ha pasado pero me gustaría que lo hicieras por mí. Empieza por el principio. Así nadie podrá dudar de la veracidad de tu historia.

La chica agarró la mano de Susan, mirando nerviosa a madre e hija.

—Antes trabajaba de criada en una casa muy grande —empezó—. Me gustaba lo que hacía hasta que el amo vino a pasar unos días en la casa sin su esposa. —Se detuvo un momento antes de seguir—: Una noche se emborrachó y se aprovechó de mí. Yo estaba muy asustada, pero no podía decir a nadie lo que había pasado porque me hubiese dejado en la calle sin esperanzas de encontrar otro empleo.

Susan no soltó ni un momento la mano de la chica, que siguió desvelando los hechos que la habían conducido hasta allí. Florence la escuchaba impasible. Estaba resuelta a guardar las distancias.

—De verdad, madre —dijo—. ¿Cómo has podido dejarte engañar por una historia tan trillada?

—Lo único que te pido es que la escuches, Florence. Ahora lo entenderás todo —replicó Susan, apretando los dedos de la chica—. Sigue, por favor. Es importante que llegues hasta el final.

La chica se aferró con más fuerza todavía a su mano.

—Descubrí que estaba embarazada. No sabía qué hacer. No tenía adónde ir, ni a quién acudir. Conseguí ocultar mi estado durante algunos meses, pero entonces se enteró la cocinera y me despidió. —La voz de la presidiaria cobró fuerzas—: Le dije lo que había hecho el amo. Quería que supiera que yo no tenía la culpa —añadió, tirando de la sábana—. El hombre me dio dos guineas para que me callara y me despidió.

Susan se dio cuenta de que los ojos de Florence ya no estaban fijos en la lona sino en la chica de la cama.

—¿Y qué hiciste? —preguntó.

—Volví a casa, pero mi padre había muerto en la cantera y mi madrastra se negó a acogerme. Me robaron casi todo el dinero que tenía y nadie quiso darle empleo a una chica embarazada. Acabé viviendo en la calle, pidiendo restos y durmiendo en los portales. Podría haberme vendido, pero no quería perder la poca dignidad que me quedaba. —Los ojos castaños de la muchacha contemplaron a Florence sin pestañear—. Pero el orgullo no te llena el estómago cuando llevas días sin comer y tuve que robar comida. Un día me cogieron con una barra de pan y me metieron en la cárcel. Mi hija nació antes de tiempo y murió. La verdad es que me sentí agradecida: al menos no tendría que sufrir.

Susan vio que Florence estaba menos tensa y cuando finalmente se relajó, supo que había empezado a comprender. Incluso vio una chispa de compasión en su mirada y le entraron ganas de abrazarla. Pero la chica todavía no había terminado:

—Me metieron en el *Neptune* con las demás. Después de utilizarnos para desfogarse, los marineros nos pegaron y dejaron que nos muriéramos de hambre. En algún momento del viaje, tuvimos que atracar y los marineros invitaron a los hombres del buque de presidiarios a subir a bordo del *Neptune*. Lo que nos hicieron ellos fue todavía peor.

Cerró los ojos, las lágrimas le empaparon las pestañas y corrieron por sus pálidas mejillas.

Susan le acarició el pelo para consolarla.

—Ya ha acabado todo, cariño. Ahora estás segura. Solo tienes que centrarte en tu recuperación.

Observó a Florence, consciente de la pregunta que ardía en los labios de su hija.

Florence se inclinó hacia ella.

—¿Cómo te llamas? —preguntó, su voz apenas perceptible en el silencio.

La chica abrió los ojos.

—Millicent Parker.

Susan se dio cuenta de que la revelación de la chica había dejado anonadada a Florence, pero su actitud dejaba claro que no era el momento de tratar el tema. Caminaron a casa en silencio. Había sido muy dura con Florence pero le había dado una lección beneficiosa y esperaba que le sirviera de algo.

Se preguntó si alguna vez conseguiría acortar las distancias con ella. Su relación había empezado con mal pie: cuando nació, Susan aún estaba llorando la muerte del pequeño Thomas. Florence gritaba cada vez que intentaba abrazarla, se tensaba e intentaba apartarla. Parecía sentir que Susan no había querido tener otro hijo tan pronto. Quizá por eso se había refugiado de forma instintiva en los brazos de su padre.

Dejó de lado estos pensamientos sinuosos y turbulentos. Lo más probable es que nunca llegara a comprender qué había pasado entre ellas. Pensó en Millicent, otra chica con graves problemas que no tenía la culpa de lo que le había tocado vivir. Susan se había quedado estupefacta al enterarse de quién era y el papel que había jugado Jonathan en su perdición. El hombre al que había amado con tanta pasión las había traicionado a las dos.

Ezra las aguardaba en la puerta cuando llegaron a casa, pero esta vez apenas prestó atención al cálido saludo de Florence y la decepción descompuso el rostro de la pobre. De todos modos, era demasiado mayor para idolatrar de aquella manera a su padre. Ya era hora de que se buscase un marido.

Ezra dio un paso hacia adelante y extendió una mano.

—Susan —dijo en voz baja, pero con un tono de urgencia—. ¿Te apetece dar un paseo conmigo?

Ella dejó de desatarse las cintas de la gorra. Lo miraba fijamente, buscando en su rostro algún indicio de sus pensamientos. Ezra casi nunca buscaba su compañía y la invitación tan repentina la asustó.

—Iba a preparar la cena —respondió, con una vacilación nada propia de ella.

—Que se encargue Florence —contestó con la despreocupación

de un hombre que sabía que su hija haría cualquier cosa que le pidiera sin rechistar—. Quiero hablar contigo.

Susan volvió a atarse las cintas y le pasó una mano por el brazo.

—Parece serio —tanteó, tratando de restar importancia a su inquietud.

Se alejaron de la casa y descendieron la colina hasta la orilla del agua, pero Ezra permaneció en silencio. Pasaron por debajo de los eucaliptos, con sus hojas de color verde pálido y su corteza plateada que proporcionaban una sombra moteada. Susan miró la orilla y los juncos lozanos donde anidaban los cisnes negros y se pavoneaban los ibis blancos.

—Me encanta bajar aquí al final del día —dijo Ezra por fin.

—Es muy agradable —respondió Susan, completamente aturdida.

¿Iba a enviarla de nuevo a Inglaterra? ¿Había decidido que su matrimonio era una farsa? ¿O era un intento de reconciliación? Deseaba que fuera la última de las tres posibilidades. Llevaba tanto tiempo esperando que se arreglaran las cosas entre ellos...

Llegaron a un meandro desde donde ya no se veía la casa. A Susan le entraron ganas de volverse porque hubiese jurado que notaba los ojos de Florence observándolos. Se resistió al impulso e intentó simular que lo que estaban haciendo era un hábito normal y cotidiano, como si salir a dar un paseo con su marido al atardecer fuera algo que hacía con frecuencia. Qué bonito sería si fuera así, pensó con tristeza.

Lo miró de reojo, preguntándose por qué buscaba esta intimidad tan poco común. Se dio cuenta de que había envejecido. Sus negros cabellos ahora mostraban abundantes mechones canosos, tenía la nariz más encorvada y el rostro surcado de arrugas, sobre todo la zona de los ojos y la boca. Trabajaba demasiado duro y cuidaba demasiado a las personas a su cargo. Sin embargo, su forma de moverse mostraba la verdadera firmeza de su carácter y lo mucho que creía en su misión. ¿Cómo pudo haber dudado alguna vez del amor que sentía por él?

Erza se detuvo y la cogió de las manos.

—Susan, hay muchas cosas que quisiera decirte, pero antes debo comunicarte una noticia que quizá nos afecte a todos.

Tenía el semblante serio y sus palabras no auguraban nada bueno.

—¿Qué ocurre, mi amor? —preguntó con una parsimonia que ocultaba la confusión que sentía por dentro.

Ezra le habló de la muerte de su hermano y de la vuelta inminente de Gilbert a Inglaterra. Susan dio un suspiro de alivio mezclado con tristeza. Iba a echar de menos a Ann porque con el paso de los años, habían llegado a quererse como hermanas.

—Por otro lado, cuando llegamos aquí te prometí que mandaría a los niños a casa si así lo deseaban. Ha llegado el momento de cumplir esa promesa, Susan.

Así que no iba a haber una reconciliación. Se tragó su desilusión, retiró las manos de las de su marido y se abrazó la cintura.

—Los chicos son felices aquí, pero creo que Florence se adaptará mejor a la vida de Inglaterra. No ha conseguido integrarse y la vida en la colonia es muy dura para una chica joven. Al menos no es la que yo hubiese escogido para ella.

Ezra asintió con la cabeza con aire pensativo.

—Lo cierto es que Gilbert y Ann podrán ofrecerle un ambiente más apropiado y una mejor oportunidad de casarse bien. Ya hablaré con ella más tarde.

Volvió a cogerle las manos y las apretó con fuerza.

—¿Y tú, Susan? ¿Tú quieres volver a Inglaterra?

De repente le vino a la cabeza el paisaje de Cornualles: la lluvia suave, la hierba verde, las colinas onduladas, las playas amplias y los acantilados escarpados, los animales que no picaban ni mordían ni eran venenosos. Se imaginó la sensación de unas sábanas limpias, una cama blandita, una sociedad educada lejos de este asentamiento de presidiarios en el que los salvajes amenazaban con matarlos. Recordó las iglesias de piedra, los coros que cantaban a la luz de las velas en la misa vespertina, la paz absoluta que había sentido los domingos por la mañana rodeada de su familia.

Lo miró de nuevo, a punto de aceptar, pero vio algo en su semblante que le hizo dudar y se dio cuenta de que no iba a poder pronunciar las palabras que la liberarían de este lugar tan espantoso, no mientras hubiera alguna esperanza de salvar su matrimonio.

—Mi lugar siempre será a tu lado —susurró—. Estés donde estés.

Ezra la miró con sus ojos oscuros y le apretó las manos con más fuerza.

—Susan —empezó—, tengo que pedirte disculpas. —Negó con la cabeza cuando vio que Susan estaba a punto de interrumpirlo. Respiró hondo y prosiguió—: Por favor, déjame acabar. Mi falta de carácter me ha llevado a ser injusto contigo. He tratado de castigarte con una actitud distante cuando era evidente que no te lo merecías. —Cayó de rodillas con la mirada suplicante—: ¿Eres capaz de perdonar a este hombre débil y solitario que te adora? ¿Aceptarías volver a ser mi esposa?

Vio el amor y la esperanza reflejados en su rostro y se arrodilló delante de él. Entonces llevó las manos hasta su cara angustiada, buscó las profundidades de sus ojos oscuros con la mirada y le acarició las mejillas con los pulgares. Finalmente, se inclinó hacia él y lo besó en los labios, intentando expresar que lo amaba, que no había nada que perdonar, que siempre había sido su esposa y que no se alejaría de su lado hasta que la muerte los separara.

Un buen rato después, volvieron a casa cogidos del brazo. Florence estaba ocupada en la cocina preparando un estofado de canguro. Ya anochecía y el zumbido de los mosquitos llenaba el aire. Recibió con amargura el alegre saludo de su padre.

—Tu madre y yo hemos conseguido restablecer la armonía en nuestra relación y hemos querido que fueras la primera en saberlo.

—Felicidades —dijo Florence fríamente.

Susan se percató de su falta de entusiasmo y se quedó perpleja. Debería alegrarse de su reconciliación. Ezra continuó hablando, sin que su propia felicidad le permitiera percibir la tensión de su hija.

—También hemos decidido añadir dos o tres habitaciones a la casa y contratar una criada —comunicó, radiante de felicidad—. Pero tenemos otras noticias todavía más emocionantes. —Ezra abrazó a Susan y se miraron a los ojos sin dejar de sonreír antes de comunicarle a Florence las noticias de Gilbert—. Prometí a tu madre que en el caso de que alguno de los tres quisierais volver a casa, os daría mi consentimiento. Ha tardado más de lo que me había imaginado debido al retraso de la Segunda Flota y aunque estoy convencido de que los chicos querrán quedarse, pienso cumplir mi promesa. —Se calló momentáneamente antes de volverse de nuevo hacia ella—: Florence, querida, ¿quieres regresar a casa con Ann y Gilbert?

Susan observó las múltiples expresiones que se reflejaron en su rostro mientras trataba de digerir el impacto de la oferta de su padre. Los mismos recuerdos y ansias de su madre estarían inundándole la mente, pero ¿iba a aceptar? Se debatía entre su deseo de que su hija tuviera lo mejor en la vida y la certeza de que si se iba, lo más probable era que tuviera que despedirse de ella para siempre. Era una elección imposible.

Florence se levantó de la mesa y se acercó a su padre.

—Mi lugar siempre estará a tu lado —dijo, repitiendo inconscientemente las palabras de Susan.

Esta se quedó pasmada.

—¡Pero tendrías todas las ventajas de una vida con Ann y Gilbert! —exclamó—. Vivirías rodeada de lujos, te moverías en la más alta sociedad y podrías escoger entre los hombres más atractivos. —Le estaba costando contenerse, pero siguió—: Florence, tienes que pensártelo bien, hija.

—No tengo ningunas ganas de que me hagan desfilar en el mercado matrimonial como si fuera una cabeza de ganado de primera.

Susan la agarró de las manos, deseando que entrara en razón.

—Florence, nunca has soportado estar aquí. Ni se me ocurrió que fueras a dejar escapar la oportunidad de volver a casa.

Florence se apartó de su madre y se giró de nuevo hacia Ezra:

—Hace un año hubiera aceptado —dijo—, pero creo que llevaré una vida más provechosa si me quedo. —Calló durante unos instantes y sonrió—: He decidido dedicar mi vida a Dios, y ¿qué mejor lugar que aquí para llevar a cabo su obra?

—No digas tonterías —saltó Susan—. Eres demasiado joven para hacer una declaración tan dramática sin antes pensar detenidamente en cómo te va a afectar el futuro.

—En absoluto —replicó Florence—. Dios me ha hablado y me ha mostrado dónde me necesitan más.

Susan apenas creía lo que acababa de oír. Estaba a punto de protestar cuando su hija siguió:

—Hay que difundir su mensaje entre las almas impías y disolutas que viven en este lugar. Con tu ayuda, padre, me gustaría llevarlos a la Luz de su amor.

Susan se quedó estupefacta. No podía creerse que Florence hubiese rechazado la oportunidad de huir cuando había dejado claro a todo el mundo que detestaba la vida en la colonia. ¿Y desde cuándo este fervor apostólico tan repentino? Hasta el momento nunca le había interesado en absoluto.

Miró a Ezra, esperando que la orientara y deseando con toda su fuerza que su marido consiguiera disuadirla. Pero por la expresión de felicidad en su rostro, supo que la batalla ya estaba perdida.

CUARTA PARTE

Cambios de fortuna

16

Río Hawkesbury, febrero de 1791

El calor ondeaba sobre la tierra, difuminando el horizonte, anegando los árboles en una luz reluciente y cambiante. Los cisnes negros se deslizaban de forma majestuosa por las aguas del río Hawkesbury y el cotorreo de los loros de llamativos colores se veía interrumpido por los lúgubres graznidos de los cuervos y las carcajadas estridentes de los cucaburras.

Una brisa cálida susurraba entre los campos de trigo, que se mecía y rizaba como un mar dorado bajo el azul claro y deslumbrante del cielo. Ernest estaba trabajando al lado de su hermano de dieciséis años. Llevaban un buen rato guadañando el trigo y preparando gavillas. Los ojos le escocían del sudor que le chorreaba por la cara y le empapaba la camisa, tenía las manos encallecidas y la suciedad incrustada en las uñas, pero nunca se había sentido tan lleno de energía. No paraba de sonreír a George mientras recogían su primera cosecha. En contra de todos los pronósticos, habían logrado domar esta tierra salvaje e implacable y habían conseguido el éxito donde los demás habían fallado.

Llegaron al final del campo y descansaron a la sombra de la hilera de eucaliptos que quedaba en pie. Ernest relajó sus músculos entumecidos y se sacó la camisa sudada del pantalón, dejando que el faldón se agitara con la brisa. George lo copió. Ya no se atrevían a trabajar con el pecho al descubierto porque habían sufrido varias quemaduras del sol que los tuvieron postrados durante días. Los dos llevaban un sombrero de ala ancha, pantalones ligeros de lino y botas resistentes. Sus cabellos ya les llegaban por debajo del hombro.

Ernest puso cara de compungido. Ya podían despedirse de sus aspiraciones a convertirse en unos jóvenes elegantes de ciudad: ahora tenían más en común con los peones presidiarios de Port Jackson. Sin embargo, tenía que reconocer que la ropa era más práctica y fresca que la que habían traído de Inglaterra, y como vivían en las afueras de la civilización, a nadie le importaba si iban desaliñados.

En realidad, pensó, tomando un trago de agua fresca de una taza de hojalata, le gustaba no tener que afeitarse ni llevar aquellos rígidos cuellos y chaquetas ajustadas. Le daba una sensación de libertad que nunca había conocido en Cornualles. Cuando pensaba en su infancia, se acordaba sobre todo de las restricciones sociales y del aburrimiento soporífero de vivir en una comunidad tan pequeña. Después de tres años, Inglaterra y todo lo que había representado le parecía casi irreal y ahora le resultaba difícil imaginarse otra situación que no fuera la enormidad grandiosa de este país nuevo.

Miró distraídamente el terreno que habían despejado, maravillándose por lo que eran capaces de conseguir unos jóvenes de dieciséis y dieciocho años. La tierra era buena, fértil y prometedora. Un hombre podía ganarse un dineral aquí si estaba dispuesto a trabajar, y George, a pesar de su juventud, aguantaba tanto como su hermano mayor.

Al fin, Ernest se volvió y se dejó caer encima de la hierba áspera al lado de su hermano pequeño. Los delgados árboles proporcionaban una sombra agradable y la hierba le refrescaba la espalda. Se tendió con las manos en la nuca y las piernas cruzadas a la altura de los tobillos.

—Ahora mismo me comería un caballo —dijo Ernest, con un enorme bostezo.

George abrió la bolsa de lona.

—Aquí dentro están los restos del pato de ayer, pan y un jarro de cerveza fresca.

Repartió la comida entre los dos y comieron en silencio, mirando sus campos que se extendían hasta las montañas lejanas.

El gobernador había concedido terrenos a todos los hombres y mujeres libres. Como sus padres y su hermana no tenían ningún interés en cultivar los suyos, Ernest y George los habían unido a las tierras que ya habían labrado. Por cada cuarenta hectáreas que despejaban, recibirían cuarenta más. Aún debían cosechar tres campos, pero Ernest no se dejaba desanimar con facilidad y ya estaba planeando la arada de la próxima temporada.

—Ha llegado el momento de buscarme una esposa —dijo, haciendo una mueca de asco por la acidez de la cerveza—. Al menos me alimentaría como Dios manda.

George se rio.

—Dudo que encuentres una mujer que te aguante —dijo alegremente—. Además, solo una loca estaría dispuesta a venir a vivir contigo en esa chabola que tú llamas casa.

Miraron hacia el otro lado del campo a la choza de madera que había construido Ernest después de que le asignaran el terreno. A diferencia de la magnífica casa del gobernador que habían levantado en cuestión de semanas con sus ventanas acristaladas y sus puertas de roble traídas en barco desde Inglaterra, Ernest se había fabricado una casa con la madera de los árboles nativos. La chimenea estaba hecha de grandes piedras que habían sacado de la tierra y una vieja vela de lona les servía de techo. El suelo era de fango. La choza consistía en una única habitación sin ventanas. En la entrada colgaba un pedazo de arpillera a modo de puerta. Las camas eran de madera y lona, y había un par de sillas y una mesa tosca de madera cuyas patas tenían diferentes medidas.

—Tienes razón —dijo Ernest—. Tendremos que mejorarla y le pediremos a mamá que nos enseñe a cocinar. Igual pasan años antes de que alguno de los dos encuentre una mujer dispuesta a vivir aquí. —Se levantó y se sacudió el polvo de la ropa—. Vamos. Cuando acabemos este campo de aquí caminaremos por el río para ver qué hacemos con los nuevos terrenos de allá abajo.

Trabajaron en silencio sin levantar la cabeza hasta que no quedó ni una espiga por cosechar. Antes de marchar, se detuvieron a admirar las gavillas que resplandecían a la luz dorada del atardecer.

Ernest se quitó el sombrero para secarse la frente. Tenía los cabellos sudados y pegados a la cabeza.

—Una buena jornada —comentó en voz baja.

—No está mal —respondió George—. Mejor que jugar al cróquet con una pandilla de niñas tontas que no paran de reírse.

—Pues no sé qué decirte —replicó Ernest, pensativo—. A mí no se me daba nada mal el cróquet.

George le dio un codazo en las costillas.

—Lo que no se te daba nada mal era abrazar a las chicas y susurrarles al oído —dijo, mofándose de su hermano—. Venga, te echo una carrera hasta el agua.

Ernest lo siguió y se lanzaron al agua fresca del río caudaloso, gritando y chapoteando, olvidándose del cansancio y dejándose llevar por la alegría de haber conseguido una cosecha tan buena gracias a su incansable perseverancia. Se liberaron de la capa de sudor y suciedad que los cubría antes de ir a descansar en las aguas menos profundas, sus espaldas musculosas y sus brazos fuertes resplandecientes a la luz de la tarde. Finalmente salieron del agua y caminaron río abajo para examinar la parcela que les habían regalado Gilbert y Ann.

Era un terreno bueno y fértil, igual que todas las tierras que se extendían a cada lado del imponente río. Estaba poblado de árboles, así que tendrían que trabajar duro para prepararlo, pero la promesa de una buena cosecha o de unas magníficas tierras de pastoreo les animaba a hacer el esfuerzo que hiciera falta.

—Todavía no hemos pensado en un nombre para este sitio —dijo Ernest.

—Ya —respondió George, metiendo las manos en los bolsillos—. Supongo que deberíamos bautizarlo de alguna manera. ¿Qué se te ocurre?

—Había pensado en llamarlo Mousehole, pero casi nadie sabe pronunciarlo como los de Cornualles, así que no le veo el sentido —contestó, y calló durante unos instantes mientras seguían caminando—. ¿Qué te parece Hawks Head Farm?

George asintió con la cabeza, sus cabellos oscuros lanzando unos destellos azulados a la luz del sol.

—Me gusta. Pero no tiene nada que ver con Cornualles.

—Sí, pero Cornualles ahora parece otra vida, ¿no crees? Nos hemos adaptado a la de aquí y como estamos al lado del río Hawkesbury, me ha parecido un nombre apropiado.

—Pues Hawks Head Farm será. Mañana haré un letrero.

Siguieron caminando por el río, al tiempo que medían en pasos la longitud del terreno que pronto sería suyo.

—Es una lástima que no podamos contar con la ayuda de los presidiarios —dijo George—. Acabaríamos el trabajo en la mitad del tiempo.

—Es verdad. Deberían aprender a trabajar las tierras. Seguro que no seríamos los únicos dispuestos a pagarles un sueldo.

—Habría que tomar medidas —añadió George, mirando las hectáreas de matorrales y la maraña de árboles que pronto tendrían que desbrozar—. La colonia no para de crecer y la comida no alcanza para todos.

Era un dilema que se discutía con frecuencia, pero no iban a encontrar una solución hasta que cambiaran radicalmente las leyes de la colonia. Pasaron a hablar de los planes para el día siguiente.

De repente callaron, inmóviles.

—¿Qué ha sido eso?

Ernest escuchó, atento a cualquier peligro. Los integrantes de las tribus Cadigal y Eora no les habían causado ningún problema hasta el momento, pero eran conscientes de que los observaban y los seguían. Además, a medida que los colonos se habían ido extendiendo cada vez más hacia el interior y por la costa, les habían llegado historias de otros granjeros que habían sido alanceados. Seguramente solo era cuestión de tiempo antes de que se encontraran en una situación semejante y Ernest se maldijo por no haber pensado en coger los rifles de la choza.

George hizo un gesto con la cabeza, mirando hacia el equipo de pesca primitivo y las piraguas. Luego se fijó en algo que se movía en la hierba, cerca de la orilla.

—Allá —dijo, vocalizando para que Ernest leyera sus labios y señalando con el dedo.

Se acercaron despacio al lugar hasta que consiguieron ver lo que se escondía en la alta hierba.

La chica era negra como la noche e iba desnuda por completo. Ernest calculó que debía de tener unos dieciséis años. Estaba tumbada en la hierba, intentando ocultarse como podía. Cuando vio que se acercaban, rompió a llorar y emitió un lamento estremecedor, suplicándoles con los ojos que no le hicieran daño.

—Yo diría que ha tenido la viruela —murmuró Ernest, fijándose en las rodillas y codos hinchados de la chica, las manchas en su piel y la debilidad de sus movimientos—. Eso explicaría por qué no ha salido corriendo cuando nos ha oído. La pobre está muerta de miedo.

—Pero no está sola —observó George—. He visto dos piraguas allá abajo al lado del equipo de pescar. Tenemos que ir con cuidado.

Miró a su alrededor con recelo.

—Tampoco podemos dejarla aquí —respondió Ernest—. Le duele todo y ahora no puede valerse por sí misma. Los amigos que salieron con ella a pescar ya estarán a kilómetros de distancia.

Se agachó a su lado y la chica se estremeció cuando levantó la mano para reconfortarla. Era delgada y la hinchazón en sus extremidades acentuaba todavía más su fragilidad.

—No tengas miedo —susurró Ernest, como si estuviera hablando con una niña pequeña—. Nadie va a hacerte daño.

Sus ojos de color ámbar brillaban llorosos y la chica se acurrucó, haciendo un ovillo como un animal acorralado.

Ernest se quitó la camisa. Ya estaba seca después del chapuzón que se habían dado en el río y era lo único que tenía que pudiera proporcionarle calor, ahora que el sol estaba a punto de desaparecer detrás de las colinas.

—Deberíamos llevarla a casa —dijo en voz baja—, pero solo conseguiríamos asustarla todavía más.

—*Baa-do* —gimoteó la joven—. *Baa-do.*

—¿Qué dice?

—No tengo ni idea —respondió Ernest—, pero tenemos que encender una hoguera para preparar el pescado que ha cogido y evitar que pase frío.

George corrió hasta la choza y volvió rápidamente con los rifles, una brazada de leña y una caja metálica repleta de yesca. Ernest ya había excavado un hoyo para la hoguera y lo había rodeado con algunas piedras que encontró en la orilla del río. George golpeó el pedernal contra la caja. La chispa se convirtió en una llama que empezó a devorar poco a poco las astillas secas. Ensartó el pescado en un largo palo y lo colocó encima de las llamas.

Mientras George se encargaba del pescado, Ernest siguió consolando a la chica, intentando tranquilizarla. Poco a poco, empezó a relajarse.

—*Baa-do* —susurró de nuevo—. *Baa-do.*

Ernest la miró perplejo y con el ceño fruncido. Finalmente, la chica sacó la lengua y se lamió los labios cortados.

De repente comprendió y se levantó de un brinco. Fue corriendo al río, se quitó el sombrero y lo llenó de agua. Volvió al lado de la chica y la ayudó a incorporarse. Bebió con avidez.

—Agua —dijo Ernest.

La chica esbozó una sonrisa apenas perceptible.

—*Baa-do* —dijo—. Aua.

Ya había oscurecido del todo cuando terminaron de cenar. Los hermanos recogieron más astillas y se las dejaron cerca para que pudiera reavivar el fuego durante la noche. También llenaron una cazuela de agua fresca para que no pasara sed. Finalmente se despidieron de la muchacha ladeando el sombrero y se dirigieron a casa.

Lowitja salió de entre los matorrales. Había observado desde los árboles a los dos jóvenes que se habían acercado a su hija, lista para atacarles con la lanza si le hacían daño. No les había quitado ojo de encima mientras le daban de comer y beber. Al final, se había dado cuenta de que eran tan amables como la mujer que vivía en el campamento mayor. No había nada que temer.

Esperó a que saliera la luna y entonces llevó a su hija a la canoa que había dejado en la orilla. Una vez instalada, se acercó al extraño refugio donde dormían los jóvenes. Dejó la camisa en el suelo con unas herramientas para pescar y una bolsa grande hecha de juncos en la que había tres peces más. Cuando se despertaran y encontraran el regalo, sabrían que su amabilidad hacia su hija había sido aceptada como prueba de amistad.

Port Jackson, abril de 1791

A Billy le satisfacía enormemente saber que a su archienemigo, Arthur Mullins, le hubieran denegado el permiso para volver a Inglaterra. Seguía intimidando a todo el mundo con la misma brutalidad alimentada por las cantidades industriales de ron que ingería, pero estaba tan atrapado aquí como los presidiarios que tanto despreciaba y a Billy le alegraba el corazón saber que Mullins era profundamente infeliz. Sus abusos y el placer retorcido que sentía cada vez que alzaba el látigo lo había convertido en una de las personas más odiadas entre los presidiarios y a Billy le sorprendía que, a estas alturas, nadie lo hubiese liquidado.

Pasaba una hora desde el amanecer y se dirigía por el camino de tierra al almacén. Vio a Mullins, que había ido a reunir a los presidiarios que formaban su grupo de trabajo. Abrió con la llave la puerta del almacén y se volvió en la entrada. Mullins lo estaba observando con una mirada somnolienta llena de odio. Billy le sonrió y le ladeó el sombrero, sabiendo lo mucho que le contrariaba su posición en la colonia y el hecho de que ya no pudiera ponerle la mano encima ahora que recibía órdenes del gobernador.

Cuando lo oyó entrar, el vigilante se levantó de la pila de paja y vino a saludarlo; Billy tomó nota mentalmente de buscar un sustituto para el turno de noche. No le salía a cuenta tener un vigilante que se dormía a la primera de cambio y tampoco tenía ninguna intención de abandonar los brazos dulces y acogedores de Nell para pasar la noche en vela a solas.

Echó un vistazo por el almacén y aspiró el aroma delicioso y polvoriento del té y los cereales. El almacén estaba bien provisto gracias a las primeras cosechas. Además, la llegada de los balleneros y buques mercantes había aumentado las reservas tan necesarias de aceite y queroseno, lino, jabón, ron y cuero para zapatos.

Billy admiró los sacos, los cajones de embalaje y los barriles y luego recorrió las paredes macizas y el techo de hojalata. Había insistido en que derribaran el viejo almacén. Estaba tan ruinoso que no hubiese resistido ni a un ratón. Él mismo había supervisado la construcción del nuevo, dando instrucciones estrictas sobre cómo quería que fuera. Estaba contento con el resultado, pero no por eso podía omitir llevar a cabo el ritual de cada mañana.

Los bicharracos, fueran animales o humanos, siempre encontraban la forma de mermar las provisiones y aunque había tendido varias trampas para atrapar a los possums y las ratas, también tenía que comprobar que nadie hubiese intentado hacer un agujero en las paredes de madera o cavar otro para pasar por debajo de ellas. Se sabía todos los trucos y cada mañana comprobaba todos los artículos en el inventario mientras se paseaba por su reino. Los vigilantes eran sensibles a los sobornos y a veces hacían la vista gorda, pero también tenían las manos largas y más de una vez había descubierto que los barriles de ron estaban llenos de agua o que los sacos de harina contenían tierra. No se fiaba de nadie.

Una vez satisfecho, se preparó una taza de té en el hornillo, comió las galletas que Nell le había preparado la noche anterior y repasó lo que iba a necesitar para la avalancha de la mañana. Tenía una cita con el nuevo director de las granjas del Estado y estaba deseando conocerlo. Igual que Billy, Jack Quince era presidiario y había sobrevivido a la degradación incalificable a bordo del *Surprise*. A decir de todos, era un granjero auténtico con unos conocimientos de bestias y cultivos que superaban los de la mayoría de los colonos, aunque a Ernie y a George les estaba yendo de maravilla al lado del Hawkesbury, pues, a pesar de su juventud, su finca se había convertido en un ejemplo.

Se instaló cómodamente detrás del mostrador desde donde veía a la perfección lo que pasaba en la calle y abrió su libreta roja. Los cocineros necesitarían harina, las lavanderas querrían jabón y los tejedores vendrían a pedirle lino. Más tarde aparecería el zapatero, que se llevaría cuero y clavos, y luego los cabezas de los grupos de trabajo, que siempre venían a buscar herramientas. Por último, no iban a faltar las esposas de los oficiales que se hubieran quedado sin agujas e hilo. Cada artículo tenía que quedar anotado en la libreta con una firma al lado. Aunque Billy había aprendido a escribir por su cuenta y su letra asemejaba el rastro de una araña sobre el papel, le satisfacía infinitamente saber que no importaba cómo escribiera, siempre y cuando sus listas fueran legibles y las cuentas cuadrasen.

Billy estaba apuntando cuidadosamente el número de delantales que se habían llevado las mujeres de los telares cuando oyó la voz de Mullins en la calle. Dejó el libro de cuentas y se acercó a la puerta.

La víctima de Mullins era un hombre flaco de estatura mediana, castaño con un mechón blanco justo encima de la frente. Llevaba puesto el uniforme de los presidiarios que consistía en unos pantalones holgados de lino y una camisa, que solo conseguían acentuar su delgadez. Estaba apoyado en un bastón mirando a Mullins, que le gritaba a la cara. El hombre ni se inmutó. Más bien parecía una mula paciente, esperando que el otro terminara de una vez.

Fuera quien fuese el presidiario, Billy no pudo menos que admirarlo: pocos hubiesen sobrevivido al aliento podrido de Mullins sin reaccionar, por no decir sin caer redondos al suelo. Se apoyó en la jamba de la puerta con las manos en los bolsillos, disfrutando del espectáculo.

A su alrededor se había congregado una multitud e incluso algunos de los nativos habían salido de las sombras para ver qué pasaba. Ellos también odiaban a Mullins dado que había raptado a una de sus chicas y la había tenido atada a la cama durante varios días hasta que se enteraron las autoridades y fueron a rescatarla.

Billy dejó de sonreír cuando vio el empujón que Mullins le dio en el pecho. El hombre era más robusto de lo que parecía porque en un momento recobró el equilibrio. Mullins volvió a empujarlo, esta vez con más fuerza, y el hombre tropezó.

Billy se sacó las manos de los bolsillos y salió a la calle.

Mullins esperó a que el hombre hubiera recobrado el equilibrio una vez más y dio una patada al bastón, que cayó al suelo.

El menor de los Penhalligan se acercó a ellos con los puños cerrados, sin poder contener las ganas de hacer papilla el rostro alcoholizado de ese cerdo.

El hombre tropezó cuando intentó volcar todo su peso a su pierna buena. Mullins le lanzó otra patada, y esta vez su pesada bota chocó contra la espinilla de su víctima. El hombre gritó y cayó al suelo.

Mullins dio tres pasos hacia atrás y miró fijamente a su blanco, pero antes de que pudiera levantar de nuevo la pierna, Billy corrió hacia él. Alcanzó a Mullins con un gancho de derecha muy gratificante. El hombre se balanceó, perplejo, y después se desplomó en el suelo como un árbol talado.

Los espectadores dieron unos gritos de aprobación y Billy estuvo a punto de saludar. Se apartó de Mullins y ayudó al presidiario a levantarse. Le sorprendió ver que era bastante más joven de lo que se hubiera imaginado. Le devolvió el bastón.

—¿Te has hecho daño? —le preguntó.

El hombre negó con la cabeza.

—Se me pasará en cuanto recobre el aliento —dijo, ofreciéndole una sonrisa lánguida y extendiéndole la mano—. Me llamo Jack Quince. Gracias.

—Billy Penhalligan. Te estaba esperando.

Se dieron un apretón de manos y Jack lanzó una mirada preocupada a Mullins, que seguía despatarrado en el suelo, rodeado por la pequeña multitud que no paraba de insultarlo y empujarlo.

—No te preocupes por él —dijo Billy, frotándose los nudillos—. Llevo años deseando que llegara este momento y dudo que haya un solo hombre que no me lo agradezca.

Los dos se rieron.

—Bueno, Jack Quince. Tengo un traguito de ron en el almacén y sería una lástima dejar que se echase a perder.

Pasaron la mañana conociéndose más a fondo y Billy no tardó en descubrir que el hombre de Sussex y él tenían mucho en común. Los dos tenían treinta y cuatro años y compartían el mismo sentido de humor e ingenio. También poseían la resolución tenaz de sacar el mayor provecho posible de su situación hasta que recibieran el indulto y volvieran a ser libres. Sus vínculos con Inglaterra habían sido cercenados para siempre, pero los dos sabían que este podía ser un país de grandes posibilidades para los que estaban dispuestos a ser valientes y a trabajar duro. Con la capacidad de organización de Billy y los conocimientos agronómicos de Jack, si se les dejara, podrían tener la mejor granja de toda la colonia.

Al final de la mañana sabían que acababan de forjar una amistad que duraría toda la vida.

17

Port Jackson, septiembre de 1791

Gilbert había convocado a Billy y a Jack a su despacho y, tras oír los rumores de su inminente partida, ambos se preguntaban qué querría decirles.

—¿Quién ocupará el puesto de auditor de guerra? —preguntó Jack.

Iba cojeando por la carretera ancha y polvorienta, sorteando los carros tirados por bueyes, los excrementos de caballo y los aborígenes borrachos que yacían boca arriba en el suelo allá donde habían caído. Jack todavía estaba muy delgado y el bastón formaba parte integrante de su persona.

Billy metió las manos en los bolsillos del pantalón y aflojó el paso para ajustarse al ritmo su amigo. Jack todavía no se había recuperado del todo de su experiencia en el *Surprise* y aún le costaba realizar cualquier esfuerzo prolongado.

—No lo sé, pero me temo que se nos acabarán las raciones de más y la posibilidad de dormir en una tienda apartada del resto de los presidiarios —dijo riéndose—. Pero siendo los únicos que saben llevar las previsiones y las granjas del gobierno de forma eficaz, seguro que nos las arreglamos.

—Voy a echarlo de menos —murmuró Jack, pasando la mano por el mechón blanco de sus cabellos.

Billy se lo estaba tomando con filosofía:

—Yo también, pero tenemos que sacar el mayor partido posible de esta situación.

Los recibió un oficial subalterno y los acompañó al despacho de Gilbert, que estaba sentado delante de su enorme escritorio. Cuando lo vieron, se les cayó el ánimo al suelo. Gilbert les lanzó un vistazo feroz por encima de las gafas. Los dos amigos intercambiaron una mirada. No se les ocurría qué podían haber hecho para ofenderlo de aquella manera.

—Supongo que ya os habrán llegado los rumores. Es imposible mantener algo en secreto en un sitio como este —dijo, reclinándose en la silla. —Se quitó las gafas y las limpió con un pañuelo. No esperó una respuesta—. Hubiera partido hace tiempo si mi sustituto hubiese llegado según lo previsto, pero tal y como está el asunto, estoy obligado a permanecer aquí hasta el final del mes —continuó, alzando el tono de voz—. Y antes de marcharme, tengo que tomar algunas decisiones muy importantes.

Los escudriñó por debajo de sus cejas pobladas.

Billy percibió la tensión en Jack y oyó cómo arrastraba las botas por el suelo para aliviar el dolor en su débil cadera.

—Me entristece que tengáis que partir, señor —dijo rápidamente—. Y a Jack también. Habéis sido muy bueno con nosotros.

—Mmm. Puede ser —respondió, mientras clavaba su mirada penetrante en Jack, que estaba apoyando todo su peso en el bastón—. Jack Quince, fuisteis declarado culpable de robar el uso de un toro y condenado a quince años de trabajos forzados.

Jack aspiró bruscamente y se puso todavía más pálido de lo habitual. Ahora no sería capaz de despedirlos de sus trabajos.

Gilbert continuó:

—He leído los detalles del juicio con inquietud y he observado la contribución que vos habéis aportado a la colonia desde vuestra llegada. Vuestros conocimientos agrícolas han resultado ser inestimables y vuestro comportamiento ha sido admirable. —Calló durante unos segundos, consciente de su protagonismo—. Por lo tanto, os concedo el indulto condicional además de una parcela de doce hectáreas en Parramatta.

Jack se meció y estuvo a punto de desmayarse de la emoción. El bastón cayó desatendido al suelo.

—¿Eso quiere decir que soy libre? —preguntó.

—No del todo —respondió Gilbert—. Debéis permanecer en la colonia hasta que hayáis completado los quince años de la condena original, pero sois libre de trabajar vuestras tierras y de contratar a terceros para que os ayuden, a condición de que vendáis cualquier excedente de vuestras cosechas y provisiones a los almacenes del gobierno.

Jack se dejó caer en una silla con el rostro entre las manos. Susurró unas palabras de agradecimiento mientras intentaba recobrar la compostura.

Billy estaba eufórico. Apenas podía permanecer quieto mientras esperaba ansioso que Gilbert le comunicara qué le iba a deparar el futuro.

—William Penhalligan —dijo con firmeza—, tú eres un auténtico granuja. —Cuando vio la expresión asustada de Billy, Gilbert no pudo evitar una sonrisa y le habló con afecto—: No obstante, has demostrado ser un almacenista fiable y voluntarioso. No me equivoqué cuando contraté un ladrón para atrapar a los demás, como tan acertadamente dijiste hace cinco años. Ahora también te concedo el indulto condicional y una parcela de doce hectáreas en Parramatta.

Billy sonrió de oreja a oreja y le dio las gracias, abrumado por la posibilidad que se le presentaba por fin de mostrar su valía. Agarró a Jack y, levantándolo de la silla, lo aplastó contra el pecho y lo estrechó fuertemente entre los brazos.

—Lo hemos conseguido, Jack. Ahora podemos hacer todas las cosas que hemos planeado.

El rostro pálido de Jack se inundó de color.

—Tendremos la mejor granja de toda Australia —aseguró—. Y ahora puedo escribir a Alice.

Billy de repente se quedó serio. Las palabras de Jack le recordaron que había olvidado algo importante. Se volvió hacia Gilbert:

—Tengo una mujer, señor —balbuceó—, y un hijo en camino. ¿Hay alguna posibilidad de concederle el indulto a ella también?

Gilbert frunció los labios y se atusó el bigote.

—Aah —entonó—. La encantadora Nell Appleby.

Hojeó sus documentos y permaneció callado y con el ceño fruncido mientras estudiaba el expediente de Nell.

A Billy le estaba matando la incertidumbre. Intentó descifrar la expresión de Gilbert para averiguar algún indicio de sus pensamientos, pero el viejo soldado siguió revolviendo sus papeles. Billy estaba a punto de explotar cuando finalmente habló:

—Vuestro hijo, por supuesto, será un ciudadano libre, pero a Nell todavía le quedan dos años. Como no puedo considerarla una persona a tu cargo, no puedo concederle el indulto. Los presidiarios no me dejarán vivir si se enteran de que he tratado con favoritismo tu solicitud. Y Nell no es que sea una mujer discreta, ¿verdad?

La euforia de Billy se atenuó cuando pensó en una nueva vida sin Nell, cuyo calor y sensualidad habían conseguido ahuyentar su soledad, y cuya capacidad de reírse en tiempos difíciles y energía inagotable lo habían ayudado a reafirmar su propia pasión por la vida. Miró a Gilbert, mudo y desesperado.

Los ojos de este brillaban con socarronería.

—Claro que si te casaras con ella...

Billy necesitó unos momentos para digerir sus palabras. Se llevaba bien con Nell y suponía que la amaba a su manera despreocupada de hacer las cosas, pero nunca se le había pasado por la cabeza que pudieran casarse. Nunca habían hablado del tema, ni siquiera cuando Nell le había dicho que estaba embarazada.

Gilbert tosió con discreción y Billy se dio cuenta de que estaba aguardando una respuesta. Carraspeó y se secó las manos sudorosas en los pantalones. Tenía que tomar una decisión, y no quería perder a Nell y al hijo que esperaban...

—Me encantaría casarme con ella —dijo con más brío del que realmente sentía.

Gilbert se reclinó en la silla, con los ojos risueños.

—Estoy seguro de que a mi hermano le llenará de satisfacción poder oficiar la ceremonia. Cuando estéis casados, redactaré los documentos necesarios para concederle el indulto condicional.

Se levantó y dio la vuelta al escritorio para estrechar las manos de ambos hombres y entregarles sus preciados documentos.

—Buena suerte para los dos —concluyó calurosamente—. Un día, Australia será una gran colonia y los hombres como vosotros serán los que prepararán el terreno para las generaciones posteriores. Id con Dios.

Nell estaba tejiendo lino cuando Billy irrumpió en el enorme granero gritando su nombre por encima del estrépito de los telares. Se apartó el pelo de los ojos y rio aliviada. Algo bueno debía de haber pasado en la reunión que tanto había estado temiendo. Haciendo caso omiso a la encargada, una mujer severa de lengua mordaz, dejó caer el palo partido que sujetaba el lino crudo y corrió hacia él.

—¿Qué pasa, Billy?

La agarró por la cintura, la giró, haciendo que se le levantara la falda, y la besó hasta dejarla sin aliento.

—¿Quieres casarte conmigo, Nell? —rugió.

Todas dejaron de trabajar y el granero quedó en silencio mientras las mujeres esperaban la respuesta. Eran palabras que Nell nunca creyó que fuera a oír y su alegría amenazaba con hacerle llorar, algo a lo que no estaba para nada acostumbrada.

—¡Sí! —chilló—. ¡Sí, Billy! ¡Sí!

Lo abrazó con tanta fuerza que estuvieron a punto de caer al suelo.

—Los hombres no tienen permiso para entrar en el granero de las mujeres —dijo una voz fría detrás de ellos—. Vuestro comportamiento es completamente impropio y voy a tener que denunciaros.

Nell estuvo a punto de protestar con rotundidad cuando Billy se interpuso.

—Acaban de concederme el indulto condicional y ya no tengo que obedecer vuestras reglas —replicó sereno—. Una vez estemos casados, Nell estará en la misma situación que yo, así que os sugiero que volváis al trabajo y dejéis de entrometeros en la vida de los demás.

Se oyeron gritos y aplausos de todas las presidiarias mientras la mujer seguía mirando a Billy y Nell con recelo. Finalmente se irguió, levantó la barbilla, dio media vuelta y regresó a su mesa desde donde intentó, sin demasiado éxito, restablecer el orden.

—La has dejado pasmada —dijo Nell, echando la cabeza hacia atrás. Miró otra vez a Billy, sin apenas atreverse a creer que lo que decía era verdad—. Repítemelo todo —pidió, entre el ruido de los telares y las voces de las mujeres que hablaban de los acontecimientos de la mañana.

Billy la acompañó fuera y le contó lo que había hecho Gilbert. Cuando por fin consiguió creer que no era un sueño, dio un paso hacia él y lo abrazó, sabiendo que por fin había llegado a casa.

Susan y Ezra se alegraron mucho de la noticia y se negaron a permitir que Florence estropeara la celebración con sus comentarios despectivos acerca de la falta de linaje y el estado de la novia.

Billy se vistió con un traje que le dejó Ezra. No le quedaba mal salvo que le iba un poco estrecho de hombros y estaba gastado. Jack consiguió reunir suficientes prendas para crear un conjunto apto para el padrino de boda. Se negaban rotundamente a llevar el uniforme de los presidiarios a la ceremonia.

Susan solo tenía un día para ajustar su vestido más elegante al formidable pecho de Nell, pero trabajó toda la noche e incluso le sobró tiempo para adornar su gorra del domingo con algunas cintas a juego. Millicent Parker, que se había instalado en la nueva extensión de la casa, preparó un pastel enorme para la ocasión.

La ceremonia tuvo lugar a primera hora de la mañana. Vestida con la ropa de otra mujer y con un ramo de flores de acacia de color amarillo chillón, Nell se plantó con orgullo al lado de Billy. Después de realizar los votos, Ezra los declaró marido y mujer.

Susan y Millicent se echaron a llorar, Ezra y Jack sonrieron felices y Florence pasó toda la ceremonia con el ceño fruncido. Gilbert pronunció un discurso, sonriente y orgulloso del papel que él había desempeñado en las celebraciones del día. Declaró que formaban una pareja de bandera y que confiaba plenamente en que juntos les esperaba un futuro prometedor.

Después de una merienda magnífica, Susan se abrazó a Ezra y todos se reunieron en el césped donde los recién casados se preparaban para marcharse. Billy había conseguido demostrar quién era y ahora estaba a punto de emprender el viaje más importante de su vida. Susan decidió escribir una larga carta a su madre para que pudiera compartir la alegría de la ocasión y para que supiera que su hijo había hecho borrón y cuenta nueva.

Con sus indultos condicionales cuidadosamente guardados entre sus escasas pertenencias, Nell, Billy y Jack se subieron al carro sobrecargado. Con la parcela de Nell, tenían más de treinta y cinco hectáreas entre los tres y el gobernador les había regalado un par de cabras, una vaca, una puerca que estaba a punto de parir, gallinas y provisiones suficientes para un par de meses. En la parte trasera del carro había sacos de grano y barriles de ron para pagar a los presidiarios que pronto iban a tener que contratar. También les había dado todas las herramientas necesarias para construirse una casa, desbrozar sus tierras y plantar la primera cosecha.

Billy rodeó los hombros de Nell con el brazo.

—¿Estás preparada, muchacha?

—¡Ya lo creo! —exclamó, dándole un beso en el cuello.

Billy guiñó el ojo a Jack y dio un latigazo encima de las orejas de los caballos. Había llegado la hora de poner rumbo al oeste y empezar sus nuevas vidas.

—¡Ha sido un día maravilloso! —dijo Susan, mirando cómo desaparecía el carro en una nube de polvo. Rodeó la cintura de Millicent con el brazo y la achuchó—. El pastel estaba delicioso. Eres una chica muy lista.

—No ha sido nada —respondió Millicent sonrojándose.

—No hace falta que seas tan modesta conmigo, Millie. Eres muy buena cocinera y lo sabes.

—Ha sido una boda preciosa y me alegro mucho por los dos.

Susan la miró con cariño. Millicent estaba muy delgada y sus cabellos todavía no se habían recuperado del corte drástico que había tenido que hacerle para eliminar todos los piojos, pero tenía más color en las mejillas y su piel mostraba un aspecto más terso.

—Ahora ya formas parte de la familia —explicó con suavidad— y serás uno más en todo lo que hagamos.

—¡Qué conmovedor! —espetó Florence—. ¿Y para cuándo un presidiario más? Después de todo, ya tenemos tres en la familia. ¿Qué más da que venga otro?

Susan se volvió hacia su hija, furiosa por su descortesía.

—Billy es mi hermano —dijo—. Ha cumplido su condena y se ha ganado el indulto, igual que Nell. Quiero que pidas disculpas, Florence.

—No me da la gana. Además, no creo que sea el momento de hablar de estas cosas delante de la criada presidiaria.

Lanzó una mirada venenosa hacia Millicent.

Susan sujetó el brazo de Millie para evitar que huyera.

—Aquí no hay ninguna criada presidiaria, Florence. Solo está Millie —remarcó con una sonrisa para ver si conseguía poner fin a su mal humor—. No estropees el día, cariño. Intenta alegrarte, aunque sea por nosotros.

No hubo forma de convencerla.

—¿Cómo quieres que me alegre cuando nos has llenado la casa de presos?

Susan deseaba poner punto final a la discusión de una vez por todas.

—Millie ha venido a vivir con nosotros como una más de la familia, no como criada, y que sea presidiaria nos importa un comino a tu padre y a mí.

Acto seguido, se llevó a Millicent al otro lado del césped donde todavía quedaban los restos de la merienda en las mesas de caballete.

—Lo siento, Susan. No quería causar problemas entre vosotras.

—Tú no tienes la culpa. Hace mucho que Florence y yo tenemos nuestras diferencias y aunque me duela reconocerlo, hay veces en que me saca de quicio. —Miró las mesas y decidió que podían esperar un rato más. Se sentó en un banco, abrió el abanico e invitó a Millicent a sentarse a su lado—. Hace demasiado calor para trabajar.

Millicent se sentó con el semblante preocupado. Susan se fijó en su perfil tan bien definido, los hoyuelos en sus mejillas, su nariz delicada, los cabellos castaños que casi le llegaban al cuello. Millicent debió de ser una chica guapa antes de pasar por los horrores de la deportación. No le extrañaba que Jonathan cediera a la tentación.

Se estremeció, apartó la mirada de Millie y se giró hacia el agua. No debía pensar en él ni en lo que les había hecho a las dos. Solo debía pensar en la chica e intentar reparar los daños. Contempló a los cisnes negros que se deslizaban de forma majestuosa encima del agua y deseó que su vida fuera tan sencilla como la de ellos.

—Lo que he dicho antes iba muy en serio —dijo al cabo de un rato—. A Ezra y a mí nos encanta que estés aquí con nosotros. No te consideramos ni presidiaria ni criada.

—Gracias —contestó Millicent, clavando sus ojos grandes y oscuros en los de Susan—. ¿Amigas, entonces?

—Soy demasiado mayor para ser tu hermana y no esperaría nunca que me vieras como una madre, pero sí: podemos ser amigas. Buenas amigas.

Millicent sonrió y el hoyuelo en la mejilla se hizo todavía más profundo.

—Nunca he tenido una amiga.

Susan se levantó y cogió las manos de Millie, ayudándola a ponerse de pie.

—Pues ahora ya la tienes. Vamos a ver si queda algo del vino que ha traído Gilbert.

18

Cala de Sydney, octubre de 1792

Millicent ya llevaba más de un año viviendo en casa de Susan y Ezra. La habían restaurado y ampliado, y tenía vistas a la colina que bajaba a una Ciudad de Sydney que crecía de forma alarmante. En su habitación había una cama de hierro cubierta con colcha de retales que Susan y ella habían cosido con la llegada de las lluvias. También había una mesita de noche, una silla y unas cortinas bonitas en las ventanas. No tenía nada que ver con las austeras dependencias en las que había vivido cuando trabajaba de criada ni con la pequeña y opresiva vivienda de Newlyn, y Millicent se sentía feliz e integrada.

Se miró en el espejo de mano que le había prestado Susan y vio que había florecido. Hoy cumplía veintiún años. Sus cabellos brillaban como las castañas que recogía de niña en las mañanas de otoño en Inglaterra, y sus ojos ya no reflejaban los horrores de su pasado. Casi se sintió guapa y le sorprendió, dado que nunca se había considerado atractiva, sobre todo después de...

Se mordió el labio, preguntándose si estaba lo bastante guapa para llamar la atención de cierto jovencito que quizá viniera hoy a su fiesta. Lo habían invitado, pero no había ninguna garantía de que apareciera. Pocas veces se acercaba a Ciudad de Sydney. Sin embargo, la posibilidad de verlo le cortaba la respiración. Dejó el espejo y miró a través de la ventana recién acristalada.

—Seguro que ni se acuerda de mí —murmuró.

Acabó de vestirse con torpeza, pero finalmente consiguió atarse los cordones del canesú y alisarse la falda que había terminado de coser la noche anterior. Susan le había regalado la mitad de la tela que había llegado en los buques con los oficiales y los hombres del recién formado Cuerpo de Nueva Gales del Sur.

Se observó por última vez en el espejo, salió de la habitación y se dirigió a la cocina, donde encontró a un puñado de niños aborígenes desnudos que pululaban por la entrada.

—Son unos diablillos —dijo Millicent con una sonrisa—, pero no hay quien se resista a esos ojos grandes y oscuros. —Se volvió hacia Susan—. ¿Puedo darles unos bollos?

—Claro. Llevan horas esperándolos —contestó la mujer—. No me han dejado en paz en todo el día. Me gustaría que Lowitja les dijera que no entren en casa, pero ella cree que no me importa encargarme de su guardería cada vez que se va al monte.

Millicent dio dos bollos a cada niño y los echó de la casa.

—Mejor que no pongamos nada en las mesas —dijo—. A la que nos descuidemos, se lo habrán zampado todo.

—Ezra los anima a volver —aseguró Susan, sacando más bollos del horno y dejándolos en una tela metálica para que se enfriaran—. Pero la verdad es que yo también. —Miró el vestido nuevo de Millicent y sonrió. Luego se apartó los cabellos de su rostro sudado, dejando unos polvos de harina en la frente, y prosiguió—: Estás preciosa. Ese color verde pálido te favorece, Millie. Iremos a comprar más.

La muchacha se acercó a Susan y la abrazó.

—Ya has hecho mucho por mí. Gracias por ser tan amable.

—La amabilidad no tiene nada que ver —replicó Susan, devolviéndole el abrazo antes de comenzar a extender el hojaldre con el rodillo—. Somos amigas, ¿te acuerdas? Tengo derecho a hacerte un regalo de vez en cuando.

Millicent encontró un delantal y se lo puso para proteger su precioso vestido. Luego ayudó a Susan a glasear los bollos. Cuando terminó, salió al jardín donde habían colocado la mesa de forma que le diera la brisa que subía del río. Vio que los niños se habían escondido debajo del mantel y fingió perseguirlos cuando huyeron chillando y riéndose a carcajadas.

Permaneció un instante a la sombra de los arbustos silvestres que amenazaban con invadir el jardín y bendijo su buena suerte. Sus recuerdos de Inglaterra se habían desvanecido y los días aciagos de su pasado se habían convertido en otros luminosos y cálidos. Sabía que la querían y que le esperaba un futuro feliz aquí con Susan y Ezra.

Oyó a Susan, que seguía dando vueltas en la cocina, los golpecitos de sus tacones en el suelo recién colocado. A pesar de la diferencia de edad, se habían convertido en amigas íntimas gracias al trabajo que compartían en la enfermería y en casa. Las largas noches que pasaban hablando de los acontecimientos del día o cosiendo mientras Ezra les leía en voz alta confirmaban esa intimidad, pero Millicent sospechaba que su amiga guardaba unos secretos oscuros que no estaba dispuesta a compartir con nadie. Se había dado cuenta enseguida del conflicto que existía entre Susan y Florence, pero nadie expresaba los motivos en voz alta, y estaba intrigada.

Millicent dobló las servilletas de lino, otra de las compras que habían hecho en uno de los buques militares, y las dejó en el suelo. Cuando se instaló con los Collinson, Florence se opuso rotundamente. Era una chica muy desagradable, con esos aires de superioridad y esa lengua afilada, y Millicent se alegró cuando la joven se marchó de casa. Sin embargo, también era consciente de que Susan sufría mucho y anhelaba crear algún vínculo afectivo con su hija.

No obstante, Florence estaba empeñada en excluir a su madre de su vida. Incluso se negó a ofrecerle consuelo cuando se enteró de la muerte de Maud. Poco después de mudarse a la casa de los Johnson, se había ido a vivir a una casita que quedaba a las sombras de los muros de piedra que habían empezado a construir los presidiarios y que pronto formaría parte de la nueva iglesia que el pastor Johnson llevaba años planeando. Florence se había metido de lleno en sus buenas obras y pocas veces acudía a visitar a sus padres. Eso sí: cuando lo hacía, dejaba muy claro que solo tenía ojos para Ezra.

Millicent suspiró, acabó de colocar los cubiertos encima de la mesa y dio un paso atrás para ver si faltaba algo. Pobre Ezra, había hecho todo lo posible por cerrar la brecha entre las dos mujeres a las que más amaba, pero no le había servido de nada. Florence odiaba a su madre y no había forma de cambiar su actitud. Miró al agua, tan bonita a la luz del sol, y se preguntó qué pudo provocar una desavenencia tan grande. Se encogió de hombros. No era asunto suyo. Al fin y al cabo, todo el mundo tenía sus secretos, incluso ella.

Ezra llegó a casa después de atender sus responsabilidades parroquiales. Estaba cansado y ojeroso pero su sonrisa era cálida. Besó a Susan y dio un paternal abrazo a Millicent antes de presentarle su regalo de cumpleaños. Era un chal precioso bordado en las sedas más finas con unos flecos largos y suaves que ondeaban al caminar. Millicent se sentía tan abrumada por su generosidad que apenas podía hablar.

George llegó a galope tendido y detuvo el caballo justo delante de la cerca, levantando una polvareda. Con solo dieciocho años, era alto y fornido y mostraba una energía inagotable. Saltó del caballo y abrazó a Millicent con tanta fuerza que la chica temió que le rompiera las costillas. Luego le entregó un ramo de flores silvestres aplastadas. La joven se ruborizó e intentó darle las gracias, pero George ya estaba al otro lado del jardín, moviendo las sillas y estorbando a su madre, así que entró en la cocina y las puso en un florero lleno de agua.

—¿Hay alguien en casa? He recogido el correo de Ezra de camino. Ha llegado otro buque.

Nell entró como un huracán por la puerta principal con su hija de siete meses, Amy, apoyada en la cadera y un enorme bolso colgando del hombro. Igual que su madre, la niña llevaba un vestido de volantes de color escarlata. Los pocos cabellos pelirrojos que tenía estaban peinados hacia atrás en forma de cresta, y sus ojos azules y brillantes apenas se intuían detrás de los mofletes. Sonrió, dejando ver sus encías aún desdentadas.

—No me digáis que no es una monada —dijo Nell, depositando el correo en la mesa y entregando la niña a Susan—. Esta tela ha llegado con el buque y no sabéis la que he tenido que montar para quedármela yo. Todas la querían. Espero que te guste.

Millicent cogió el rollo de tela.

—Es preciosa —mintió, preguntándose qué diablos iba a hacer con una tela de ese color rojo tan chillón. A pesar de sus gustos, Nell le caía bien y admiraba su carácter tan alegre y vital—. ¿Y Billy? —preguntó.

—He dejado a los hombres en la granja para poder charlar tranquilamente con mis amigas —respondió—. Lo de las meriendas no es lo suyo y todavía queda mucho por hacer. Hay árboles por todas partes.

—¿Has hecho todo el camino sola? ¡Qué valiente! —dijo Millicent, que tenía pavor al monte y a los kilómetros solitarios que había más allá de la ciudad.

Nell se encogió de hombros.

—Cuando trabajas en las calles de Londres acabas aprendiendo todos los trucos y la verdad es me apetecía venir a ver a mis amigas y ocuparme de un par de asuntos —dijo mientras metía la mano dentro del bolso—. Además, a ver quién es el listo que se me acerca cuando vea esto en mi mano.

Sacó un rifle.

Millicent miró el arma y tragó saliva.

—¿Sabes dispararlo? —preguntó tímidamente.

—Sí, y no me da ningún miedo demostrarlo.

George se unió a ellas cuando salieron de la casa al jardín y se sentaron a la mesa. Sirvieron el té y Ezra les leyó los fragmentos más interesantes de las cartas que le habían llegado.

Por fin, después de casi un año de silencio, había llegado una carta de Emma, que ya era madre orgullosa de tres hijos. Vivía en medio de lo que llamaba el «veld». Habían ascendido a Algernon y ahora estaba al frente de una compañía entera. Aprovechando su vida pionera, habían comprado unas tierras de pastoreo y construido una amplia casa de adobe. Tenían varios criados. La mayoría de sus vecinos era bóers holandeses. Habían sufrido algunos conflictos con unos intrusos negros, sin embargo, se trató de un caso aislado dado que los nativos vivían lejos de la civilización.

—Parece contenta —dijo Susan—, pero me preocupa.

—Siendo hija de su madre, se las arreglará perfectamente —respondió Ezra, sonriendo.

Cogió otra carta y la escudriñó.

—¡Cielos! —exclamó—. ¡Gilbert y Ann esperan su primer hijo!

—Pues recemos para que sea un niño —replicó Susan—, porque si no, tú serás el siguiente en la línea de sucesión.

Ezra dejó la carta encima de la mesa.

—Ni se me había ocurrido —aseguró frunciendo el ceño—. Pero conociendo a Gilbert, estoy convencido de que me voy a ir yo antes que él. Lo más probable es que el título pasara a Ernest.

—¡Dios nos libre! —farfulló George, atragantándose con el sorbo de té que acababa de tomar.

—¡Esa boca...! —le reprendió Ezra suavemente.

—No nos precipitemos —intervino Susan, sirviendo más té y pasando una servilleta a George para que se limpiara la barbilla—. Ann va a tener un niño. No se atrevería a darle una hija a Gilbert.

Todos rieron y poco después comenzaron a hablar de las cuatro compañías recién llegadas que formaban el Cuerpo de Nueva Gales del Sur.

El comandante de la infantería de Marina, el mismo que había acompañado al gobernador Phillip a Australia para proteger a los habitantes de los nativos y mantener el orden, se había negado rotundamente a permitir que sus hombres trabajaran como capataces ni guardias. Había buscado candidatos entre los presidiarios para cubrir las vacantes, pero no resultó una solución viable y Phillip tuvo que suplicar al gobierno británico que reclutara un regimiento especial.

Los primeros cuerpos habían llegado algunos meses atrás para ocupar sus puestos y la opinión general era que el gobierno había rebañado las últimas migas para dar con los nuevos reclutas. La mayoría de ellos procedía de una cárcel militar y el calibre de los oficiales era cuestionable. Ya habían protagonizado varios incidentes de brutalidad hacia los nativos y a algunos lo único que les interesaba era salir a emborracharse y buscarse alguna puta, un panorama que no presagiaba nada bueno para el futuro de la colonia.

Millicent escuchó, mientras las opiniones de los presentes volaban de acá para allá, pero no conseguía concentrarse en lo que decían porque sus ojos se desviaban continuamente hacia la verja.

—¿Esperas a alguien especial? —preguntó Nell en voz baja, inclinándose hacia Millicent y revelando todavía más escote. Le dio un codazo en las costillas y le dedico un guiñó—. No tendrás el ojo echado a un jovencito que yo me conozco, ¿verdad?

Millicent se sonrojó.

—No digas tonterías —rio.

Nell levantó una ceja, los ojos brillantes.

—Que no me chupo el dedo, guapa. Se podría freír un huevo con el calor que irradia tu cara.

Antes de poder responder, un grito acudió al rescate de Millicent, pero cuando se volvió con los demás a saludar al recién llegado, se sonrojó aún más. Ernest venía hacia ellos por el césped. A sus diecinueve años, el sol había curtido su piel y tenía los brazos y los hombros perfilados debido al trabajo en los campos. Necesitaba un buen corte de pelo y aunque era evidente que se había esforzado por arreglarse un poco, Millicent veía que su ropa corría el riesgo de deshacerse allá mismo. Cuando se levantó para saludarlo, pensó que le iba a explotar el corazón.

—Felicidades —dijo Ernest con timidez.

Se inclinó hacia ella y la besó en la mejilla, poniéndose rojo como un tomate.

A Millicent se le cortó la respiración al sentir el roce de sus labios en su mejilla. Era como si acabara de alcanzarle un rayo.

Él también lo notó porque se apartó de ella como si le hubiesen picado. En un intento de disimular su vergüenza, depositó un fardo en sus brazos.

—No sabía qué regalarte, así que te he comprado esto.

Millicent se quedó mirando el segundo rollo de tela de color escarlata y no pudo evitar que se le escapara una sonrisa cuando le dio las gracias. Ahora tenía suficiente tela para hacerse todo un vestuario a juego. Aunque el color escarlata no era su preferido, lo más probable es que se viera obligada a llevarlo durante los próximos diez años.

La fiesta continuó y todos hablaron animadamente, pasando a Amy de regazo en regazo. Ernest y Millicent intercambiaron miradas tímidas, del todo conscientes de que los perspicaces ojos de Nell no perdían detalle.

Cuando el sol desapareció detrás de los árboles y el zumbido de los mosquitos empezó a llenar el aire, Amy se quedó dormida. Nell la envolvió en un chal y la acomodó en una alforja especialmente adaptada junto con las cartas que habían llegado para Billy y Jack.

—A saber qué habrán estado haciendo aquellos dos durante estos cuatro días que llevo fuera —dijo—. Será mejor que me vaya.

Y con un grito de despedida, se alejó en una nube de polvo.

—Billy es un hombre afortunado —observó Susan.

—Nosotros también deberíamos despedirnos —añadió George, sacudiendo el sombrero contra el muslo y provocando una tormenta de polvo en miniatura—. De aquí a Hawks Head hay mucho camino.

Ernest miró primero al cielo y luego a Millicent.

—Ve tú adelante —dijo a su hermano en voz baja—. Yo iré luego.

George no pudo aguantar una sonrisa burlona y propinó un codazo a su padre.

—Quiere hacerle la corte —le dijo en un aparte.

Ernest le dio un cachete en la oreja.

—Ve a casa, pelma, y trabaja un poco en lugar de perder más tiempo en el muelle. Sé que los balleneros te resultan infinitamente más interesantes que labrar, pero todavía queda un campo por desbrozar y hay que levantar el granero.

Millicent estuvo pendiente de las palabras de Ernest, y aguardó contra toda esperanza que Ernest se hubiera deshecho de él para pasar un rato a solas con ella. El hermano mayor se alejó a medio galope y cuando la muchacha se giró de nuevo, advirtió que Susan y Ezra habían entrado en casa. Estaba sola con Ernest.

—¿Te apetece dar un paseo? —le preguntó con el sombrero en la mano y la mirada fija en sus botas.

Millicent asintió con la cabeza. El corazón le latía con tanta fuerza que no podía ni hablar. Pasó la mano por el brazo que le ofreció

Ernest, notando el calor de su piel debajo de la camisa, y se preguntó hasta qué punto podía uno ruborizarse antes de estallar.

—¿Por qué no bajamos a dar una vuelta por la ciudad? No tengo muchas oportunidades de acercarme y veo que ha cambiado mucho. ¿Qué me dices, Millie? ¿Te apetece?

Millicent se sintió defraudada pero no quería que cambiara de parecer así que asintió de nuevo con la cabeza. No le gustaba la ciudad. Los soldados e infantes de la Marina eran todos unos brutos borrachos que se dedicaban a buscar camorra en los callejones adoquinados. Respiró hondo y se regañó en silencio. La pesadilla que había vivido a bordo del buque de presidiarias ya formaba parte del pasado, y Ernest no iba a permitir que le pasara algo malo. Se alejaron de la casa cogidos del brazo.

Una vez superados sus miedos, de repente se dio cuenta de la agudeza de sus sentidos. Por primera vez olía el calor del día en la tierra y el aroma de los eucaliptos mezclado con el humo que salía de las chimeneas de las casas; sentía el calor del atardecer y la fuerza fibrosa del brazo de Ernest; veía cómo brillaban las estrellas en el cielo suave y aterciopelado de la noche; oía el canto de los grillos y el cotorreo de los loros que regresaban a sus nidos. Nunca se había sentido tan feliz.

Justo antes de llegar al ancho camino de tierra que conducía al centro, Ernest se detuvo.

—No quiero ir a la ciudad. La verdad es que ni siquiera me apetece caminar.

Millicent intentó disimular su desilusión.

—Pues será mejor que volvamos a casa —respondió con melancolía—. Se ha hecho tarde y tu madre estará preguntándose dónde me he metido.

—Sabe perfectamente dónde estás —aseguró distraídamente, sin poder mirarla a la cara—. He hablado con ella antes de salir.

—Ah.

Ernest parecía turbado. Entonces respiró hondo y la miró a los ojos.

—Millicent —dijo con firmeza—, ¿quieres que seamos novios?

Tragó saliva, haciendo bailar la nuez de la garganta.

Millicent estaba mareada y le costaba respirar.

—No me opongo a la idea —dijo, intentando no reírse de la formalidad embarazosa de la situación.

Ernest se volvió hacia ella y la contempló desde lo más profundo de su alma:

—¿Lo dices en serio?

Millicent se puso como la grana, pero se atrevió a darle un pequeño empujón.

—Por supuesto que sí.

—¿Y te opondrías mucho si te besara?

Veía que él también estaba colorado, y eso le hizo amarlo todavía más.

—No, mucho no —dijo, levantando el rostro hacia él.

Ernest la aplastó contra el pecho y se inclinó sobre su boca, reclamando sus labios. Millicent se dejó llevar por el torbellino de emociones y le devolvió el beso. El sueño que hacía horas le había parecido imposible se había convertido en realidad: Ernest se había fijado en ella.

Nell sabía que podría haberse quedado en casa de Susan durante el tiempo que quisiera, pero echaba de menos a Billy. Ahora que se había ocupado de sus asuntos y había visto a sus amigas, lo único que deseaba era volver a su hogar.

Cuando llegó a las afueras de la ciudad, se quitó el vestido nuevo y se puso otro holgado y desteñido y el sombrero de ala ancha que solía llevar todos los días. Metió el vestido y los zapatos delicados que se había puesto para la fiesta en la otra alforja, calzó sus pies con sus viejas botas, comprobó que el rifle estuviera cargado y subió al caballo. La bolsa que contenía el rifle colgaba de la perilla, al alcance de la mano por si se cruzaba con algún problema a la vuelta.

Nell cabalgó toda la noche, parándose solo para amamantar a Amy y aliviar el dolor en el trasero. Nunca había cabalgado antes de casarse con Billy y aunque al principio le impuso cierto respeto, le sorprendió lo poco que le había costado aprender.

Rayaba el alba cuando coronó la última colina. Nell detuvo la montura, se apeó y sacó a su hija soñolienta de la alforja. Echó un vistazo a las tierras que les habían concedido hacía un año y se sintió en paz. El paisaje estaba precioso a la perlada luz del amanecer. Unas enormes hileras de árboles se asomaban en medio de la niebla nocturna que las rodeaban y el río Parramatta resplandecía como una sábana de seda gris que atravesaba los campos despejados y los verdes y ondulantes pastos.

A pesar de las horas de trabajo agotador, el aislamiento y los peligros de vivir allí, no tenía ninguna gana de regresar a la vida de la ciudad ni a Inglaterra. Se había criado en un asilo de pobres y desconocía el concepto de familia. Desde muy pequeña, había aprendido a ser dura e independiente. Toda esa extensión que tenía a sus pies era su primera casa de verdad y sabía que los muchos años de trabajo que tenían por delante valdrían la pena.

Su mirada se desvió hacia la casa minúscula de dos habitaciones que había sustituido a la tienda. La habían acabado hacía apenas un mes y ahora la chimenea lanzaba columnas de humo y la pintura en los postigos relucía en las sombras del amanecer. Le parecía tan acogedora y segura, con su tejado inclinado y su galería profunda, sus pilotes sólidos clavados en la tierra rica y negra que iba a nutrir sus cultivos y proporcionar buenos pastos para sus animales.

Siguió el río con la mirada y vio que también salía humo de la chimenea de Jack. Su casa era aún más pequeña que la de Billy y Nell. Un poco más allá, apartada del río y escondida entre los árboles, habían construido una choza para alojar a los presidiarios que trabajaban para ellos. Los cinco hombres seguían recibiendo ropa y sustento de las provisiones del estado, aparte del sueldo que les pagaban en ron, un peligroso artículo de consumo que había que limitar a una noche por semana para que no perdieran días de trabajo y fueran capaces de dormir y reponerse el domingo. No obstante, el trabajo de los presidiarios había resultado inestimable para despejar los árboles, arar los campos, construir las casas y poner vallas y Nell sabía que nunca hubiesen conseguido llegar tan lejos sin su ayuda.

Un poco más allá, veía cómo el humo del campamento de los nativos se elevaba entre los árboles. Habían resultado bastante simpáticos y a veces incluso se animaban a echar una mano a cambio de tabaco y ron, aunque el ron, igual que con los presidiarios, debía ser cuidadosamente racionado. Rio al pensar en las mujeres que acudían a la casa a pasar el rato, mirar y empujar una fregona por encima del suelo. No había manera de aprenderse sus auténticos nombres, así que las llamaba Daisy, Pearl y Gladys. No tenían ni idea de cómo limpiar una casa y solo venían a jugar con Amy o a hurgar en los armarios, pero eran la única compañía femenina que tenía. En un esfuerzo por educarlas, Nell les había enseñado todas las palabrotas que conocía. Pobre Billy, se había quedado de piedra el día que Daisy le dijo «Calla, capullo» después de que la regañara por haberles robado harina.

Nell dejó a un lado sus reflexiones y contuvo la respiración cuando una banda de cacatúas blancas pasó por delante del sol naciente, sus alas resplandecientes y rosadas a la rojiza luz del amanecer. La belleza, el silencio, el espacio y el esplendor de este país nunca dejarían de impresionarla. Cómo había cambiado su vida y qué suerte había tenido de poder empezar de nuevo junto al hombre que amaba.

—Mira, Amy —susurró, levantando a su hija para que también pudiera disfrutar de la magnificencia del alba—. Allí está Moonrakers y es todo tuyo.

Amy extendió sus brazos regordetes y gorjeó cuando vio pasar una bandada de periquitos ruidosos.

Nell sonrió satisfecha y plantó un beso en el cabello pelirrojo de su hija.

—¿Sabes por qué lo llamamos Moonrakers[1]? —susurró—. Pues porque una noche poco después de llegar aquí, estábamos sentados aquí fuera y tu padre vio el reflejo de la luna en el río. —Levantó a su hija y la colocó en una posición más cómoda—. Según la leyenda, una noche unos tipos de Hacienda sorprendieron a un grupo de contrabandistas al lado de una charca. Cuando les preguntaron qué

1. Contrabandistas. Literalmente significa «rastrilladores de la luna». *(N. de la T.)*

estaban haciendo, uno de los contrabandistas cogió un palo, lo arrastró por encima del agua y le respondió: «¿Es que no lo ve? Estamos intentando rastrillar el oro de la luna». —Nell se rio—. Aquellos inútiles de Hacienda los tomaron por tontos y los dejaron en paz. Los contrabandistas se quedaron con el botín.

Amy la miró con seriedad y Nell se dio cuenta de que pronto iba a reclamarle la toma de la mañana.

—Venga, cielo. Vámonos a casa.

Billy abrió la puerta mosquitera de un golpe y salió a la galería para recibirla. Cuando la vio entrar en el claro delante de la casa, bajó corriendo las escaleras y la agarró de la cintura, casi tirándola al suelo. Nell perdió el sombrero y sus cabellos cayeron sueltos por los hombros y la espalda. Billy la besó.

—Os he echado de menos —dijo unos momentos después, tomando a su hija de los brazos de Nell—. Debes de haber pasado toda la noche en el caballo para llegar a esta hora.

Nell sonrió. Era tan guapo, su Billy, tan bronceado, y con ese pecho y esos brazos tan fuertes, le hubiera gustado pasar todo el día fundida en su abrazo.

—Me dijiste que me ibas a dar una sorpresa —le recordó, apartándose y echando una mirada a su alrededor—. ¿Me lo vas a decir?

—Paciencia —dijo Billy de forma misteriosa. —De repente hizo una mueca—. Quien tiene una sorpresa ahora mismo es Amy. Ve a cambiarla mientras yo le echo un vistazo al caballo —sugirió, entregando la niña a su madre.

—Vaya. Entonces yo también tendré que guardar mis sorpresas para más tarde —replico ella, reprimiendo su curiosidad.

Billy la miró perplejo, Nell sonrió de oreja a oreja y le entregó las cartas. Donde las dan las toman, pensó. Su esposo se pasaba la vida tomándole el pelo, pero a ella le gustaba y seguro que disfrutaría más la sorpresa si la hacía esperar un poquito. Solo si era buena, claro, pero él estaba emocionado y no dudaba de que la noticia la alegraría.

Entró en casa, dando taconazos con las botas en el suelo de madera, cuyo olor fragrante le encantaba. Cruzó la sala principal y fue a mirar dentro de la olla sobre el fogón. La cocina se hallaba bajo la campana de la chimenea, a un lado de la sala, que se había convertido en el corazón de la casa a pesar de lo escaso de su mobiliario: una mesa y dos sillas hechas a mano. Sin embargo, era ahí donde se reunían a hacer planes, a intercambiar ideas y a jugar a las cartas después de un día de arduo trabajo. No había cortinas ni alfombras, nada de color rosa ni floreado que revelara la debilidad de Nell por los colores y la suavidad femenina. Sin embargo, ella no lo hubiese cambiado por nada del mundo.

Comprobó que Billy les había preparado algo comestible, resistiéndose a la tentación de meter el dedo en las gachas para probarlas, y salió rápidamente afuera para lavar y cambiar a Amy e ir al retrete de tierra maloliente. Cuando volvió a entrar en casa, llevó a la niña a la habitación donde le dio de mamar y la dejó durmiendo entre dos almohadas encima de la enorme cama de latón por la que Billy había pagado medio barril de ron en Sydney. Intentó pasar un cepillo por sus cabellos enmarañados pero tuvo que desistir. Con lo fácil que sería cortárselos... Si no lo hacía, no era por falta de ganas, sino porque a Billy le encantaba su pelo y se pondría furioso si se cortaba uno solo de sus rizos imposibles. Suspiró, dejó el cepillo y entró de nuevo en la sala.

Como de costumbre, Jack ya había llegado para desayunar y estaba sentado a la mesa delante de un cuenco vacío leyendo sus cartas. Billy se encontraba a su lado y Nell observó la mirada de complicidad que cruzaron cuando entró. Decidió no hacerles caso. No tardarían en revelarle la gran noticia y, ahora mismo, lo que necesitaba era comer.

Las gachas estaban deliciosas, a pesar de los grumos. La leche de cabra les daba una dulzura irresistible y Nell comió con avidez. Tardó un buen rato en contarles la noticia inesperada del embarazo de Ann.

Billy y Jack permanecieron mirándola boquiabiertos y acto seguido rompieron a reír a carcajadas, dándose palmadas en la espalda. Luego brindaron por Gilbert con una taza de ron.

Nell los observó con paciencia infinita. Cualquiera diría que el hombre hubiera hecho algo extraordinario, pensó mientras seguía comiendo. Lo de hacer niños era fácil. Sus simpatías estaban con Ann: lo difícil era dar a luz.

Los tres se quedaron en silencio. Finalmente, Billy dijo en voz baja:

—Ayer cerré un acuerdo para otras treinta y cinco hectáreas.

A Nell se le cayó la cuchara al plato con un estrépito.

—¿Cómo? Si no tenemos dinero.

—Tenía tres barriles de ron y te aseguro que eso vale más que el dinero cuando la sed de un hombre empieza a dominarlo y ya no tiene ganas de salir a arar sus tierras.

Ahora lo entendía todo.

—Has comprado las tierras que le concedieron a Alfie Dawson. ¿Y qué piensan su esposa y su hija de todo esto?

—La hija ha vuelto a la ciudad y la sed de la esposa es igual o superior a la de Alfie —respondió Billy, mirándola con recelo—. También he comprado las pocas vacas que no había vendido, así que, en total, me ha costado una bicoca. —Nell frunció el ceño con desaprobación—. No voy a dejarles sin nada —le aseguró Billy, consciente del peligro que correría si Nell se ponía de mal temple—. Me ayudará a arar y se ocupará de las vacas cuando se vea capacitado y le pagaré con ron, igual que a los presidiarios.

—¿Vas a pagar a un alcohólico con alcohol? Muy inteligente.

Cruzó los brazos con firmeza debajo del pecho y le lanzó una mirada feroz.

Billy le sonrió con toda la picardía de la que era capaz.

—Vamos, Nell. No te pongas así. Tú sabes que es lo mejor para todos. ¿Cuándo te he fallado?

Le hubiese gustado enumerar las veces, pero como no se le ocurría ninguna, se calló, y pensó en las tierras preciosas que había río arriba. Eran perfectas para el pastoreo y Jack siempre había hablado de ellas con anhelo. Ahora eran suyas. Qué burro tenía que ser Alfie para derrochar la única oportunidad que tendría para superarse a cambio de unos tragos de ron.

Nell suspiró y se olvidó de la rabia que sentía. Si Alfie había caído tan bajo, era porque procedía de los callejones de Londres y su idea de trabajar consistía en salir a robar carteras y hurtar en las tiendas. Seguro que las tierras que le habían concedido con el indulto condicional le pesaban tanto a él como a la zorra de su mujer.

—Bueno, ¿no estás contenta?

Billy parecía preocupado, y más le valía. Ya tenían más terreno de lo que pudieran abordar, y les faltaba la mano de obra y el tiempo necesario para cuidarlo como Dios manda. No estaba dispuesta a dejarlo salir del atolladero. Todavía no.

—No entiendo qué vamos a hacer con tantos pastos si solo tenemos un par de vacas raquíticas.

—Es que ahí está la segunda parte de la sorpresa —contestó Jack, apartando sus cartas—. Vamos a dedicarnos a la cría de ganado ovino.

—¿Cómo vamos a comprar ovejas si no tenemos dinero? Además, no hay suficientes en toda la colonia para todos, y menos cuando los nativos se las llevan para hacer a la brasa.

—No vamos a comprar ovejas de la colonia —explicó Jack—. Vienen de Sudáfrica.

Nell se dio cuenta de que tenía la boca abierta y la cerró. Miró a los dos hombres y advirtió el brillo de emoción en sus ojos. Le recordaban a un par de niños traviesos.

—Será mejor que me digáis ahora mismo qué demonios estáis tramando —dijo, intentando no ablandarse.

Billy se reclinó en la silla y llenó la pipa de tabaco, dejando que Jack continuara:

—He estado hablando con John Macarthur. —Vio que el nombre no le sonaba de nada, así que añadió—: Es oficial del Cuerpo de Nueva Gales del Sur y se ha hecho con cien hectáreas un poco más arriba, al lado del río Parramatta. Es un hombre listo, aunque a veces pueda ser demasiado directo para mi gusto. El caso es que piensa que estas tierras son capaces de producir la mejor lana del mundo.

—¿Y qué sabe de ovejas un soldado? —preguntó Nell, poco convencida.

—Lo bastante para ver que las tierras de esta colonia poseen una riqueza natural asombrosa. Cree que las ovejas merinas son ideales para la clase de pastos que se encuentran aquí y que podríamos producir una lana comparable en precio y calidad con la que viene de España y Alemania. Eso sí: necesitaríamos que algunos de los presidiarios que ahora trabajan para el gobierno vinieran a echarnos una mano.

—Es imposible —dijo Nell—. El gobierno tiene que dar comida y ropa a la mayoría de las personas que han venido a este país porque pocos son autosuficientes. No puede permitirse el lujo de perder más peones.

—No habría ningún problema si pudiéramos contratar a los colonos libres —intervino Jack en voz baja.

Nell calló. La idea era absurda. Vivían en una colonia de presidiarios controlada por el gobierno y los militares. ¿Qué colono libre sensato se instalaría con ellos? Pasó la mirada de Jack a Billy y vio que no cabían en sí de la emoción. ¿Y si no se equivocaban? Cogió la pipa y le dio una calada, dejando que su cabeza sopesara todas las posibilidades.

—Bueno —dijo al cabo de unos momentos— , a ver si nos aclaramos: vosotros pensáis que si seguimos el consejo de Macarthur y nos dedicamos a la cría de ovejas merinas, podremos competir con los mejores, ¿es así? —Los dos hombres asintieron con la cabeza—. Con los beneficios que saquemos, compraremos más terrenos y más tierras y nos haremos ricos. Eso animará a los colonos libres a venir a esta zona y a hacer lo mismo.

—No solo eso, sino que podemos vender la carne y la lanolina al estado. El gobierno ya no tendrá que mantenernos ni pagar a los presidiarios que trabajen para nosotros. La economía de la colonia prosperará y todos saldremos ganando.

A Jack le costaba contener su entusiasmo y se balanceó en la silla, haciendo crujir las patas.

Nell le dio otra calada a la pipa de Billy.

—Muy inteligente —aceptó—, pero si Macarthur se dedica a lo mismo, entraremos en competencia con él. Él tiene más tierras y podrá comprarse muchas más ovejas que nosotros.

—Esta tierra es suficientemente grande para resistir la competencia que sea —dijo Jack—, y aunque no podamos comprar tantas ovejas como Macarthur, al menos nos llegará el dinero para establecernos.

—¿Y cómo? —preguntó Nell—. No nos vamos a hacer ricos con un par de barriles de ron.

Jack cogió la pila de cartas de la mesa y Nell creyó ver un aire de tristeza en su mirada.

—Alice venderá la granja —dijo—. Destinará casi todo el dinero a transportar tres carneros merinos y treinta ovejas reproductoras de Sudáfrica a Port Jackson.

Nell se lo quedó mirando boquiabierta. Ya lo tenían todo planeado y sospechó que llevaban meses haciendo los preparativos. En comparación, sus noticias se le antojaron insulsas y le molestaba que no la hubieran consultado.

—¿Cuándo llegará? —preguntó.

—Hacia mediados del año que viene, quizá después. Depende del tiempo que tarde en vender la granja y conseguir un pasaje a Sudáfrica. —A Jack le temblaba la voz y tuvo que reprimir una lágrima que amenazaba con caerle por la cara—. No me puedo creer que vaya a verla después de tanto tiempo, Nell. Es un milagro que todavía me quiera.

—Tonta sería si te dejara escapar —contestó Nell—. Eres un hombre muy bueno, Jack. ¿Qué mujer no iba a quererte? —Miró de reojo a Billy y decidió que había llegado la hora de darle su propia noticia—. En estas circunstancias, es una suerte que venga —comentó risueña—. Cuanto antes llegue, mejor.

Billy alzó la cabeza.

—¿Por qué?

Nell le sonrió encantada:

—Pues porque Ann no es la única que espera un crío. El hermanito o hermanita de Amy llegará en marzo.

Billy saltó de la silla y la levantó antes de que pudiera reaccionar. Le dio un beso largo y apasionado.

Estaban tan ensimismados que ni siquiera se dieron cuenta de que Jack metió sus preciadas cartas en el bolsillo y salió por la puerta.

Lowitja acurrucó a sus hijos pequeños debajo de las pieles y les cantó hasta que se quedaron dormidos. Los dejó al cuidado vigilante de su abuela y se alejó del campamento, armada de una lanza bien afilada para protegerse. Aún le quedaba mucho camino a través del monte para llegar a la cueva especial. Ya no se sentía segura caminando sola de noche porque muchas mujeres habían caído en manos de los hombres blancos que les habían robado la tierra.

Estaba preocupada cuando llegó a la entrada de la cueva que se encontraba muy por encima del agua del río caudaloso que pasaba por delante. Aunque había entablado una amistad con Susan y su familia, y reconocía que algunos de los blancos eran dignos de confianza, la perseguía una sensación de peligro. Su gente estaba cambiando poco a poco y las viejas costumbres habían sido sustituidas por esa bebida dulce y oscura que hacía que se comportaran como idiotas y que los dejaba tumbados. La espiritualidad de las menguantes tribus se estaba perdiendo y la unidad que siempre las había caracterizado se había roto debido a las opiniones opuestas de sus miembros. Algunas mujeres incluso habían abandonado a los suyos y ahora vivían en una casa al lado de algún hombre blanco. Otras se habían entregado a cambio de un poco de ron y alguna prenda de ropa elegante.

Se detuvo en la entrada de la cueva, miró a la Diosa Luna que ya brillaba con fuerza en el firmamento y pensó en Anabarru. Ella había seguido las tradiciones antiguas y se había purificado antes de volver con su marido y la tribu, pero esta ley estricta ya no se aplicaba aquí. Las mujeres que habían ido a vivir con los blancos se habían quedado con sus hijos y nunca más podrían sentarse junto a los suyos delante de las hogueras. Esos niños, cuya piel más pálida los separaba tanto de los negros como de los blancos, nunca podrían iniciarse en las costumbres ancestrales, pero tampoco podrían integrarse en el mundo del hombre blanco. Estaban destinados a recorrer un camino muy solitario durante el resto de sus vidas.

Suspiró hondo, se sentó en el suelo y sacó sus piedras sagradas de la bolsa. Sujetándolas en la mano, entonó las oraciones especiales a su antepasada Garnday y esperó su respuesta antes de echarlas al suelo. Lo que vio la hizo temblar.

Se avecinaba una gran oscuridad en forma de un hombre blanco vestido de una chaqueta roja. Este diablo era el responsable de la masacre de su gente y los llevaría al borde de la extinción en un intento por arrasar las costumbres espirituales ancestrales. Cerró los ojos y comenzó a rezar. Nunca había necesitado con tanta urgencia la sabiduría de Garnday.

19

Cala de Sydney, febrero de 1793

—¿Puedes ir a la ciudad y darle esta nota a Ezra? —preguntó Susan. Se la entregó y continuó llenando una cesta pequeña con las cosas que iba a necesitar para su visita a la enfermería de los presidiarios—. Imagino que estará con Florence. Ve primero allí a ver si lo encuentras.

Millicent guardó la nota en el bolsillo a regañadientes. Once buques habían llegado a Port Jackson hacía algunos meses y las calles de Ciudad de Sydney estaban abarrotadas de soldados y marineros tan ordinarios y borrachos como los presidiarios irlandeses que llevaban en sus buques. No era el lugar más indicado para una chica tímida como ella.

—¿Es necesario que vaya? —preguntó.

Susan dejó lo que estaba haciendo y puso una mano encima de su hombro.

—No te lo pediría si no fuera importante —respondió con suavidad—. Necesito que Ezra le administre la extremaunción a la señora O'Neil. Ha estado reclamando un cura y no creo que sobreviva a la noche.

—Pero ¿no es una de aquellas católicas irlandesas? —balbuceó Millicent—. No quiere saber nada de Ezra ni de lo que representa.

—Ya lo sé —dijo Susan, secándose el sudor de la frente—. No entiendo por qué el gobierno británico se empeña en mandar irlandeses a nuestras orillas tan firmemente protestantes. —Sonrió, pero su tono delataba una impaciencia nada propia de ella—. Pero ¿qué le vamos a hacer? Cada buque que llega viene cargado y no tienen ningún cura que los cuide ni que comprenda sus supersticiones. La señora O'Neil está agonizando y quiere que le administren la extremaunción. Richard Johnson está en la casa de la misión así que solo queda Ezra.

—Muy bien —contestó Millicent—, pero pronto se hará de noche.

Miró por la ventana. El sol se ponía sin apenas avisar en este país, con la misma rapidez que una vela apagada con un soplo.

La paciencia de Susan se estaba acabando porque ahora le contestó de forma brusca:

—Cuanto antes le lleves el mensaje, antes estarás de vuelta. —Entonces su expresión se suavizó y le pasó el brazo por la cintura—. Tienes que ser valiente, cariño. No puedo estar contigo a todas horas.

Millicent sabía que Susan tenía razón, pero no por ello se sentía más audaz. Todavía se sobresaltaba cuando oía algún ruido fuerte y huía de las multitudes, a no ser que tuvieran algo que ver con la familia. Cada vez que veía un grupo de hombres, por muy sobrios y respetables que fueran, se ponía a temblar como una hoja.

—Lo intentaré.

—Eres un sol —dijo Susan enérgicamente—. Cuando vuelva, te ayudaré a darle los últimos toques a tu traje de novia.

Le dio un beso en la mejilla y salió corriendo por la puerta.

Pensar en Ernest le ayudó a sentirse un poquito más valerosa y se dejó inundar por el calor que la invadía cada vez que recordaba su propuesta de matrimonio. Durante los últimos cinco meses había aparecido por la casa con cada vez más frecuencia y se lo había propuesto justo antes de Navidad, el mismo día que había recibido su indulto absoluto. Se lo pidió de rodillas una noche en que se encontraron solos bajo la luz de la luna.

Sonrió y observó el anillo que le había comprado a un marinero que estaba de paso. Era de oro con un pedacito de diamante, y para Millicent se trataba del objeto más valioso del mundo, por el futuro maravilloso que prometía. El vestido estaba envuelto en una sábana de muselina, esperando los últimos toques de bordado. Solo faltaba un mes para la boda y luego se iría con Ernest a Hawks Head Farm, donde iban a empezar su nueva vida en la casa que estaba haciendo construir para ella.

Millicent advirtió que se había quedado absorta y se quitó el delantal. Llevaba el vestido gris que siempre se ponía para trabajar en casa. Le gustaba el color gris. La hacía invisible cada vez que tenía que salir.

Se acercó a la puerta y miró a Susan hasta que desapareció de la vista. Con los dedos temblorosos, se ató las cintas de su sencilla gorra, se envolvió en una capa ligera y salió. El sol ya se estaba poniendo, pero el calor seguía formando una calima encima del paisaje, ahogándola con su intensidad. Todo era muy diferente a los febreros que había pasado en Cornualles, en los que el cielo se volvía plomizo, las olas batían la orilla y los fuegos ardían en las chimeneas para ahuyentar el frío de las casas. Respiró hondo y empezó a caminar.

Poco después, llegó a sus oídos el ruido de la ciudad y a medida que se fue acercando, le sorprendió el ajetreo de los que trabajaban en ella. Los telares en la fábrica de las mujeres traqueteaban sin parar, oyó los golpes de martillo que procedían de la herrería y observó cómo un grupo de presidiarios encadenados picaban rocas al ritmo de los gritos y los latigazos del capataz.

Unas presidiarias vestidas de unos trajes amarillos trabajaban en el lavadero al aire libre. Por sus carcajadas, nadie hubiera imaginado su situación ni las horas que pasaban rodeadas de aquellas nubes de vapor, frotando y cargando mantas pesadas y uniformes. En el muelle se oían los ruidos metálicos de las reparaciones de los once buques que habían llegado tres meses atrás, y el calor se le antojó todavía más intenso debido al olor acre que despedían los barriles de alquitrán humeantes.

Millicent siguió adelante a toda prisa con la mirada fija en el suelo y sin salir de las sombras de las galerías de las tiendas. Sin embargo, era muy consciente del grupo de marineros que daba gritos de ánimo a un aborigen borracho mientras le ofrecían más ron y lo obligaban a bailar para ellos, de los soldados que se pasaban el día ganduleando ante las licorerías y de los oficiales que paseaban en caballo con una indiferencia temible por las calles recién adoquinadas. Sudaba bajo la capa, pero prefería pasar calor que quitársela. Ya quedaba poco, aunque le pareció que nunca iba a llegar a los muros altos de la iglesia inacabada.

Dobló la esquina, desviándose de la carretera principal, y entró aliviada en los jardines relativamente tranquilos del templo. Algunos presidiarios estaban trabajando en lo alto de los andamios de madera mientras otros daban golpes con martillos, clavos y cinceles bajo la mirada atenta de los capataces. Todos iban vestidos con las camisas y pantalones holgados marcados con flechas que denotaban su posición social, pero al menos no cargaban con cadenas.

Millicent tenía los nervios a flor de piel y pasó corriendo delante de sus ojos atentos hacia la explanada que había detrás de la iglesia. Susan le había pedido que fuera. No podía negarse.

Hacía tiempo que habían despejado la extensión amplia en la parte posterior de la iglesia, y donde antes solo había árboles y matorrales, vio una casa grande pero sencilla rodeada por unos agradables jardines llenos de flores. Aquí vivían el pastor Richard Johnson y su esposa, Mary. En un rincón del exuberante jardín, a la sombra de la iglesia en construcción y separada del resto del terreno por una cerca, se levantaba una vivienda mucho más pequeña en la que vivía Florence.

Millicent abrió la verja y recorrió el cuidado sendero que dividía el césped, fijándose en que Florence no compartía la pasión de Mary Johnson por los arriates ni las macetas repletas de flores que le llenaban el porche. Subió las escaleras recién fregadas y contempló las cortinas inmaculadas en las ventanas. Llamó a la puerta. La abrió Florence.

—¿Qué quieres?

A Millicent le hubiera gustado pedirle un vaso de agua y sentarse un rato para recuperarse del suplicio que acababa de pasar, pero sabía que no conseguiría nada si se lo pedía.

—Necesito hablar con tu padre —le dijo, mientras miraba por encima de su hombro hacia la penumbra del interior de la casa, esperando que quizá estuviera allí.

Florence juntó sus manos y se plantó en medio de la entrada, dejando claro que no tenía ninguna intención de invitarla a pasar.

—No está aquí.

—¿Sabes dónde se encuentra? —preguntó Millicent, nerviosa.

El sol estaba a punto de desaparecer del todo y quería volver cuanto antes a casa.

—No soy la guardiana de mi padre —replicó Florence, con una petulancia que hubiese llevado a otra persona menos angustiada que Millicent a darle un cachete.

—Es urgente —insistió la joven, desesperada—. Tu madre lo necesita en la enfermería de las presidiarias.

Entregó la nota a Florence.

Esta la leyó y se encrespó.

—Mi padre tiene cosas más importantes que hacer que atender a una católica pagana —dijo con indiferencia.

Ya tenía la mano puesta en el pomo de la puerta y dio un paso hacia atrás.

Millicent no se lo pensó dos veces. Dio un paso hacia delante, puso su propia mano en la puerta y la abrió de un empujón.

—Necesita que vaya a administrarle la extremaunción a la señora O'Neil —explicó atropelladamente—. A la pobre solo le quedan unas horas de vida y se irá más tranquila si sabe que al menos se han rezado las oraciones correctas.

—Mi padre no es un cura católico —dijo Florence con mucha frialdad—. Estoy segura de que el profundo conocimiento de mi madre de las clases criminales le servirá para apañárselas sin la ayuda de mi padre.

—¿Por qué la odias tanto?

—No es asunto tuyo —espetó Florence, empujando la puerta para cerrarla.

Millicent no se movió de donde estaba.

—Sí que lo es. Ha sido muy buena conmigo. Tus padres me han tratado como a una hija y no me gusta ver cómo sufren.

De repente, algo cambió en la mirada de Florence.

—No eres su hija y nunca lo serás —saltó.

—No supongo ninguna amenaza para ti —aseguró Millicent, herida porque sabía que las palabras de Florence no podían ser más ciertas—. ¿Por qué siempre eres tan desagradable?

—Porque tú, que no eres más que una vulgar delincuente, te atreves a pensar que puedes ocupar mi lugar en el corazón de mis padres —dijo, sonrojándose y con un brillo extraño en los ojos—. Quizá pienses que ya lo tienes todo resuelto ahora que te has ganado la confianza de ciertos miembros de mi familia, pero yo sé la verdadera razón por la que te aceptaron y te aseguro que tiene muy poco que ver con el deber o la compasión cristiana.

Millicent casi percibía las oleadas de celos que emanaba Florence y sintió miedo.

—¿A qué te refieres? —farfulló.

Florence se acercó a ella, sus ojos lanzando destellos de malicia:

—Mi madre y tú tenéis más en común de lo que te imaginas —soltó—. Si te ha cuidado tan bien, es porque ha querido aliviar el peso de su conciencia.

Millicent no tenía ni idea de lo que estaba hablando y pensó que quizá estuviera trastornada.

—No entiendo.

—¿Y por qué ibas a entender algo cuando solo eres una criada desgraciada? ¿O te creías que alguien iba a ponerte al tanto de los secretos de nuestra familia? —Se acercó todavía más y Millicent retrocedió un paso. Florence no había terminado—: Pero como te veo tan resuelta a meter las narices en los asuntos de mi familia, deja que te ponga al corriente.

De repente, Millicent no quiso escucharla, pero se quedó paralizada, incapaz de huir de la malicia de Florence y sin poder quitar los ojos de su rostro enfurecido.

—Mi madre se acostaba con Jonathan Cadwallader por la misma época en que estaba fornicando contigo.

—Es mentira —susurró Millicent.

—Mi padre se enteró. Oí cómo acusaba a mi madre y ella lo reconoció. Por eso vinimos a este sitio olvidado de Dios. Para huir de Cadwallader. —Millicent tenía los ojos abiertos como platos y la cabeza le daba vueltas—. ¿Lo ves ahora? Te acogió para mitigar sus propios remordimientos. No tuvo nada que ver con el amor o la amistad.

Millicent se estremeció y lanzó un grito ahogado. Las lágrimas empezaron a caer por su cara. No soportaba mirar a Florence, no soportaba su presencia. Dio la vuelta, bajó corriendo las escaleras, abrió la verja de un golpe y se puso en camino a casa sin mirar atrás.

Moonrakers, febrero de 1793

Nell había ordeñado las dos vacas y tres de las cabras cuando se dio cuenta de que las molestias que tenía en la espalda iban a peor. Se levantó del taburete y asió los pesados cubos, negándose a dejarse llevar por el pánico. Si venía el bebé, poco podía hacer para evitarlo. Debía volver a casa y prepararse. Le preocupaba que naciera un mes antes de tiempo, pero el parto de Amy había ido sobre ruedas y ahora no esperaba tener problemas.

Hizo una mueca. Los cubos pesaban mucho y el dolor le pasó de la espalda al abdomen. No había ninguna duda. Este tenía prisa por salir, así que debía apresurarse. Entró como pudo por la puerta mosquitera, dejó los cubos al lado del fregadero y los cubrió con unos trapos de muselina para evitar que la leche se llenara de moscas.

Descansó hasta que se alivió un poco el dolor. Miró a Amy, que dormía en la cuna tosca que Billy le había hecho con la madera de los árboles nativos. Su hija era un sol pero se alegraba de que estuviera durmiendo porque ahora mismo se veía incapaz de dar a luz y cuidar a la vez a una Amy curiosa y hambrienta.

—¿Dónde se ha metido Billy? —masculló, mientras ponía a hervir una olla llena de agua e iba en busca de unas tiras limpias de lino, una pila de toallas y un cuchillo afilado—. ¿Por qué tienen que desaparecer justo cuando más los necesitas?

Volvió a la habitación y se quitó la ropa dejándola allá donde había caído.

Descansó durante unos instantes, apoyándose en la cabecera de latón. El sudor le caía por la frente y aguantó mientras otro dolor atroz le desgarraba las entrañas. Billy llevaba algunos meses yendo y viniendo de la casa sin parar. La había llegado a incordiar tanto que le había pedido que la dejara en paz. Por lo visto, su esposo había decidido hacerle caso porque cuando miró por la ventana, no lo vio en ninguna parte. Tampoco veía a Daisy, Pearl o Gladys. Nell reprimió unas lágrimas y se regañó por ser tan blanda. Ahora no era el momento de anhelar la compañía de una mujer, ni de desear no encontrarse sola o vivir más cerca de la civilización. En definitiva, no era para nada el momento de flaquear. Iba a dar a luz: no era la primera vez y seguramente no sería la última. Las nativas se las apañaban solas en medio del monte y ella no iba a ser menos, maldita sea.

Quitó las sábanas de la cama, la cubrió con una manta vieja pero limpia y fue a buscar la olla de agua caliente. Después de asegurarse de que lo tenía todo a mano, se tumbó en la cama e intentó no pensar en el silencio del gran vacío que se extendía más allá de la ventana. La frecuencia de los dolores había aumentado y ya había roto aguas. Pronto iba a tener que empujar.

Ciudad de Sydney, febrero de 1793

Millicent echó a correr sin saber adónde iba. Cruzó el cementerio y salió a la calle oscura. Las palabras de Florence resonaban en su cabeza y las imágenes que habían evocado irrumpían en su mente con una claridad espantosa. Siguió corriendo, alejándose cada vez más de la iglesia. Vio a su hija agonizando en sus brazos, su cuerpo minúsculo enterrado entre los confines de los muros grises de la cárcel donde nunca brillaba el sol y donde no crecía ni una sola flor. Vio la cara de Jonathan Cadwallader y oyó la rabia que le mostró cuando se encaró con él ese último día... No podía creer que Susan hubiera traicionado a Ezra amando a un hombre como ese. Todo era una maraña, una maraña imposible, y ella estaba atrapada en medio.

Se sentía tan consternada que perdió todo sentido de la orientación y no se dio cuenta de que se iba alejando mucho de su destino. Las lágrimas le nublaban la vista pero siguió corriendo sin rumbo, intentando contener los sollozos incontrolables que le salían de las entrañas. Susan la había acogido por pena, para acallar su conciencia tras traicionar a Ezra. Su amistad era una farsa.

Millicent creyó que le iba a estallar la cabeza. Se arrancó las cintas de la gorra y la arrojó a la cloaca, dejando que los cabellos le cayeran por la espalda. Tenía la garganta oprimida y le costaba respirar. Dobló la primera esquina que encontró y tropezó con dos manos que la sujetaron con fuerza.

Moonrakers, febrero de 1793

Billy estaba nervioso. Había salido al amanecer para supervisar la construcción de los rediles y los estanques. Le impacientaba la lentitud de los presidiarios que supuestamente habían venido a ayudarlo y en momentos como este pensaba que quizá fue un error asociarse con Jack en un proyecto tan descabellado como el que acababan de emprender. La tierra era una tirana implacable y las herramientas y la mano de obra eran peores que inútiles. Le frustraba que todo precisara tanto tiempo en completarse.

Se quitó el sombrero de ala ancha y secó su frente. El sol se estaba poniendo, pero todavía hacía un calor sofocante que bailaba en ondas en el horizonte, atrayendo a las moscas fastidiosas y el zumbido sibilante de un millón de insectos más. El paisaje se extendía hasta el infinito: vacío, aislado, tan primitivo ahora como en el día de su creación. Se sentía tan lejos de Inglaterra que, por un instante, deseó poder volver allí para cabalgar por las llanuras anegadizas y esconderse de los de Hacienda, emborracharse en las tabernas y hacer tratos para los contrabandistas.

Sus recuerdos inundaron su mente y se quedó absorto, mirando su pasado. Siempre había tenido dinero en los bolsillos y siempre había vestido como un señor. Había disfrutado del peligro y la emoción de la vida, y de la mala fama que había adquirido. Ahora era un pequeño granjero, más pobre que las ratas, con una esposa y una hija y otro a punto de nacer. Llevaba harapos y vivía en una choza de madera en medio de ninguna parte. Nunca había querido ser granjero.

Contempló sus manos con desesperación. Tenía la piel curtida por el sol, las uñas rotas e incrustadas de tierra, las palmas llenas de callos ásperos. Pero en ese momento se dio cuenta de que se los había ganado a pulso. Era pobre, pero podía llevar la cabeza bien alta: por haber desbrozado todo ese terreno, por la salud y el bienestar de su pequeña familia y por la promesa de las maravillas que estaban todavía por llegar. El país era duro y salvaje, pero sabía que conseguiría domarlo. Un hombre honesto lograría dejar su huella aquí si trabajaba duro; podía marcar los caminos pioneros para las generaciones posteriores y mostrar al mundo entero que esta colonia de presidiarios fue poblado de hombres y mujeres que no temieron aprovechar al máximo todo lo que les fue concedido.

Se animó y silbó a su caballo. La vida le iba bien y aún iría mejor. Había llegado la hora de volver a casa y decirle a Nell que la amaba.

La casa estaba en silencio cuando abrió la puerta y dejó que se cerrara a su espalda. Amy dormía bajo la mosquitera que cubría la cuna, con el dedo pulgar metido entre sus labios en forma de capullo de rosa.

—¿Nell? —llamó sin alzar la voz.

—Estoy aquí.

Billy rio y lanzó el sombrero sobre la silla más cercana. Si Nell se hallaba en la habitación, era posible que le apeteciera un revolcón antes de cenar. Abrió la puerta y se quedó parado.

Nell estaba incorporada en la cama envuelta de sus cabellos gloriosos que le caían por la cara hasta sus exquisitos pechos. Sonrió cuando se dio cuenta de su estupor.

—No te quedes ahí parado, Billy —dijo con los ojos brillantes—. Necesito un trago de ron, ¡y rápido!

Billy se acercó a ella como si estuviera en trance. Miró embobado a su esposa y luego bajó la vista a los dos bebés que tenía en los brazos.

—Hay dos —susurró.

Nell se rio.

—¡Me lo vas a decir a mí! Estos dos granujas no me han dejado ni respirar. En cuanto ha salido uno, el otro ya estaba asomando la cabeza.

Le tendió a los bebés y Billy observó que uno tenía los cabellos del mismo color que las hojas en otoño y que el otro los tenía dorados como el sol australiano.

—Te presento a William y a Sarah.

Billy los cogió y se los quedó mirando, maravillado. Eran perfectos y preciosos y el amor que sentía era tan abrumador que le entraron ganas de llorar.

Nell se deslizó de la cama, le dio un beso a Billy en la mejilla y salió de la habitación todavía desnuda.

—¿Adónde vas? —preguntó Billy.

—A por ese ron y a hacer la cena —respondió—. Tengo la boca reseca y estoy hambrienta.

Billy la contempló con admiración. Una mujer tan preciosa como Nell valía mil veces más que toda la ropa elegante y todo el dinero del mundo. Era un hombre muy afortunado.

The Rocks, Ciudad de Sydney, febrero de 1793

—Vaya, vaya. ¿Qué tenemos aquí? —dijo la voz con un acento inglés típico de la clase alta.

Se quedó paralizada. Tenía la cara aplastada contra la tela áspera de la chaqueta de un oficial del ejército. La agarraba con tanta fuerza que le costaba respirar.

—Por favor, señor —sollozó—. Déjeme pasar. Tengo que irme a casa.

—¿Qué os parece, chicos? ¿La dejamos marchar u os apetece un poco de diversión?

—Mejor un poco de diversión, ¿no? Parece juguetona, aunque algo delgada.

El corazón de Millicent latía con fuerza y tenía la boca seca. Se agruparon a su alrededor, cerrándole el paso. Eran por lo menos seis en ese callejón oscuro que olía a orín y porquería. Supo por su aliento que estaban borrachos. Buscó desesperadamente otros viandantes, una licorería, una casa... cualquier cosa que pudiera salvarla. Consiguió ajustar sus ojos a la penumbra y localizó a una figura que miraba desde las sombras.

—¡Por favor, ayudadme! —chilló con fuerza—. ¡Por favor! No dejéis que me...

La silueta se movió un poco y descubrió las botas de militar y el brillo de su sonrisa. El hombre siguió observando y Millicent supo que tendría que luchar sola por su vida.

Empezó a dar patadas con las botas y a retorcerse, pero los brazos de su captor solo la aplastaron con más fuerza mientras se reía a carcajadas.

—Vaya gatita que hemos cazado. Si la llego a soltar, me arranca los ojos a arañazos —balbuceó.

—Se lo ruego, señor —suplicó, contemplando la cara colorada y los ojos enrojecidos del hombre—. No soy esa clase de chicas. Dejadme ir a casa.

—Primero vamos a divertirnos un poco —dijo otra voz ebria.

Millicent forcejeó con más rabia cuando vio que el oficial que estaba apoyado en la pared entre las sombras más oscuras se acercaba a ella, pero cuando se dio cuenta de quién era, le entró el pánico y creyó que iba a desmayarse.

—Siendo oficial superior, primero me divertiré yo —afirmó—. Tráemela, Baines.

El terror la paralizaba. El hombre la empujó a los brazos del otro. Esto no podía estar pasando. No era posible. Pero la mano en el cuello de su vestido era demasiado real y cuando le rasgó el algodón desteñido hasta la cintura suplicó de nuevo:

—¡No! —gritó—. ¡Por favor, no me hagáis esto!

El oficial de las botas la sujetó por los brazos y le dio la vuelta para mostrar sus pechos descubiertos a los demás. Ni siquiera notó las patadas que Millicent le daba en las espinillas.

La pasaron de unas manos ásperas y ávidas a otras, riéndose sin parar mientras la obligaban a girar dentro del círculo. Cada vez que chocaba contra uno de ellos, le rasgaban otro pedazo de ropa. Finalmente quedó completamente desnuda, salvo las botas. Sus chillidos fueron ahogados por las carcajadas y los comentarios obscenos de los soldados.

—Haced que calle —gruñó el oficial superior—. Si no, nos las tendremos que ver con los agentes del cuerpo.

Una mano tapó la boca de Millicent y la empujó hasta la parte más oscura del callejón. Siguió dando patadas mientras se retorcía e intentaba arañarles la cara, pero eran demasiado fuertes, y estaban tan borrachos y excitados que ni siquiera lo sentían cuando lograba arrancarles un pedazo de piel con las uñas o cuando les alcanzaba alguna patada fortuita. Finalmente la arrojaron al suelo. Dio con la cara contra las piedras y se quedó sin aliento.

—Sujetadla —jadeó el oficial superior, arrodillándose entre sus piernas y desabrochándose el pantalón—. Y haced que se calle de una vez, por el amor de Dios.

—Se me ocurre algo que podría ir muy bien —dijo otro sin poder contener la risa.

Millicent estaba boca abajo con las piernas abiertas. La aplastaron con sus manos y rodillas contra el suelo irregular y uno de los hombres le asió un puñado de pelo y le echó la cabeza hacia atrás con tanta fuerza que creyó que le iba a romper el cuello.

Intentó coger aire pero el joven oficial se arrodilló ante ella con el pantalón ya bajado, los ojos locos de deseo. La mano que le sujetaba por los pelos tiró con más fuerza y cuando abrió la boca para chillar, le metió su miembro palpitante hasta la garganta.

Millicent se atragantó y le dieron arcadas. Tenía que quitarse aquello de la boca antes de que se ahogara. Empezó a apretar los dientes, pero el joven sacó un cuchillo y le clavó la punta en el cuello.

—Como me muerdas, te degüello aquí mismo.

No podía respirar y tuvo que luchar contra las náuseas y el dolor, pero la tortura solo acababa de empezar. Mientras la violaba el oficial superior, el tormento era tan grande que creyó que moriría y deseó perder el conocimiento. Pero los hombres exaltados se animaron entre sí y cada vez que sentía el filo helado del cuchillo en el cuello, sabía que no iban a apiadarse de ella.

No podía moverse, no podía huir de la agresión a dos bandas y cuando el oficial superior se hubo desahogado, el joven le sacó el miembro de la boca y los demás se turnaron para relevarlos.

Millicent se refugió en las profundidades de su alma, tan hondo que dejó de sentir todo el dolor y la humillación. Ya no le importaba lo que hicieran con ella. Todos sus sentimientos dejaron de existir. Era como si flotara por encima de su propio cuerpo, convirtiéndose en una simple espectadora. Sin embargo, todavía le quedó suficiente frialdad para grabar los rostros de cada uno de ellos en su memoria. Su diversión les iba a costar muy caro.

20

Ciudad de Sydney, febrero de 1793

Susan se había entretenido más de lo que se había esperado y mientras corría a casa a través de la oscuridad, se preguntaba dónde se habría metido Ezra. No había aparecido y la señora O'Neil había muerto temiendo el purgatorio eterno, o comoquiera que se llamara. Era una vergüenza, pensó Susan enfadada. Ezra no podía dejar de tener en cuenta a sus feligreses católicos porque no compartieran las mismas creencias. De todas formas, le extrañaba que no hubiera acudido después de que le mandara la nota.

Cuando bajó la colina, vio que las puertas y ventanas estaban abiertas, que las luces estaban encendidas y que salía una voluta de humo de la chimenea. Por lo menos Millicent había llegado a casa, pensó. Todavía estaba muy nerviosa y se sentía culpable por haberle pedido que saliera a buscar a Ezra, pero no le había quedado más alternativa. Abrió la verja y se le hizo la boca agua cuando le llegó el olor de la cena. Llevaba horas sin comer y estaba extenuada.

—¿Dónde has estado? —le preguntó Ezra, volviéndose después de sacar la carne del horno—. Estaba a punto de salir a buscarte.

Susan dejó la cesta encima de la mesa.

—Ya sabes dónde he estado —soltó—. Y Eily O'Neil ha muerto temiendo la condenación eterna porque a ti no te ha dado la gana atenderla. Pobrecita.

Ezra se la quedó mirando estupefacto.

—No tengo ni idea de qué me estás hablando —dijo—. Explícate.

Cuando Susan le dijo que le había enviado una nota a través de Millicent, Ezra negó haberla recibido. Susan estaba a punto de entrar en una discusión con él cuando se dio cuenta de que la casa estaba demasiado silenciosa, de que algo de lo que estaba pasando no cuadraba.

—¿Dónde está Millie? —preguntó

—Pensaba que estaba contigo.

—Ya debería haber vuelto. La mandé a casa de Florence hace horas. —Susan comenzó a correr por la casa gritando el nombre de Millicent, cada vez más temerosa. Todas las habitaciones estaban vacías—. Millie... —Estaba en el pasillo y se llevó una mano temblorosa a la boca—. ¡Oh, Dios mío! ¿Qué he hecho? ¿Cómo se me ha ocurrido mandarte a la ciudad? Por favor, Millie. Que no te haya pasado nada.

—¿Susan?

Ezra salió de la cocina con el semblante preocupado.

Susan lo agarró.

—¡Tenemos que encontrarla! Tiene pánico a la oscuridad y está sola. Le ha pasado algo, seguro. ¡Y ella no quería ir! Fui yo quien la obligó.

Ezra la cogió de las manos e intentó tranquilizarla.

—Habrá decidido pasar la noche en casa de Florence —sugirió.

Ella deseaba creerlo pero los dos sabían que era una idea absurda. Se apartó de él, cogió un chal y entró en la cocina para buscar un farol. Acababa de encender la mecha y de cerrar el cristal cuando oyó un ruido extraño. Se quedó inmóvil.

—¿Qué ocurre? —preguntó Ezra.

Susan llevó el dedo índice a los labios. Ahí estaba otra vez, el mismo ruido, y esta vez lo reconoció.

Corrió hacia la entrada y casi se cayó por las escaleras intentando llegar cuanto antes a la figura que estaba acurrucada en las sombras.

—¿Millie? —susurró con la voz temblorosa de miedo—. ¿Millie? ¿Eres tú?

La chica siguió sollozando y se encogió todavía más.

Susan le hizo un gesto a su marido para que volviera a entrar en casa. Millicent estaba deshecha y aunque adoraba a Ezra, intuía que sería mejor intentar hablar con ella sin una presencia masculina. Se acercó a la figura acurrucada sin saber qué hacer y asustada por lo que iba a encontrar.

—¿Millie? ¿Qué te pasa?

La joven seguía llorando y se adentró todavía más en las sombras para refugiarse. Susan le tocó el hombro.

—No me mires. No me mires —gimió—. No quiero que me veas. No quiero que me vea Ezra.

Susan observó por encima del hombro y vio que Ezra seguía cerca de la entrada. Le hizo otro gesto para que se metiera de una vez en casa.

—Ezra está dentro. Vamos, no puedes quedarte aquí. Lo que te haya asustado ya ha pasado. Ahora estás en casa, a salvo.

La atrajo hacia sí para abrazarla.

Millicent se agarró a ella, temblando y llorando incontrolablemente. Intentó hablar pero las palabras le salían de manera incoherente.

Susan trató de tranquilizarla pero cuando pasó las manos por encima de sus hombros delgados, se horrorizó al comprobar que estaban descubiertos. No se veía nada bajo las sombras pero con la ayuda de sus dedos, pronto descubrió que el vestido de algodón estaba hecho jirones y que no había rastro ni de las enaguas ni de la capa que llevaba cuando se despidió de ella. La estrechó con fuerza entre sus brazos, meciéndola hasta que dejó de llorar.

A pesar de la cálida quietud de la noche, a Susan le latía el corazón de forma descontrolada y temía lo peor. Cuando la luna finalmente se asomó detrás de una nube, ya no le cupo ninguna duda de lo que le había pasado a Millicent.

Tenía la cara manchada de sangre y lágrimas. Su cuello y sus brazos estaban cubiertos de arañazos y moratones. Había manchas de sangre y restos de mugre en sus piernas y en lo que quedaba de su vestido. Además, vio unas calvas en su cabeza donde alguien le había arrancado el pelo.

Se le heló el corazón. Quienquiera que le hubiera hecho aquello sería castigado. Ella misma iba a asegurarse de que así fuera, y una vez estuviera colgando de la horca, iría a escupirle a la cara.

—¿Por qué me han hecho esto, Susan? —susurró Millicent—. ¿Por qué yo? ¿Tan malvada soy?

A Susan le invadió una tristeza abrumadora. Ojalá pudiera cargar con el dolor y la desesperación de Millicent. Ojalá pudiera aliviar su sufrimiento a través del amor que sentía por ella.

—Los malvados son los hombres que te han hecho todo esto —contestó.

—Pero ¿por qué, Susan? —preguntó.

Se echó a llorar otra vez. Las palabras le salían a borbotones y empezó a arañarse los brazos con las pocas uñas que le quedaban.

—Yo no les provoco. Nunca los he provocado, pero me buscan porque ven que soy sucia y asquerosa y repugnante.

Susan tomó sus manos y las sujetó para que no se hiciera más daño todavía. El tormento de Millicent había barrido su fe en un Dios amable y bondadoso. ¿Cómo se atrevía Dios a ser tan cruel? ¿Cómo se atrevía a dejarle vislumbrar la felicidad y la seguridad para luego arrebatárselo todo de aquella manera?

Ezra no había podido conciliar el sueño y salió de casa al rayar el alba. Estaba tan afligido como Susan por lo que le había pasado a Millicent y la firmeza de su fe se había visto profundamente debilitada.

Florence debió de ver la rabia y la angustia en el rostro de su padre al franquear la puerta, porque la sonrisa con la que lo recibió se desvaneció cuando él pasó por su lado sin saludarla y entró en la sala, donde la esperó.

—Florence —dijo lo bastante alto para que su voz resonara en la habitación minúscula—, ¿tienes idea del terrible daño que has causado con tu lengua mordaz?

Sin esperar una respuesta, le contó los hechos de la noche anterior. No se anduvo con rodeos ni tampoco le ahorró los detalles más escabrosos. Se limitó a hablarle en un tono monocorde capaz de helar incluso al más insensible de los corazones.

Florence permaneció mirándolo horrorizada y se dejó caer a una silla.

—No puedo creerme lo que estoy oyendo —murmuró—. Pobre Millicent.

Ezra percibió la falta de sinceridad en su voz.

—Y tan pobre —espetó—. Esa niña tiene pánico a las sombras. Jamás entenderé cómo ha sobrevivido a semejante suplicio.

—Pero no entiendo por qué estás tan enfadado conmigo, papá —susurró, a punto de llorar—. Yo no tengo la culpa de que se perdiera en medio de la ciudad.

La ira de Ezra era tan inmensa que le costaba contenerla.

—¿Vas a contarme qué pasó, Florence? ¿Qué le dijiste a Millicent que le disgustó tanto que ni siquiera supo llegar a casa?

—Yo no la vi ayer —dijo Florence—. Me horroriza que puedas sospechar que yo tenga algo que ver con semejante tragedia.

—¿No te trajo una nota de parte de tu madre? —preguntó Ezra, imponiéndose sobre ella e intentando ocultar el profundo dolor que le causaba la negación tan desvergonzada de su hija.

—Si me hubiera traído una nota, te la hubiese entregado —repuso sin poder mirarlo directamente a los ojos y juntando las manos en su regazo.

—¿Ah sí? —dijo fríamente—. ¿Y cómo explicas esto?

Florence palideció cuando vio la nota que su padre había encontrado nada más entrar en la habitación. Estaba arrugada y manchada de hollín, pero todavía se leía con claridad.

—Debió de venir cuando yo no estaba —farfulló.

—Lo dudo —replicó, alisando la nota antes de doblarla y guardarla en el bolsillo—. Es muy improbable que arrojara un mensaje de Susan a la chimenea. —La miró con tristeza antes de continuar—: Además, Mary Johnson estaba cosiendo al lado de la ventana ayer por la tarde y la vio llegar.

Florence se volvió hacia él y la sala se llenó de un silencio roto solamente por el tictac de un reloj. Ezra no sentía ninguna compasión por la evidente angustia de su hija sino una pena profunda por la facilidad con que era capaz de mentir.

—Mary te vio abrir la puerta y salir al porche. Me ha dicho que estaba preocupada porque le pareció que tú la atacabas. Iba a interponerse, pero Millicent salió corriendo claramente afligida, y antes de que pudiera poner sus ideas en orden y seguirla, la había perdido de vista. —La tristeza de la situación le abrumaba—. ¿Qué le dijiste, Florence?

Ella lo miró asustada y Ezra vio que estaba intentando buscar una salida. Recurrió al llanto.

—Ahora es demasiado tarde para llorar —dijo su padre—. Sécate las lágrimas, Florence y al menos ten el valor de reconocer el papel que has desempeñado en este episodio nefasto.

La joven se encogió.

—Lo siento, papá —susurró—. Tuvimos una discusión por una tontería. —Sus ojos lagrimosos lo estudiaron suplicantes—. Jamás le desearía una cosa tan terrible a nadie, y menos a la pobre Millie.

Ezra permaneció impasible frente al falso arrepentimiento de su hija.

—Una discusión por una tontería no hubiese derivado en la violación de Millicent —saltó—. Sin embargo, veo que no tienes ninguna intención de decirme la verdad. —Levantó una mano antes de que pudiera negarlo y prosiguió—: Las autoridades han sido informadas y habrá un juicio. Te citarán como testigo de los hechos que condujeron a los acontecimientos y tendrás que declarar bajo juramento. Por una vez en tu vida, Florence, di la verdad.

Florence se secó los ojos.

—Sí, papá.

Su falsa humildad le asqueaba. Erza hablaba en susurros, pero su voz se quebró por la emoción cuando le dijo:

—Estoy apesadumbrado, Florence. De algo grave debo carecer para haber fallado tanto como padre.

—¡No! —interrumpió su hija.

Ezra no le hizo caso.

—Rezaré para encontrar la orientación que he perdido y cuando Dios lo crea apropiado y me enseñe el camino, volveremos a vernos —afirmó, cogiendo el sombrero—. Hasta ese día, no serás bien recibida en mi casa ni en mi compañía.

Florence se echó encima de él y le abrazó la cintura.

—Papá —gritó—. No puedes hacerme esto. Yo te quiero.

Las lágrimas corrían por sus mejillas, empapándole la camisa.

Él se mostró inflexible y no respondió al abrazo de su hija, que seguía llorando, implorando y arañándole el abrigo. Estaba cansado de sus lágrimas. La cogió de los brazos y la apartó. Luego bajó la mirada y le habló con severidad:

—Tú dices que me quieres y que has sido escogida para ayudarme en mis tareas de pastor, pero el amor de verdad nace de la humildad y de la compasión hacia los demás. Se trata de un sentimiento desinteresado capaz de abarcarlo todo, llenando de alegría tanto al que lo da como al que lo recibe.

Florence lo miró confusa.

—¿Papá?

—Has mancillado esa palabra y todo lo que representa —dijo con tristeza—. Nunca vuelvas a emplearla, por favor.

Dio media vuelta y salió de la casa dando un portazo.

Millicent se pasó lo que pareció horas en la bañera delante de los fogones después de que se marchara el médico. Había pedido a Susan que la llenara una y otra vez de agua casi hirviendo mientras se dedicaba a frotarse sin parar para deshacerse del hedor de las bestias que la habían atacado. Sin embargo, por mucho que intentaba limpiarse, no podía desprenderse de la sensación de sus manos en su piel, no conseguía sacar sus voces de su cabeza, sus ojos enajenados, las cosas que le habían hecho.

El médico se había mostrado muy amable y le agradecía que su reconocimiento hubiera sido tan breve e impersonal. Susan finalmente consiguió sacarla de la bañera y le proporcionó un camisón limpio. Ahora se hallaba acurrucada en la cama de su habitación. Los postigos estaban cerrados para que no entrara la luz de este nuevo día y había colocado una silla debajo del picaporte para que nadie pudiera entrar sin su permiso. Se encontraba en la cama en posición fetal, escuchando los ruidos que procedían del otro lado de la puerta. Le sonaron distantes, como si vinieran de otra época y otro mundo. Ya no los relacionaba con las personas que vivían en la casa.

Si cerraba los ojos, le atormentaba el recuerdo de lo que le había pasado. Si los abría, reconocía en su cuerpo los cardenales y arañazos que daban testimonio de lo que había vivido. No hallaba escapatoria. No tenía dónde ocultarse. Llevaba sus marcas desde la punta de los pies hasta la cabeza. Levantó las rodillas y las aplastó contra el pecho hasta hacer un ovillo lo más pequeño posible. Lo único que deseaba era desaparecer.

Pensó en Ernest. Sabía con certeza que sus tiernos brazos nunca más la reconfortarían y que su sonrisa acabaría perteneciendo a otra. Creyó que su corazón se rompería. Habían echado por tierra sus planes y la vida jamás volvería a ser la misma. Ahora ya no podría amarla, ¿y por qué iba a hacerlo? Estaba mancillada y sucia, ya no le serviría como esposa. Ni a él ni a nadie.

Oyó que alguien llamaba suavemente a la puerta y se sobresaltó, olvidándose de sus pensamientos negros. Era Susan.

—¿Millie? ¿Puedo pasar?

Millicent permaneció inmóvil. No quería moverse y temía lo que pudiera haber al otro lado de la puerta. No quería ver a nadie, no quería hablar con nadie, no quería enfrentarse al próximo capítulo en este cuento de terror. No obstante, Susan persistió y al fin se levantó para abrirle la puerta antes de esconderse de nuevo debajo de la sábana.

El colchón se hundió cuando Susan se sentó a su lado.

—Ha venido el agente de la ley —le dijo en voz queda—. Necesita que le cuentes lo que te pasó para que pueda presentar cargos con los culpables.

Millicent empezó a llorar en silencio. ¿Nunca iba a acabar este infierno? ¿Cuánto tendría que esperar antes de que su escasa conciencia de la realidad se desvaneciera por completo? ¿De dónde iba a sacar las fuerzas necesarias para salir adelante?

Susan le acarició el brazo con suavidad y le habló en un tono tranquilizador, intentando darle aliento.

—No puedo ni empezar a imaginarme por lo que estás pasando, Millie, pero debes ser fuerte durante un ratito más —dijo mientras la abrazaba—. Eres mi amiga más querida y si yo pudiera hacerlo en tu lugar, lo haría.

Millicent se apartó un poco de sus brazos y la miró. En sus ojos vio compasión, y también sufrimiento. Comprendió a través de la niebla de dolor que la envolvía que Florence había mentido. A Susan le importaba, y mucho, y no la había acogido en su casa por pena.

—¿Te quedarás aquí conmigo?

—Por supuesto. Y cuando acabe todo, podrás dormir, y te prometo que no permitiré que te moleste nadie más.

Millicent se armó del poco valor que le quedaba y asintió con la cabeza. Sabía que tendría que cavar todavía más hondo si quería ganar la batalla que le quedaba por delante.

Tahití, febrero de 1793

La esposa de Tahamma estaba de pie en la orilla despidiéndose de su marido y de los otros hombres que salían de pesca. Tardarían por lo menos tres meses en volver porque las perlas negras que iban a buscar solo se encontraban en el arrecife exterior. No se movió hasta que desaparecieron en el horizonte. Iba a sentirse muy sola sin él porque Tahamma era un hombre formidable y ya echaba de menos su presencia imponente y jovial.

Sonrió cuando vio a sus hijos jugando en la arena con su madre. Su hijo y su hija habían heredado la piel pálida de su padre, y el niño llevaba las mismas marcas en forma de lágrimas rojas en el hombro que tanto le fascinaban. Acababa de aprender a caminar y vino bamboleándose hacia ella con una concha en la mano. Lo cogió en brazos y le dio un beso, pero a su hijo no le gustaba que lo achucharan y se retorció sin parar hasta conseguir que lo dejara de nuevo en la arena.

De repente desvió la atención hacia los gritos que procedían del otro extremo de la playa. Había llegado un buque y las otras mujeres ya iban hacia allá para ver qué traían para trocar. Dejó a los niños con su madre y salió corriendo decidida a alcanzar a las demás.

El buque estaba anclado en la siguiente bahía y los marineros ya habían montado unas mesas repletas de apetecibles objetos que canjeaban por perlas, aceites perfumados, sándalo y aves exóticas. Contempló los espejos minúsculos y vio cómo se reflejaba la luz en sus marcos adornados de piedras preciosas. Tocó las cintas y las telas delicadas, los abalorios, las pulseras y los peines tan bonitos. Le hubiese encantado quedárselo todo, pero no iba a tener nada para darles a cambio hasta que volviera Tahamma, ahora que los misioneros habían conseguido impedir que las mujeres se ofrecieran a los marinos.

Estaba a punto de volver con sus hijos cuando se fijó en algo que relucía a la luz del sol. Se acercó, lo sacó de la caja de abalorios y supo que tenía que ser suyo. El puñal se encontraba enfundado en una vaina de plata ornamentada. El mango estaba incrustado de piedras preciosas que parecían rubíes, zafiros y esmeraldas y que fulguraban a la luz del sol. La hoja acababa en punta y era ancha y muy afilada, perfecta para abrir ostras. Lo levantó a la luz del sol, girándolo de un lado hacia otro para admirar su belleza.

—Un puñal digno de un maharajá —dijo el hombre, observándola desde el otro lado de la mesa—. Esculpido en los palacios de la India por los artesanos más selectos, y todo tuyo por un puñado de perlas negras.

Entendía casi todo lo que acababa de decirle. Los marineros y comerciantes venían a menudo.

—Yo no perla —dijo tristemente, mirando con ansia ese objeto tan bello que tenía en la mano.

El hombre se lo quitó y volvió a dejarlo en la mesa.

—No perlas, no puñal.

La esposa de Tahamma se mordió el labio. Estaba empeñada en conseguirlo. Le encantaría regalárselo a su marido. Seguro que ningún hombre de Tahití tendría un tesoro semejante.

—Si no tienes perlas —le dijo el hombre—, ¿qué puedes ofrecerme?

Tenía ganas de ofrecerle su cuerpo pero las lecciones del misionero la hicieron callar. Años atrás se hubiera entregado a él sin dudarlo a cambio del puñal, pero la amenaza de las llamas infinitas del infierno y la ira del Dios eran elementos disuasorios muy eficaces. Entonces se acordó de algo que quizá pudiera interesar al hombre.

—¿Tú guardar? Yo volver. Cosa muy buena.

El hombre asintió con la cabeza y la mujer corrió sin parar hasta la choza. Tenía que apresurarse. No deseaba que diera el puñal a nadie más. Era tan bonito y tan deseable que seguro que no tardaría en desaparecer. Entró sin aliento en la choza y apartó las esteras donde dormían. Excavó un poco en la arena que había allanado esa misma mañana y encontró la caja de hojalata. La sacó con las manos temblorosas y abrió la tapa.

El reloj de bolsillo resplandeció débilmente cuando quitó la tela que lo protegía. Lo levantó y se preguntó si el hombre lo consideraría lo bastante valioso para cambiárselo por el puñal. Tenía una abolladura en uno de los lados, y era probable que eso le quitara mucho valor. Además, apenas brillaba, solo tenía una piedra preciosa y no servía para nada.

Llevaba muchos años escondido en la arena y casi se había olvidado de él. Tahamma se lo había enseñado una sola vez, justo antes de su ceremonia nupcial. Recordaba que lo había abierto y le había enseñado la pequeña llave y los retratos en la parte interior. Le había dicho algo de un hombre, pero ella no había escuchado porque estaba más pendiente de su boda. Ahora ni siquiera recordaba cómo abrirlo.

Le dio la vuelta, consciente de que tenía que tomar una rápida decisión antes de que otra persona se llevara el puñal. Pensó en la alegría que iba a darle a Tahamma cuando lo viera y no vaciló más. Envolvió el reloj en la tela y regresó corriendo a la playa.

Suspiró aliviada cuando vio que el puñal seguía allí, y entregó el reloj todavía envuelto en la tela al hombre.

—A ver qué me traes —dijo el comerciante, quitando el paño.

La mujer se acercó lentamente a la mesa y cogió el puñal. Necesitaba tocarlo. Necesitaba desenfundarlo, ver cómo resplandecían las piedras preciosas a la luz del sol y saber que pronto sería suyo.

—Muy bonito —reconoció el hombre entre dientes, escrutando de cerca el reloj.

Luego sacó un objeto del bolsillo, se lo llevó al ojo y volvió a examinarlo. Con manos temblorosas se quitó la cosa extraña del ojo y dio la vuelta al reloj.

—¿Muy buena? —preguntó la mujer.

Parecía gustarle lo que le había traído, pero ¿sería suficiente?

El hombre hizo una mueca y giró un mecanismo que se encontraba en uno de los lados. Se abrió la tapa.

—Está un poco dañado pero...

Permaneció mirando el retrato con indiferencia fingida.

Ella apretó el puñal contra el pecho.

—¿Yo quedar?

La mujer dio la vuelta y se alejó a toda prisa. El comerciante por fin pudo soltar el aliento que había estado conteniendo y se dio cuenta de que temblaba. El puñal no valía nada: era un pedazo de chatarra engastado en unos trocitos de vidrios de colores, hecho a toda prisa en los callejones de la India. El reloj, en cambio, valía una fortuna. Elaborado en oro y el diamante era casi perfecto. De hecho, era la pieza de factura inglesa más exquisita que hubiera visto en su vida.

Abrió la tapa una vez más con sus dedos torpes y observó las miniaturas firmadas, que le daban todavía más valor. Se trataba de una oportunidad única en la vida para ganar un dineral. Sabía perfectamente a quién iba a vendérselo y había un buque que zarpaba rumbo a las Américas ese mismo día.

21

Cala de Sydney, marzo de 1793

Ernest se hallaba delante de la puerta, suplicando a Millicent que la abriera. El día antes había recibido un mensaje de su madre y había cabalgado toda la noche para estar a su lado.

—Millie, habla conmigo, por favor. Al menos déjame verte para que sepa que estás bien.

—No ha salido de su habitación desde aquella noche —dijo Susan en voz baja—. Se niega a hablar con nadie que no sea yo, y aun así no me lo pone fácil. Lo siento, hijo.

Su madre le puso una mano en el brazo. Ernest estaba a punto de llorar, y la frustración y rabia que sentía le impedían pensar de forma coherente.

—Necesito verla —afirmó con voz áspera—. Tiene que comprender que nada de esto ha cambiado lo nuestro. —Se volvió una vez más hacia la puerta y con los labios casi tocándola dijo en voz alta—: Te amo, Millie, y quiero casarme contigo. Por favor, amor mío, sal de ahí.

Pero la puerta permaneció cerrada, y no se oía ningún ruido en el interior de la habitación. Se giró desesperado y se abrazó a la cintura de Susan, sin poder contener las lágrimas.

—¿Qué puedo hacer, madre?

Ella lo reconfortó como hacía cuando era un niño. Le alisó el pelo y le besó en la frente. Su tono de voz delataba la tristeza que sentía:

—No lo sé —confesó—, pero podrías probar a pasarle una nota por debajo de la puerta.

Ernest se fue corriendo a la cocina.

—¿Dónde guardas el papel de carta?

Se sentó a la mesa y comenzó a escribirle una nota en la que le aseguraba que todavía la amaba y que aún conservaba todas las ilusiones que se habían hecho para el futuro. Le prometió que estaba dispuesto a ayudarla de la forma que fuera, pero que necesitaba verla. Cuando acabó, la dobló por la mitad y la pasó por debajo de la puerta.

Se quedó ahí, vigilando la carta, pero Millicent ni siquiera se levantó para recogerla ni leerla. Al anochecer, se sentó en el suelo, resuelto a permanecer allí el tiempo que hiciese falta.

—Ernest, despiértate y ven a desayunar.

Abrió los ojos y descubrió que estaba tendido en el suelo. Su madre se encontraba de pie a su lado con un plato de huevos fritos en la mano. Se puso furioso cuando advirtió que se había quedado dormido y miró hacia la puerta. La carta seguía allí.

Se levantó como pudo y cogió el plato.

—Millie —llamó a través del ojo de la cerradura—. Te traigo comida. ¿No tienes hambre, mi amor? Por favor, sal a comer.

Oyó un crujido a sus pies y miró hacia abajo. Vio que un trozo de papel asomaba bajo la puerta. Su impaciencia casi le hizo tirar el plato al suelo.

«Ernest, vete, por favor. No quiero hablar contigo ni con nadie. Deja de dar golpes en la puerta y de gritar. Solo consigues que me sienta peor.»

Ernest se quedó mirando el papel y se lo tendió a su madre.

—No sé qué más puedo hacer —susurró con los ojos anegados en lágrimas.

Susan le pasó una mano por encima de los hombros y lo llevó a la cocina.

—Déjala en mis manos —dijo suavemente—. Tómate el desayuno y vuelve a Hawks Head. Tarde o temprano se animará y cuando esté lista, te haré llegar otro mensaje.

A Ernest no le apetecía desayunar pero comió lo que pudo y después de un último intento de hablar con Millicent, puso rumbo al río Hawkesbury.

Port Jackson, abril de 1793

Jack Quince había ido a la ciudad para buscar provisiones y recoger las cartas que pudieran haber llegado en alguno de los muchos buques que ahora atracaban en el muelle. Nell le había dado una lista de compra larguísima y había tardado mucho en reunirlo todo, pero como había previsto quedarse una semana más en la ciudad, tampoco le importaba.

La reciente llegada de los gemelos había cambiado a Billy, que llevaba semanas pavoneándose por la granja como un gallo. Se pasaba el día mimando a Nell y a los niños, y Jack había tenido que acostumbrarse al nuevo horario de su amigo, que ahora solía volver a casa bastante antes de que se pusiera el sol. No podía menos que envidiar su felicidad doméstica y se alegraba de poder escaparse durante unos días. La dicha del matrimonio solo reafirmaba su deseo de que llegara Alice de una vez.

Como ya había llevado a cabo todas las tareas que se había propuesto para el día, cargó el carro y se dirigió una vez más al muelle bullicioso para ver si había noticias. Desde que había llegado, cada mañana se había acercado al puerto porque Alice le había escrito desde Ciudad del Cabo varios meses atrás advirtiéndole que quizá le costara encontrar un pasaje, pero que tenía esperanzas de poder venir a bordo del *Lady Elizabeth*. Estaba tan impaciente por tenerla a su lado que se pasaba el día preocupado, temiendo que quizá le hubiera pasado algo.

Mientras dirigía el caballo por las calles de la ciudad, miró hacia lo alto de la colina a la casa en la que vivían Ezra y Susan Collinson. Se había enterado de lo que le había pasado a Millicent, y aunque la noticia lo había horrorizado, no creía que fuera el momento más oportuno para hacerles una visita. No era de la familia y ya había sufrido bastantes crueldades en su vida para tener que cargar con el sufrimiento de otro. Billy le había dado una versión escueta de la visita que les había hecho y con eso tenía más que suficiente.

Jack no se atrevía a dejar el carro desatendido por si aparecía algún ladrón oportunista, así que compró una empanada de carne a un vendedor callejero y se la comió sentado en la calesa, contemplando el ajetreo del muelle. Habían llegado varios balleneros americanos y un par de buques mercantes. Ciudad de Sydney se había convertido en una parada de moda y siempre había mucho movimiento. Ya habían acabado los años de hambre y la colonia ahora daba la impresión de ser un poblado mucho más permanente.

Entonces divisó a los chicos de la cadena de presidiarios. Les habían asignado la tarea de quitar las rocas excavadas por los presidiarios mayores y llevarlas en carretilla hasta el vertedero donde las aprovecharían para construir los nuevos embarcaderos. Mientras los contemplaba, se dio cuenta de que por muy importantes que fueran los progresos de la colonia, jamás dejaría de ser un asentamiento de presidiarios si seguían encadenando a niños y obligándolos a trabajar como esclavos.

—Vigila lo que haces y mueve el culo, pedazo de mierda irlandesa —gritó el capataz.

Jack se estremeció cuando el látigo de Benson restalló encima de los hombros enjutos del niño. Cerró los puños, muriéndose de ganas de ir a quitárselo de las manos y de darle una tremenda paliza. El ron finalmente había acabado con Mullins, pero su malicia seguía muy viva en el despiadado Benson, que era un ejemplo clásico de presidiario con cédula de libertad condicional, sin las habilidades necesarias para ganarse la vida pero con el temperamento sádico que proliferaba entre los capataces como él.

El chico forcejeó con una roca enorme entre las muchas que había sobre una pila que le debía de parecer interminable. Los grilletes que apresaban sus tobillos entorpecían cada paso que daba. Dedujo por los insultos del capataz que el chico había llegado a bordo del

Queen, un buque lleno de católicos irlandeses, la mayoría de ellos niños que se habían visto envueltos en los disturbios de su país. Su rostro joven reflejaba rebeldía: cada insulto y cada golpe servía únicamente para reforzar su resolución de no dejarse intimidar, pero Jack sabía por su propia experiencia que si el niño no se atrevía a quejarse o a contraatacar, era porque le costaría una buena flagelación.

Se estremeció recordando los episodios de su pasado. Los que luchaban contra el sistema recibían unos castigos atroces, un sistema que no protegía ni siquiera a los más pequeños. Un niño podía ser arrastrado ante los tribunales por un delito de menor cuantía y sentenciado a cincuenta azotes. En el caso de que le tocara un capataz excepcionalmente cruel, podían someterlo a mil cortes y dejarlo incomunicado, obligándolo a ponerse la capucha pesada y opresiva que todos temían.

El chico había aprendido que no valía la pena contraatacar, que ya de por sí era una lección importantísima. Los que recibían pocos azotes no dejaban de soñar con un futuro, pero los más escarmentados, los que no conseguían enderezarse después de recibir sus latigazos, acababan rindiéndose a una desesperación tan terrible que lo único que ansiaban era la muerte.

Jack no soportaba verlo. Cogió las riendas y arreó el caballo. Para aquellos niños, el castigo se había convertido en una forma de vida, de igual modo en que él se había acostumbrado al martirio que había vivido en el *Surprise*. Aunque los castigos tuvieran un propósito disuasorio, lo único que conseguían era degradar al supuesto malhechor y atizar las llamas de la rebelión. El gobernador era idiota si optaba por cerrar los ojos ante el rencor que poco a poco iba apoderándose de los presidiarios irlandeses: tarde o temprano, el odio que sentían hacia los ingleses les induciría a vengarse de aquellos que los habían esclavizado.

Jack había perdido el apetito y le dio un trago largo a la botella de cerveza de color paja que traían los americanos. No tenía ni punto de comparación con la cerveza oscura y amarga de Sussex, pero al menos conseguía quitar el mal sabor de boca, aplacaba la sed contra aquel calor tan debilitante y no le hacía zumbar la cabeza. Se acomodó en el pescante de madera y estiró la pierna. Todavía le dolía después de tantos años, pero ahora aceptaba el dolor como el precio que había tenido que pagar por su libertad. Detuvo el caballo en el muelle.

Se quedó sentado al sol con el sombrero de ala ancha ladeado para protegerse la cara, y miró con ojos entrecerrados la luz resplandeciente que bailaba sobre el agua. El mar aún le daba pánico y tenía pesadillas en las que se veía encadenado dentro de la bodega inundada del buque de presidiarios. Se despertaba siempre empapado de un sudor frío y falto de aliento. Hoy se le antojó benevolente, e incluso apreció cierta belleza cruel en las olas, pero nunca podría deshacerse de sus recuerdos.

—¡Llega un buque!

Jack miró hacia el promontorio y vio cómo izaban la bandera en el cabo, pero el buque no parecía llevar velas. Se bajó de la calesa y condujo al caballo por encima de los adoquines hasta un lugar desde donde tendría una mejor vista. Se había llevado muchas decepciones en los últimos días y no se atrevía a hacerse ilusiones de que Alice por fin estuviera tan cerca.

Fijó su atención en un viejo marinero que estaba sentado en un cabrestante con un telescopio fino en la mano.

—¿Veis algo? —le preguntó mientras se acercaba más.

—Es un barco espléndido —masculló el viejo marino ajado—. Tiene una buena manga y el casco bien hundido en el agua. Seguro que viene cargadísimo.

Jack se aproximó un poco más. Ahora veía las velas pero por mucho que lo intentara, la luz cegadora del sol le impedía distinguir de qué clase de buque se trataba.

—¿Me podéis decir cómo se llama?

Los ojos de color azul pálido lo miraron durante unos instantes y después el hombre levantó de nuevo el telescopio.

—Lleva el pabellón británico —afirmó, girando la mira—. No parece un ballenero ni un buque mercante. Además, viene escoltado por otros dos más.

Jack apenas podía contener la impaciencia. Tenía ganas de arrancarle el telescopio de las manos, pero su innato sentido de la propiedad se lo impidió.

—Pero ¿no veis el nombre? —insistió.

El marinero pareció tardar una eternidad en responder.

—Se lo llevan al otro muelle —dijo finalmente—. Tiene que ser importante.

Jack frunció los labios para no explotar. El abuelo parecía empeñado en mantenerlo en vilo.

Bajó el telescopio y sus ojos desvaídos se perdieron detrás de las arrugas de su rostro bronceado.

—Es el *Elizabeth* —dijo sonriendo—. El *Lady Elizabeth*.

A pesar de que la cadera lisiada de Jack le impedía moverse con rapidez, corrió cuanto pudo por los adoquines y agarró las riendas.

—¡Ya voy, Alice! —gritó, subiéndose con torpeza al carro y alejándose a un trote desgarbado.

Había mucha gente reunida en el muelle, pero se abrió paso entre la multitud con el caballo y el carro, haciendo caso omiso a las protestas. Luego se puso de pie sobre la calesa y escrutó el buque para ver si localizaba a Alice. Por primera vez en mucho tiempo, sintió renacer la esperanza.

Los pasajeros estaban agrupados en las cubiertas, saludando con la mano y llamando a los que esperaban en el muelle, pero no había ni rastro de la pequeña figura ni del rostro de la mujer que tanto amaba. Cada vez más ansioso y frustrado, en cuanto bajaron la plancha abandonó el caballo y el carro y avanzó a codazos entre el tumulto.

—¡Alice! —gritó, mirando de rostro en rostro y buscando desesperadamente sus cabellos rubios y sus ojos azules—. Alice, ¿dónde estás? Soy Jack.

Nadie le respondió, aunque algunos de los pasajeros y de los tripulantes le sonrieron o le ofrecieron consejos. Jack se arrancó el sombrero y siguió dando empujones a todo aquel que se le pusiera en el camino hasta que terminó de registrar el *Lady Elizabeth* de proa a popa.

—¡Alice! ¿Dónde estás?

—¿Sois vos Jack Quince? —preguntó una voz a su espalda.

Jack se dio la vuelta y miró al hombre.

—Sí —dijo Jack —, y busco a Alice Hobden.

El capitán se acarició la barba muy bien cuidada.

—Creo que todo el mundo se ha dado cuenta ya de eso —dijo riéndose—, aunque me temo que no ha venido en el buque.

Jack se desmoralizó.

—Pero si dijo que...

El hombre asintió con la cabeza.

—Es cierto que la señorita Hobden iba a viajar conmigo —explicó—, pero ha tenido que quedarse en El Cabo.

Jack se horrorizó.

—¿Por qué? ¿Qué ha pasado? No habrá cambiado de parecer, ¿verdad? —preguntó desesperado.

—No, nada de eso —respondió el capitán, hurgando en el bolsillo y sacando una carta—. Me pidió que os entregara esto, pero antes de que lo leáis, quiero aseguraros que se pondrá bien y que está decidida a venir en cuanto sea posible.

—*¿Se pondrá bien?* —repitió Jack, perplejo.

El capitán puso una mano consoladora sobre su hombro.

—Ahora voy a dejaros para que leáis la carta con tranquilidad. Venid a buscarme cuando la hayáis acabado. Vuestras ovejas os aguardan en la bodega.

Jack apenas oyó lo que decía. Rompió el precinto y abrió la carta de Alice.

Mi querido Jack,

Intenta no preocuparte. El médico me ha dicho que lo que tengo no es la fiebre tifoidea, sino malaria, y que dentro de algunos meses ya podré viajar. Imagino que habré contraído esta enfermedad por culpa de las inevitables picaduras, a pesar de la mosquitera que compré para protegerme. Ciudad del Cabo es un lugar muy caluroso y abarrotado, pero tengo la suerte de poder pagar una habitación y el tratamiento que necesito, así que me recuperaré pronto.

Siento causarte este disgusto, mi amor, y espero que tu preocupación se vea atenuada por la llegada de nuestras ovejas. No he podido retenerlas aquí, pero el capitán ha sido muy comprensivo y me ha prometido que se ocuparía de ellas para que llegaran sanas y salvas. Son de muy buen pedigrí y no ha sido fácil conseguir un precio justo por ellas. Creo que estarás de acuerdo en que son muy buenas reproductoras.

Pienso en ti cada día y ansío poder estar a tu lado. Intento hacerme una idea de cómo debe ser Moonrakers por las descripciones que me has hecho, y trato de imaginarte allí. Falta poco para que estemos juntos. No te desanimes, amor mío. Hemos esperado tanto tiempo que unos pocos meses más se nos harán muy cortos. Cuida de las ovejas y de ti mismo, por supuesto. Volveré a escribirte en cuanto haya conseguido un pasaje.

Te amo, como siempre,

ALICE

Las lágrimas nublaron su vista. Jack dobló la carta y la guardó en el bolsillo. Era demasiado breve y no le describía los síntomas de su enfermedad, pero Alice nunca había tenido facilidad de palabra. Se quedó mirando al vacío, totalmente confuso. Si hubiera una forma de llegar a ella... pero El Cabo estaba muy lejos y habían pasado varios meses desde que escribió la carta. Ya podría estar en camino.

Permaneció allí, hecho un mar de dudas. No podía abandonar la colonia ni tenía dinero para pagarse el pasaje. Además, debía hacerse cargo de las ovejas. No podían quedarse más tiempo en la bodega y tampoco había un lugar donde pudiera dejarlas en Ciudad de Sydney.

—Oh, Alice —suspiró—. ¿Qué voy a hacer?

—Sugiero que os ocupéis de vuestras ovejas —dijo el capitán con una sonrisa amable cuando Jack fue a buscarlo—. La señorita Hobden sabía que querríais ir a su encuentro y me pidió que os disuadiera de hacerlo. Tiene razón, señor Quince. Está en muy buenas manos y en un lugar idóneo para recuperarse. Tiene una enfermera inglesa que no se separa de su lado. Lo que ella desea es que vos cuidéis de las ovejas y que la esperéis. Yo también os aconsejo lo mismo.

Jack sabía que no le quedaba más alternativa y soltó un suspiro lleno de angustia.

—¿Dónde están?

El capitán lo acompañó a la bodega y cuando Jack desembarcó el rebaño y lo condujo por la plancha hasta el muelle, comprobó que eran ovejas de muy buena calidad. Alice se había lucido. Despidió al capitán con la mano, y se centró en el largo camino de vuelta hasta Moonrakers.

Era consciente de que el viaje resultaría muy largo porque todos tendrían que seguir el paso de la oveja más lenta. Sin embargo, cuando fue a recuperar el caballo y el carro e hizo pasar delante a los animales, notó que su ánimo se elevaba. Alice y Jack habían soñado con tener el mejor rebaño de ovejas merinas de Australia. Su lana iba a hacerlos ricos y mientras Alice se recuperaba en Ciudad del Cabo, cuidaría de ellas como si fueran sus propios hijos.

Hawks Head Farm, mayo de 1793

Los hombres estaban durmiendo cuando los guerreros se acercaron a la choza. No vieron las sombras oscuras que cercaron la casa ni los destellos de las antorchas que llevaban en la mano. Ni siquiera se despertaron cuando las teas rozaron las hierbas resecas y las llamas empezaron a lamer las paredes de madera y el tejado.

El tío de Lowitja, Pemuluwuy, y su hijo Tedbury desaparecieron en la oscuridad y se unieron a los demás, que ya habían ido a buscar al ganado y los caballos y los habían conducido hasta los árboles. Solo eran siete, dado que las grandes tribus que años atrás habitaron estas tierras sureñas habían perecido: los que no habían muerto habían caído en la trampa del ron del hombre blanco. Otros habían huido, temerosos del futuro que les esperaba allí después de que les hubiesen destruido todos sus lugares sagrados del *Dreaming*.

El odio de Pemuluwuy hacia el invasor le servía de acicate, y aunque le costaba entender la apatía de la mayoría de su gente, sabía que alguien debía luchar por su derecho a ocupar esta tierra que les había confiado el Gran Espíritu.

Se alejaron en la oscuridad, ágiles y sigilosos. Pemuluwuy ya estaba pensando en el próximo asalto. El hombre blanco se había hecho con las tierras y había ahuyentado a los animales de su hábitat. Los pocos que quedaban de las muchas tribus que antes habían vivido en la zona se habían visto obligados a huir a otras donde la caza era pobre y el agua sabía a sal.

Debería haber prestado más atención a Lowitja cuando echó las piedras y se comunicó con los Grandes Espíritus, porque su sobrina había visto con claridad el éxodo de su pueblo hacia las tierras rigurosas del interior. Lo cierto era que estaban al borde de la extinción y sospechaba que ya no importaba la cantidad de granjas que incendiaran ni la cantidad de ganado y caballos que robaran: no iban a detener la marea blanca que estaba aniquilando a su pueblo, sus costumbres y su espiritualidad.

Ernest estaba intranquilo y no paraba de revolverse encima del incómodo colchón. Lo que le había pasado a Millicent invadía sus sueños y la angustia que le carcomía por dentro tras su rotunda negación a verlo y hablar con él lo habían llevado al desconcierto más absoluto. Esta noche, sus sueños llegaron mezclados con el olor a humo y un ruido parecido a la crepitación de la madera cuando arde. Abrió los ojos y se dio cuenta de que no se trataba de una pesadilla.

—¡George! —gritó—. ¡Fuego!

Los hermanos saltaron de la cama, cogieron sus rifles y salieron corriendo en ropa interior. Se toparon con los presidiarios que trabajaban para ellos. Todos estaban pasmados, observando el incendio.

La casa nueva estaba en llamas, igual que las tiendas de los reos, que habían tenido suerte de escapar con vida, pero de los incendiarios no había ni rastro.

—¡No! —bramó George—. No han dejado ni el granero.

—¡Deprisa! Hemos de salvar la cosecha —gritó Ernest, lanzando un cubo a su hermano.

Corrió en busca de cualquier recipiente que sirviera para contener agua y se lo dio a los presidiarios.

—¡Moveos! —chilló.

Por fin reaccionaron y todos se dirigieron corriendo al río, donde llenaron los cubos antes de volver al granero. La casa ya no importaba pero su futuro dependía de las cosechas.

Asfixiados por el humo y con los ojos escocidos, lucharon contra el fuego. Si no salvaban la cosecha, todo el trabajo del último año habría sido en vano. Los presidiarios pusieron el mismo empeño que los hermanos en sofocar las llamas: ninguno de ellos deseaba regresar a la ciudad y a los latigazos.

El fuego se propagó, devorando la madera blanqueada por el sol y subiendo hasta el tejado alquitranado. Los hermanos y los presidiarios continuaron acarreando cubos de agua y corriendo hasta que se les entumecieron los músculos y sintieron que sus pulmones iban a explotar. Sin embargo, no hicieron caso al dolor y al agotamiento y se centraron en moverse con mecánica simetría entre el río y el granero.

—No hay nada que hacer —jadeó George, lanzando otro cubo de agua hacia el fuego—. Somos demasiado pocos y el río está muy lejos para ir a buscar agua.

—¡Tenemos que apagarlo! —gritó Ernest por encima del estruendo del incendio—. Podemos hacerlo.

El granero siguió ardiendo. Las llamas devoraron el techo como una bestia salvaje y se colaron entre las maderas consumidas donde empezaron a consumir el trigo que había en su interior. Una ráfaga de viento llenó la oscuridad de una lluvia de chispas y un tentáculo de fuego se extendió desde la casa hasta la hierba. Se dividió una y otra vez hasta formar un delta ardiente.

—¡Cuidado!

George dio un empujón a Ernest para apartarlo de una lámina de fuego que había caído de un eucalipto, amenazando con envolverlo.

Ernest apenas veía a través del humo y estaba quemado y extenuado, pero consiguió tirarse al suelo. De repente, notó cómo su tobillo se torcía bajo el peso de su propio cuerpo. Haciendo caso omiso del dolor, se levantó rápidamente y se echó hacia un lado para sortear las llamas del granero que avanzaban a toda prisa y las ramas ardientes que seguían cayendo del árbol.

Entonces estallaron unas latas de queroseno, obligando a los hombres a romper la cadena que habían formado. En ese momento, Ernest tuvo que aceptar que habían perdido la batalla.

—¡Todos al río! —gritó, antes de salir cojeando hacia la corriente—. ¡Salvaos!

El agua estaba cálida, como si la intensidad del incendio la hubiera templado. Ernest y George se adentraron hasta el cuello para quitarse la suciedad y aliviar el cansancio y el dolor que atravesaban sus cuerpos. Poco después llegaron los presidiarios, cuyos rostros estaban negros por el humo y manchados de sudor. Ya no podían hacer nada excepto mirar cómo el granero empezaba a mecerse y balancearse, pasto de las llamas.

Después oyeron el chasquido de las maderas, el crujido de las vigas pesadas y la crepitación de las lenguas de fuego, y de repente se encontraron envueltos en un humo denso que se arremolinó a su alrededor, esparciendo miles de centellas que harían todavía más estragos. Las paredes parecieron vacilar durante unos instantes, pero cuando cayó el tejado, se desplomaron con un estrépito ensordecedor, y el aire se colmó de chispas que volaron hacia el cielo, donde se mezclaron con las estrellas.

Las aves salieron volando, asustadas, y los canguros, ualabis y wombats se dirigieron a la seguridad del río y más allá. Los lagartos huyeron y los possums, con sus crías en la espalda, saltaron de las ramas ardientes para buscar refugio río arriba.

Las llamas siguieron avanzando, extendiéndose, bailando, devorando todo lo que encontraban a su paso.

Cuando el sol iluminó el cielo y se filtró a través de la cortina de humo que todavía llenaba el aire, Ernest y George salieron del refugio que habían montado para pasar la noche y cruzaron el río con los presidiarios. Todos se quedaron horrorizados al contemplar el panorama que se extendía ante ellos.

La nueva y preciosa casa había quedado reducida a una ruina carbonizada, y del granero y las tiendas no quedaba ni rastro. La tierra estaba calcinada y todavía humeaba en la brisa de la mañana. Las tres vacas y el toro habían desaparecido, los caballos habían huido y todas las herramientas que poseían se habían quemado con el trigo en el granero.

—Al menos no tendremos que despejar ese terreno de allá —dijo Ernest mientras contemplaban los restos carbonizados de la hilera de árboles—. Y con la capa de ceniza que hay en el suelo, no tendremos ni que abonarlo.

George estaba pálido, y tenía los puños tan apretados que se le veían los nudos blancos debajo de la piel bronceada de sus manos.

—Te juro que voy a ir a por los cabrones que nos han hecho esto y los voy a matar a todos —masculló.

—Con eso no vas a conseguir nada —respondió Ernest—. Además, ahora deben de estar bien lejos de aquí.

—Lo hemos perdido todo, Ernie. Nos hemos quedado aislados y ¿quién dice que los negros no volverán a por nosotros ahora que estamos desprotegidos?

—Si tuvieran intención de matarnos, lo habrían hecho anoche —dijo Ernest, empezando a asimilar la gravedad de la situación.

Millicent iba a comparecer ante el tribunal dentro de tres días y le había prometido que estaría allí. Ahora sería imposible porque Ciudad de Sydney se encontraba a dos días en caballo y tardaría muchos más en recorrer el camino a pie.

21

Juzgado de Ciudad de Sydney, 1 de mayo de 1793

El tribunal militar se encontraba reunido, y el nuevo presidente estaba espléndido con su uniforme de gala y sus charreteras resplandecientes a la luz que entraba a raudales por las ventanas.

Susan lo contempló con aire pensativo. Era un hombre imponente, como Gilbert, con su espléndido bigote y sus cejas pobladas. Pero ahí acababan todas las semejanzas, porque el comandante Hawkins tenía fama de ser parcial a la hora de juzgar a los presidiarios. En Ciudad de Sydney, todo el mundo sabía que el comandante los consideraba irredimibles. La horca y el látigo eran sus soluciones habituales para la mayoría de los delitos menores que pasaban por sus manos. Otra alternativa consistía en enviar a los depravados a la isla de Norfolk, donde acabarían sus desgraciadas vidas en un infierno del que no había escapatoria.

Susan lanzó una mirada alrededor de la sala y se alegró de que Hawkins hubiera solicitado un juicio cerrado para el caso de Millicent. Si el caso era un asunto de la milicia, había que mantenerlo dentro de los confines de la jurisdicción militar. Una acusación de violación contra seis oficiales del Cuerpo de Nueva Gales del Sur era un asunto grave y Susan dio gracias a Dios de que Millicent no tuviera que soportar la multitud de espectadores que se divertían acudiendo a los juicios.

Sintió un escalofrío de temor cuando miró hacia el banquillo de los acusados y vio a los hombres que esperaban allí. En sus semblantes adivinó una mezcla de emociones, desde una actitud desafiante hasta el terror más absoluto, pero había uno que destacaba entre los demás, y no solo porque su rostro le resultaba horriblemente familiar, sino porque no mostraba ninguna vergüenza por el crimen que había cometido. Se apoyaba en un tabique como si estuviera esperando a que llegara una diligencia.

El juez también se había dado cuenta de su descomedimiento.

—Poneos en posición de firme —ordenó—, u os sancionaré por desacato al tribunal.

El oficial suspiró y obedeció la orden, pero Susan leyó indiferencia en el saludo que dirigió al juez. Lo que estaba claro era que no iba a congraciarse con él si seguía comportándose con la misma insolencia. Echó una mirada nerviosa por encima del hombro y estudió los rostros de los presentes. Por suerte, no había acudido el hombre al que temía ver, y eso al menos sirvió para tranquilizarla.

La sala guardaba silencio, salvo el crujido de los papeles y los susurros de los oficiales que representaban a la acusadora y a los acusados. Susan no veía la cara de Millicent, que había cosido un velo negro al ala de su gorra para tapársela, pero percibía su tensión y le pasó un brazo alrededor de la cintura para levantarle la moral.

Hawkins revolvió los documentos que tenía delante y asió el martillo. Seguro que estaba impaciente por poner el juicio en marcha porque el comandante Grose, el gobernador recién elegido, celebraba una fiesta aquella misma tarde y a Hawkins le encantaba atormentar a su viejo rival. Habían luchado con encono por tan ilustre cargo y Hawkins nunca había perdonado a Arthur Phillip que pusiera por delante de él a un hombre a quien consideraba de lo más ordinario.

Dio un martillazo y llamó a los presentes al orden.

Millicent sabía que el día de hoy llegaría y aunque ella y Susan habían elevado una petición de ausencia, el juez se la había denegado. También habían rechazado el acceso al resto de la familia y se alegraba de que así fuera. Ya iba a ser lo bastante angustioso sin pensar que los demás también presenciarían la intensidad de su vergüenza.

Se arrimó a Susan y la agarró del brazo con fuerza mientras enumeraban los cargos y leían su declaración en voz alta. Se le antojó como si aquellas cosas terribles le hubieran pasado a otra, como si hubiese vuelto a salir de su cuerpo mortal y estuviera observando desde lejos.

El médico prestó juramento y presentó sus pruebas de forma clara, describiendo sus heridas para que incluso los más profanos en la materia pudieran entender perfectamente lo que le había pasado.

El velo le ahogaba y el sudor chorreaba por su cara, empapándole el vestido. El calor comenzó a resultarle cada vez más insoportable a medida que fueron desvelando sus detalles más íntimos. Ya no le quedaban lágrimas, solo un sentimiento de resignación frío y casi ajeno. Su destino ya estaba escrito y ahora solo podía esperar que se hiciera justicia.

—El fiscal llama a la señorita Florence Collinson al estrado.

Millicent se preparó para lo que venía. No se fiaba ni un pelo de Florence. ¿Diría la verdad y revelaría el secreto de Susan para que se enteraran todos, o recurriría a las mismas mentiras de siempre? Era difícil prever sus actos pero por el bien de Susan, esperaba que mintiera. Además, sospechaba que a Florence le costaría menos tergiversarlo todo a su favor. Ya había perdido el cariño de su padre y la revelación de la aventura de Susan solo conseguiría abrir la brecha entre ellas todavía más y de paso, desgarrar al resto de la familia.

—La testigo no se ha presentado, señoría —dijo el alguacil cuando volvió solo de la sala contigua—. Según parece, ella no quiere testificar.

Depositó una nota encima del escritorio del juez.

Hawkins la leyó, gruñó y la dejó a un lado.

—Que la sancionen por desacato al tribunal —ordenó—. Encargaos tras las actas de hoy.

Millicent dio un suspiro de alivio. Susan, en cambio, se puso tensa.

—Esa chica no tiene remedio —dijo entre dientes—. ¿Cómo se atreve a desobedecer al tribunal?

Millicent la agarró de los dedos. Al menos Susan no tendría que pasar por una humillación casi segura. Sin embargo, la ausencia de

Florence no debería haber sorprendido a ninguna de las dos. No era la clase de chica que reconociera el papel que había desempeñado en los acontecimientos terribles de aquella noche, y aunque esperaba la máxima entereza moral de los demás, su propio código ético era muy deficiente.

Mary Johnson, la esposa del pastor, prestó declaración de forma clara y concisa. Dijo que había presenciado la discusión entre Millicent y Florence esa noche y que la primera había salido corriendo visiblemente disgustada. El abogado de la defensa no quiso hacerle ninguna pregunta, le dio las gracias y le dijo que podía irse.

Uno por uno, los acusados prestaron juramento y presentaron su coartada al tribunal. Millicent escuchó con incredulidad cómo cada uno de los testigos convocados por los acusados juraba sobre la Biblia que los oficiales no habían estado ni cerca del callejón esa noche.

Su lealtad era indestructible: los testimonios que dieron eran irrebatibles y los abogados de la acusación no encontraron ni una fisura. Todos habían estado jugando a las cartas hasta altas horas de la noche. Incluso el patrón de la taberna confirmó su presencia.

A Millicent se le cayó el ánimo al suelo. No habían pasado por alto ni un detalle. Era su palabra contra la de aquellos seis animales. El pleito que había entablado contra ellos con tanta valentía se le estaba derrumbando delante de los ojos.

—Señorita Millicent Parker.

—Sé valiente —susurró Susan, ayudándola a levantarse—. Se descubrirá la verdad. Se hará justicia.

Millicent observó al juez a través de su velo. Le temblaban tanto las piernas que apenas podía estar de pie. Había llegado su momento y estaba aterrorizada.

—Podéis permanecer donde estáis —dijo Hawkins, con una amabilidad apresurada—. Quiero que me señaléis a los hombres que consideráis culpables de este acto tan atroz. ¿Están presentes?

Se aferró a la barra que tenía delante y se obligó a mirar a los acusados. Respiró hondo, recordándose que estaba en un lugar seguro donde nadie podría tocarla. Nunca más tendría que volver a verlos una vez hubiera pasado el juicio.

—Sí, señoría —susurró—. Son aquellos de allá.

Señaló a los seis acusados con el dedo.

—Tenéis que levantar la voz —dijo el juez, examinándola por encima de sus gafas—. El tribunal tiene que oír vuestra declaración.

Volvió a respirar hondo, armándose de valor.

—Son ellos —repitió claramente, sin bajar el dedo—. Aquellos seis hombres de allá.

—Gracias. Ahora quiero que me digáis cuál de ellos fue el que instigó a los demás a agrediros.

Millicent señaló al joven y arrogante oficial superior que sonreía con sorna, como si el juicio fuera poco más que una diversión pasajera.

—Ese —señaló con resolución—. El del final.

—Para que no tengáis que sufrir más angustia de la estrictamente necesaria, no voy a pediros que se subáis al estrado, pero tengo que exigiros que juréis ante Dios que todos los detalles recogidos en vuestra declaración son ciertos.

Millicent estaba tan aliviada que creyó que se desmayaría. La pesadilla casi había terminado. Haciendo un esfuerzo sobrehumano, permaneció de pie. El alguacil le entregó la Biblia y Millicent la tomó con firmeza.

—Juro ante Dios y sobre esta Biblia que los hechos expuestos en mi declaración son la verdad —aseveró, llenando el silencio del tribunal.

—¡Protesto absolutamente!

La voz procedía del final del tribunal y todos los presentes se volvieron, sorprendidos por la interrupción. Unos pasos contundentes resonaron sobre el suelo de piedra y el hombre se plantó en medio de la sala.

—Este juicio es una parodia de la justicia y su testigo principal es una mentirosa demostrada.

Millicent se quedó paralizada. Era consciente de las manos de Susan, que la habían agarrado con fuerza, del grito ahogado que había dado nada más oír su voz, y del escalofrío que le recorrió el cuerpo entero, pero cualquier pensamiento coherente que hubiera tenido hasta el momento se desvaneció y solo consiguió aprehenderlo mirando estupefacta y horrorizada.

—No voy a tolerar esta clase de interrupciones en este tribunal —saltó Hawkins, dando un martillazo encima de la mesa—. ¿Quién sois vos, señor, y con qué derecho intervenís en este juicio?

—Me llamo Jonathan Cadwallader, señoría, conde de Kernow, y he venido a defender el honor de mi familia y el de mi hijo, Edward.

Señaló el protagonista entre los acusados.

—Quisiera disculparme por la falta de cortesía que os he mostrado hace un momento, señor —cedió Hawkins, apocado en la presencia de un inglés cuya fama de aristócrata rico y poderoso se había extendido por todo el mundo—. Si tenéis la amabilidad de subir al estrado, mi alguacil os tomará juramento.

Susan se lo quedó mirando boquiabierta y con los ojos como platos cuando oyó cómo su voz resonaba por toda la sala. No daba crédito a lo que estaba viendo. ¿Cómo había conseguido llegar de forma tan discreta, y en este momento tan inoportuno?

Echó una mirada al canalla de su hijo, observó que ahora sonreía con todavía más suficiencia, si cabe, y se preguntó si había sabido que su padre acudiría en su auxilio. Pero Jonathan Cadwallader no se encontraba en Australia en la fecha de la violación. Susan se hubiese enterado porque la presencia de un hombre como él no pasaba desapercibida.

—Os ruego que comuniquéis al tribunal por qué os habéis visto obligado a asistir a este juicio —le pidió Hawkins—. No sabía que estuvierais por estas tierras.

—Llegué a bordo del *Lady Elizabeth* desde la Ciudad del Cabo —contestó—. El gobernador me ha invitado a pasar unos días en su casa.

Echó un vistazo por la sala y cuando vio a Susan, esta comprobó con satisfacción que su presencia logró aturdirle. Sin embargo, Jonathan era un hombre muy seguro de sí mismo y aunque vaciló de forma casi imperceptible, supo sobreponerse a cualquier falta momentánea de concentración.

Se volvió de nuevo hacia el juez.

—Me quedé atónito al enterarme de los cargos presentados contra mi hijo, pero cuando me revelaron la identidad de la acusadora, supe que debía intervenir, y rápidamente, señoría.

Susan apenas lograba contenerse mientras lo observaba en el estrado, así que se centró en consolar a Millicent. Sabía que sería capaz de mentir descaradamente para salvar a su hijo y que a Millicent le quedaban pocas esperanzas de ganar el juicio.

Jonathan se irguió y empezó su declaración con el tono arrogante de los que están acostumbrados a hablar en público.

—La chica que acusa a mi hijo y a sus compañeros de este crimen atroz trabajaba para mí hace años en mi finca de Cornualles. Por la época, estaba saliendo con uno de mis jardineros y no tardó mucho en quedarse embarazada. —Sus ojos fríos pasaron por encima de Susan y se posaron en Millicent. Susan notó cómo la pobre se estremecía y le hizo sentarse de nuevo a su lado—. Cuando la cocinera decidió encararse con ella y plantearle la cuestión, me acusó a mí de ser el padre de su hijo. Un hombre de mi posición jamás contemplaría semejante relación, por supuesto, así que la despedí —continuó, consciente del silencio que reinaba en la sala—. Poco después me di cuenta de que me había robado dos guineas.

Susan se sorprendió por la reacción de la joven, que se puso en pie de un salto.

—Eso no es cierto —gritó—. Vos me disteis esas monedas porque me violasteis.

Jonathan ni se inmutó ante la interrupción. Se limitó a levantar una ceja y a dirigirse de nuevo al juez:

—Como ve, señoría —continuó, en tono hastiado—, no es la primera vez que la chica acusa a un hombre inocente de una violación. ¿Cómo podemos creernos a semejante mentirosa sabiendo que además es una ladrona?

—¡No soy ladrona! —gritó Millicent.

Susan vio las lágrimas de frustración que se habían acumulado en sus ojos e intentó convencerla para que se sentara, pero Millicent no le hizo caso.

Jonathan sacó un fardo de papeles del maletín de piel que llevaba consigo.

—¡Vamos! Pero si el tribunal de Truro te declaró culpable de robar y luego te deportaron aquí.

Millicent se encorvó y se dejó caer al duro banco de madera. Susan observó que carecía de las fuerzas y del ingenio para seguir luchando. Pero la rabia que sentía ante la gran injusticia que se estaba cometiendo delante de sus ojos la consumía y se levantó del banco. Millicent se había rendido pero ella no estaba dispuesta a quedarse ahí sentada sin hacer nada.

—Robó una barra de pan para no morirse de hambre —dijo en voz alta, acercándose con paso resuelto al centro de la sala y plantándose con actitud desafiante delante del juez—. Tampoco es que sea un crimen que merezca la deportación, y mucho menos los abusos y las humillaciones que sufrió a bordo del buque. Millicent ha recibido el indulto completo. Por eso tiene el derecho legal de entablar este pleito contra el hijo de este señor. No pueden y no deben permitir que las desgracias de su pasado influyan en el crimen que hay que condenar hoy aquí.

Era consciente de que todos los ojos en la sala estaban fijos en ella. Su ira le había dado la fuerza y el valor necesarios para mirar a Jonathan a los ojos sin pestañear.

—Edward Cadwallader y sus amigos violaron a Millicent sin compasión y sin pensar en las consecuencias. Ha podido identificar a cada uno de ellos por separado y cuenta con las pruebas del médico para demostrar lo que hicieron con ella. Esta chica ha tenido que sobreponerse a su vergüenza y a su timidez natural para comparecer en este juicio. Ellos son los procesados, no Millicent.

—¡Exijo silencio en la sala! —gritó Hawkins, poniéndose colorado y dando un golpe con el martillo.

—¡Y yo exijo que se haga justicia! —respondió Susan—. Esos hombres son culpables de un crimen absolutamente malvado y no voy a permitir que vos os dejéis impresionar por ese caballero. —Señaló a Jonathan con un dedo acusador—. Por muy conde que sea, no implica que no sepa mentir.

—Sentaos u os multaré por desacato al tribunal —rugió con fuerza Hawkins.

—No pienso hacer nada hasta que se haga justicia —replicó resueltamente Susan.

Respiraba con dificultad pero la osadía de sus actos le había dado una nueva fuerza. Después de tantos años cuidando sus modales y conteniendo sus emociones, se había dejado ir y ahora volvía a ser la joven pescadera que realmente era: una mujer dura y dispuesta a luchar, dispuesta a defender a una amiga más débil sin tener en cuenta las consecuencias.

Se miraron con odio y nadie se atrevió a hablar. Todos parecían haber contenido el aliento. Susan se negaba a dejarse intimidar por el juez, a pesar de que su diatriba podía disminuir las posibilidades de Millicent de ganar el juicio. Pero si Jonathan quería jugar sucio, ella no se iba a quedar corta.

Este se encargó de romper el punto muerto:

—Si me lo permitís, señoría —intervino con gravedad—, los presentes deben comprender el motivo del ataque rencoroso de esta señora hacia mi persona y hacia la de mi hijo.

Susan lo fulminó con la mirada, esperando ver qué clase de ardid taimado iba a sacarse de la manga para contraatacar. Jonathan esquivó sus ojos y se fijó en un punto justo por encima de su hombro con el semblante inescrutable.

—No hay nada más temible que una mujer despechada, señoría —dijo—. Y Susan Collinson ha escogido la oportunidad perfecta para vengarse de mí.

Susan se puso nerviosa cuando lo vio tan erguido y con el rostro tan sereno.

—¿Vengarme? —gritó—. ¿Y se puede saber de qué iba a vengarme?

Jonathan no le hizo caso.

—La señora Collinson y yo fuimos vecinos en Inglaterra, señoría, y aunque no quisiera aparecer poco caballeroso, sus insinuaciones hacia mí se hicieron un poco embarazosas.

—¿Cómo te atreves a desprestigiarme? —gritó Susan enfurecida.

Jonathan ni siquiera la oyó. Sonrió al juez con complicidad, como si reconociera que los dos eran hombres de mundo.

—Se me ofreció de la manera más descarada, señoría, y cuando la rechacé, juró que iba a vengarse —afirmó, mirando las caras de su público, que escuchaba cautivado—. Y hoy tenemos la prueba de ello.

—Mientes.

Susan se acercó al estrado para escupirle a la cara y darle una bofetada en esa nariz aristocrática.

—Si dais un paso más hacia el testigo, os meteré en el calabozo —advirtió Hawkins.

—¡Es un perjuro! —chilló—. Se lo está inventando para limpiar el nombre de su hijo. ¡No lo escuchéis!

—El calabozo está aquí al lado, señora Collinson —advirtió de nuevo el juez con los ojos encendidos—. Os sugiero que a partir de este momento, mordáis vuestra lengua.

Susan apretó los dientes y se cruzó de brazos. Estaba enfurecida y apenas podía controlarse.

Hawkins se reajustó la peluca y se giró hacia Jonathan.

—Es una acusación muy grave, señor, y quisiera recordaros con el debido respeto que estáis bajo juramento. —El juez miró rápidamente a Susan, que todavía se encontraba delante de él—: La señora Collinson es una mujer respetada en esta comunidad y la esposa de nuestro apreciado pastor. Su trabajo entre los presidiarios atestigua su buena reputación. —Entonces se dirigió a Jonathan con severidad—: ¿Tenéis alguna prueba que demuestre lo contrario?

Jonathan, sin atreverse a mirarla, sacó una hoja del maletín y se la entregó al juez.

—Aquí tengo una de sus cartas. Verá con claridad que me invita a citarme con ella.

Susan contuvo un gemido y se agarró a la mesa más próxima para no caerse. Su traición se le había clavado en el alma, dejándola sin aliento como si le hubiera dado un puñetazo en el estómago.

—¿Cómo has podido? —dijo con la voz áspera—. ¿Cómo has podido tergiversar todo a tu favor?

Jonathan no la miró.

—Mírame, canalla —gritó, de nuevo enfurecida—. Mírame a los ojos y luego atrévete a seguir contando estas mentiras.

El conde se sonrojó, pero se mantuvo erguido.

—Ya sé por qué haces esto —dijo Susan entre dientes, acercándose al estrado—. Quieres proteger la reputación de tu hijo y la de tu familia. Pero nunca creí que pudieras caer tan bajo. Nunca sospeché que fueras capaz de tan vil traición.

—¡Sentaos! —gritó Hawkins dando otro martillazo y con el rostro colorado de rabia.

Susan contempló el tic nervioso en la mejilla de Jonathan y supo que su acusación le había calado hasta las entrañas. Pero también supo que habían perdido. Levantó la barbilla y regresó junto a Millicent que la miraba asombrada y con admiración. Se sentó con un ruido sordo y luchó contra la rabia que todavía la dominaba.

Hawkins leyó la carta y se la devolvió a Jonathan.

—Señor Cadwallader, me habéis demostrado que ninguna de las testigos son de fiar y que sus testimonios están contaminados por su implicación pasada en su vida y en la de su familia.

Susan cerró de nuevo los puños. Tenía los nervios a flor de piel y tuvo que obligarse a permanecer sentada mientras el juez se dirigía a todos los presentes en la sala:

—A pesar de las pruebas del médico del ataque espantoso que ha sufrido Millicent Parker, los acusados parecen haber estado en otra parte esa noche y no se puede probar su culpabilidad.

Siguió un silencio largo. Susan y Millicent se prepararon para oír el veredicto.

Hawkins miró su reloj de bolsillo y recogió sus papeles.

—Declaro que las acusaciones son infundadas. Caso anulado.

Jonathan contempló cómo Susan rodeaba a la chica con el brazo y salían por la puerta de atrás hacia la calesa que las esperaba fuera. Estaba profundamente arrepentido de lo que había hecho. No había tenido ninguna intención de descalificar a Susan y había traído la carta como último recurso. Las pruebas contra Millicent hubiesen bastado si Susan no se hubiera puesto a gritar e interrumpir a todo el mundo, de modo que ella misma se había buscado su propia difamación.

Le había sorprendido verla, a pesar de que, tras informarse, le confirmaran que estaría presente para apoyar a la criada. Había estado magnífica, reconoció, y un hombre más apocado se habría encogido ante ese formidable genio. Estaba claro que Susan no había perdido ni pizca de su espíritu guerrero, y a pesar del tiempo que había ejercido de matrona respetable, todavía poseía el fuego y la energía de la pescadera de la que se había enamorado tantos años atrás.

Empezó a guardar los papeles dentro del maletín de piel. Le daba vueltas la cabeza y se le contraía el estómago cada vez que se paraba a pensar en su actuación. Había hecho trizas la acusación de la criada y se había enemistado para siempre con la única mujer a la que había amado en su vida. ¿Por qué tuvo que entrometerse? En fin, el deseo de deshacer lo que ya estaba hecho no iba a salvarlo. Nunca podrían reparar el daño que se habían causado.

Ojeó la carta y la metió en el maletín junto con los otros documentos. La verdad es que la jugada le había salido bien. Menos mal que Susan no había exigido verla porque Jonathan había destrozado el original hacía años y la que llevaba encima era una falsificación que él mismo había escrito la noche anterior.

Valió la pena, y aunque se sentía culpable por cómo había obrado, Susan no le había dejado otra alternativa. Su deber era proteger el honor y la reputación de su familia, y si eso significaba jurar en falso, pues mala suerte. Lo que más le costaba asimilar era que había perdido a Susan como amante y amiga, un precio demasiado alto para lo que había conseguido hoy.

—Gracias, padre —dijo Edward con frialdad—. Sabía que podía contar contigo.

Jonathan acabó de recoger sus cosas y se volvió de mala gana hacia su hijo. Miró los ojos azules y la sonrisa de satisfacción, y aborreció lo que vio en ellos.

—Ya hablaremos —replicó en voz baja. Los demás se habían

agrupado a su alrededor para darle las gracias antes de ir a celebrar su libertad junto a sus testigos mendaces—. Pero aquí no —dijo, mirando el reloj de la pared—. Nos encontraremos en mi alojamiento de aquí a una hora.

A Edward se le mudó el semblante. Ya no parecía tan bravucón.

—Tengo otros planes —masculló.

—Pues cámbialos.

—Sí, señor.

Le dedicó un saludo burlón e irrespetuoso antes de regresar con sus amigos.

La expresión de Jonathan era adusta. Ahora debía afrontar una verdad difícil de digerir. La madre de Edward lo había echado a perder, convirtiéndolo en un joven consentido que creía poder salirse siempre con la suya. Pero le había preparado una sorpresa que no le iba a gustar nada. Miró con asco cómo compartían una petaca de coñac antes de irse de jarana a la ciudad. Si de él dependiera, los hubiera azotado a todos hasta que no pudieran salir por su propio pie.

Esperó hasta que se marcharon y cuando ya no los oía, abandonó el tribunal. El sol le dio de lleno en la cara y el calor le envolvió como una manta sofocante. Permaneció en la escalera, mirando hacia la calle. Aparte de un joven que merodeaba por la esquina y un aborigen borracho que dormía en la cloaca, no había nadie.

Suspiró aliviado. La jornada de hoy ya había sido lo bastante dura, y los remordimientos que sentía por haber traicionado a Susan y a la chica todavía le pesaban demasiado para poder mirarlas a los ojos. Pero un día lo haría, juró, pues era consciente de que no se había hecho justicia y necesitaba aplacar la sensación de pérdida que sentía. Necesitaba asegurarles que tenía intención de tomarse la justicia por su propia mano.

Camino desde el río Hawkesbury, 1 de mayo de 1793

Ernest llevaba tres días caminando descalzo por el monte. Se dio cuenta de que su aspecto debía de ser de lo más patético ya que solo vestía ropa interior de una pieza. No sabía cómo iba a conseguir llegar a la casa de sus padres sin que lo viera nadie, pero pensar en Millicent, en lo que debía de estar sufriendo en esos instantes, le daba ánimos para seguir. Se había prometido que estaría allí para ella cuando se diera cuenta de que lo necesitaba y estaba resuelto a cumplirlo. Millicent era el amor de su vida y cuando terminase toda la pesadilla se la llevaría a casa, a Hawks Head Farm, donde velaría por su seguridad.

Apenas soportaba pensar en lo poco que quedaba de su hogar carbonizado y de la cosecha perdida. El incendio se había llevado por delante un año entero de trabajo y ahora tendrían que empezar de cero de nuevo. No obstante, las provisiones del gobierno les darían más herramientas y semillas. Y no costaba tanto construir una casa y ponerle unos cuantos muebles. Las cosas iban a ser muy duras durante una temporada y aunque algunos seguramente hubieran tirado la toalla, Ernest y George estaban hechos de una materia más resistente. Además, no importaba si se veían obligados a pasar más apuros durante algunos años: con Millicent a su lado, todo valdría la pena.

No hacía tanto calor en el monte. La luz se filtraba a través de los árboles, los insectos chirriaban y los gritos estridentes de las aves llenaban el aire. Ernest siguió caminando, parándose solo para beber agua, limpiarse el sudor y descansar su tobillo hinchado. Al anochecer, seguramente divisaría las luces de Ciudad de Sydney.

Juzgado de Ciudad de Sydney, 1 de mayo de 1793

Ezra las había estado esperando con el caballo y el carro en un callejón detrás del juzgado. Tenía las manos nerviosas y le costaba sujetar las riendas; la cabeza le daba vueltas mientras intentaba imaginar lo que estaba ocurriendo en el interior. Su fe se había visto duramente afectada durante las últimas semanas porque le resultaba difícil creer que un Dios bondadoso pudiera permitir semejante atrocidad contra una joven inocente.

Y luego estaba Florence. La intensidad de su decepción se apreciaba en su postura encorvada y en las arrugas que le surcaban el rostro. Era un anciano cuyas creencias se habían visto destrozadas junto con la estructura de su familia. Había fallado a su esposa, a su hija y a Millicent, y ahora le quedaban pocas posibilidades de redimirse. Lo único que había deseado era tener una familia unida y afectuosa, y la certeza de poder contar con la bendición de Dios, pero sus sueños se habían hecho añicos.

Se abrió la puerta y Erza se sacudió su melancolía. El rostro de Susan lo decía todo y cuando se bajó para ayudarla con Millicent, suplicó en silencio a Dios que tuviera piedad de todos ellos.

Palacio del gobernador, 1 de mayo de 1793

Jonathan caminó por el sendero hasta la casita que le habían cedido en los jardines del palacio del gobernador. Era limpia y cómoda y el porche en la parte delantera de la casa resultaba agradablemente fresco en las horas de más calor. Pero lo mejor de todo era el anonimato que le había proporcionado durante los últimos días, cuando la discreción había sido un factor decisivo para que su aparición en el juicio causara el impacto deseado.

Dejó el sombrero, el bastón y el maletín encima de una meridiana en la sala y pidió a su criado que le preparara un té y se lo llevara fuera. Se puso una ropa más cómoda, salió a la galería y se sentó en una butaca.

El gobernador Grose lo había invitado a la fiesta que celebraba esa tarde para conocer a las supuestas vacas sagradas de la colonia, pero no le apetecía conversar y tratar de ser agradable con gente que ni conocía ni le importaba. Tenía asuntos más urgentes que atender. No había recorrido toda esta distancia solo para sacar a ese hijo sinvergüenza del agujero en el que se había metido. Una vez hubiera acabado de hablar con Edward, sería libre de poner en marcha los planes que había trazado.

Sorbió el té y miró con distracción a los invitados congregados en uno de los jardines al lado oeste de la casa. Veía el vuelo de los vestidos y los parasoles vistosos, el rojo llamativo de los uniformes, el resplandor de los botones de latón y las charreteras doradas. Los criados entraban y salían afanosamente con bandejas repletas de comida y varios perros no paraban de correr de aquí para allá, incordiando a todos los presentes. Por primera vez ese día esbozó una sonrisa. Le recordaban a los malditos galgos de Banks.

El recuerdo de ese viaje lo llevó a pensar de nuevo en Susan. Nunca olvidaría la expresión que había aparecido en su rostro cuando había sacado esa carta fraudulenta y nunca podría perdonarse por haberle infligido tanto dolor. No se merecía un golpe tan bajo después de todo lo que habían vivido juntos y estaba decidido a reparar el daño que le había causado.

Sus ojos regresaron al caleidoscopio de color que cambiaba y se arremolinaba a los lejos. En cuanto a Millicent, pensaba que había muerto hacía años. Al menos eso es lo que le había dicho la fulana de su madrastra. Se había quedado de piedra cuando descubrió la identidad de la acusadora de su hijo y las circunstancias que la habían traído hasta la colonia.

—¿Padre?

Jonathan se sobresaltó y dejó de lado sus pensamientos.

—Llegas temprano.

—Tengo cita con mi comandante a las cuatro —contestó Edward, antes de sentarse en un sillón y estirar las piernas.

Jonathan lo observó. A sus veinte años, era alto, apuesto y le sentaba bien el uniforme. Sin embargo, tenía la misma boca petulante que su madre y tanto en su mirada como en su postura reconoció una arrogancia inconfundible.

—Quiero disculparme por no haber sido un buen padre para ti, Edward —comenzó, al tiempo que depositaba la taza de té sobre la mesa que había en medio de los dos—. Si hubiera tenido voz y voto en el tema de tu educación, quizá hubiésemos sido amigos y hubiéramos evitado los acontecimientos espantosos de hoy.

—Nunca parabas en casa el tiempo suficiente para hacer de padre —dijo Edward, levantándose del sillón—. Y si ahora piensas embarcarte en un discurso, me despediré y volveré con mis amigos que me esperan en la taberna.

—No irás a ninguna parte hasta que yo te dé permiso. Siéntate —ordenó Jonathan, poniéndose en pie para enfrentarse a su hijo.

—Ya no soy un niño, sino teniente del ejército británico.

Edward le lanzó una mirada de desprecio y apretó los puños. Tenía los brazos rígidos y le había aparecido un tic en la mandíbula.

—Te equivocas. Eres un mentiroso, un ladrón y un violador —replicó de manera inexpresiva—. Y si no fuera porque tengo el deber de proteger el honor de la familia, me hubiese encargado personalmente de zurrarte y dejar que te pudrieras en la cárcel.

—Un padre tan cariñoso... —se burló Edward.

Jonathan sabía que quería provocarlo, pero se negaba a contraatacar, aunque tuvo que aguantarse la mano para no propinarle un guantazo que le borrara esa altanería de la cara.

—Tu madre fue tu perdición —dijo lacónicamente—. Me ahuyentó con su lengua malvada y se encargó de que nunca llegara a conocerte como hijo. Te consintió, cedió ante tus exigencias y te convirtió en un gandul desagradable e inmoral.

—Mi madre era una santa —respondió Edward entre dientes, con la cara roja de ira—. No solo tuvo que cargar con la responsabilidad de administrar la finca y de cuidarme a mí mientras que tú te ibas a hacer de aventurero por el mundo, sino que también tuvo que soportar tus romances continuos y el chismorreo que causaron. Fue rechazada por la sociedad y cayó en el oprobio por culpa de la mala fama que te ganaste tú. No me extraña que se muriera con el corazón roto.

—¿Corazón roto? —resopló Jonathan—. Para que se te rompa el corazón, hay que tener uno.

—Me marcho —repuso Edward fríamente—. Creo que ya no tenemos nada que decirnos.

Jonathan lo agarró del brazo.

—Ya te he dicho que te irás cuando yo te lo permita —espetó. Poco le satisfizo la postura petrificada y la palidez cadavérica de su hijo—. He hablado con tu comandante. Estamos de acuerdo en que tú y tus amigos habéis deshonrado a vuestro regimiento y a pesar del fallo que se ha emitido hoy, no es conveniente que permanezcáis en Ciudad de Sydney.

Edward entrecerró los ojos.

—¿Qué has hecho?

Jonathan se encogió de hombros.

—Yo no he hecho nada, Edward —dijo—. Tus acciones te han valido la degradación y un traslado de cinco años al río de Brisbane, donde vuestra exposición a los antros de libertinaje se verá drásticamente restringida.

—¿El río de Brisbane? Pero si no hay nada allá arriba salvo un montón de negros maleantes y selva —protestó. Se lamió los labios y se pasó los dedos por el pelo—. Nos negaremos a marcharnos de aquí. El caso se ha desestimado. No hemos cometido ningún crimen.

—Los dos sabemos que mientes —dijo Jonathan con rencor—. Y he prestado una declaración detallada con un abogado. Si vuelves a esta ciudad antes de que se cumplan los cinco años, o si intentas comunicarte con alguna de esas dos mujeres, pediré que se entregue mi declaración al tribunal.

—No te atreverías a hacerlo —repuso Edward, furioso—. Te acusarían de perjurio.

Jonathan se relajó, pero su sonrisa no se reflejó en sus ojos.

—Siempre me ha gustado jugar, Edward, y esta vez lo tengo todo a mi favor. Por mucho que te hagas pasar por matón, en el fondo eres un cobarde. Me arriesgaré.

Edward cerró los puños. Apenas podía contener la frustración que sentía. Debajo de la mancha en forma de lágrima que tenía en la sien, una vena le palpitaba de forma descontrolada. Lo miró de hito en hito, se dio la vuelta y se marchó furioso.

Jonathan lo miró mientras se alejaba. Le dolía haber perdido a su hijo y todos los años que no habían pasado juntos le pesaban en el corazón. Edward podría haber sido un hombre magnífico si las cosas hubiesen sido de otra manera.

Miró hacia el otro lado del jardín, absorto en sus pensamientos. Había viajado a Australia para reconciliarse con Edward, para que los dos pudieran olvidarse del pasado y empezar a conocerse mejor ahora que Emily ya no estaba para impedírselo. Esa había sido su intención antes de llegar a estas orillas, antes de descubrir que su hijo estaba en el camino de la condenación.

Le preocupaba su futuro. Edward necesitaba una influencia fuerte que supiera guiarle hacia el bien, pero Jonathan sabía que no era la persona indicada, y menos después de lo que había pasado hoy. Resultaba evidente que alguien debía frenarlo antes de que cometiera más atrocidades. Aunque los años que pasaría en el río de Brisbane podrían servir para calmarlo, Jonathan admitió, muy a su pesar, que la única solución eficaz sería buscarle una esposa.

Cala de Sydney, 1 de mayo de 1793

Millicent continuaba buscando a Ernest cuando el carro dobló la esquina. Se arrepentía de cómo lo había tratado y era consciente de que había sido injusta e hiriente con él. Ahora quería volver a verlo y sentirse igual que antes, cuando Ernest le había hecho todas esas promesas desde la pureza de su corazón. Pero no había ni rastro de él y la muchacha tuvo que aceptar que había destrozado la única cosa buena que le quedaba en la vida. Sin embargo, tampoco importaba: la Millicent que tanto lo había amado había dejado de existir.

Se sentó al lado de Susan. Ezra arreó el caballo hasta que echó a trotar. Oía la voz suave de su amiga, pero sus palabras carecían de sentido. Era consciente de los colores, el ruido y el movimiento que había al otro lado de los confines de la capota de la calesa, aunque no veía nada. Era como si existiera en un vacío en el que nada era real: se le habían agotado las emociones y de la Millicent de antes solo quedaba un caparazón hueco.

Susan y Ezra la ayudaron a apearse del carro y los acompañó dentro de la casa. Dejó que la mimaran, que le quitaran el sombrero y el velo y que le prepararan un vaso de leche caliente. Sus dulces voces flotaban por encima de ella y aunque en algún rincón remoto de su mente sabía que trataban de paliar su dolor, lo único que deseaba era sumirse en el silencio y la soledad.

Cuando anocheció y por fin se encontró sola en su habitación, se sentó delante del escritorio y redactó una carta para Susan. Tenía la letra desigual, y la gramática y la ortografía parecían la de un niño. Había recibido una educación muy limitada, pero era algo que debía hacer si quería estar en paz consigo misma y procuró no dejarse nada de cuanto ansiaba decirle.

Al terminar, la apoyó en la lámpara y dejó su anillo de compromiso tan valioso al lado. Vestida solo con un camisón, se acercó a la ventana y miró las luces de la ciudad. Estaban allí fuera. Casi era capaz de percibir su presencia y de oír sus voces en las sombras oscuras y se puso a temblar. Volverían a encontrarla, la buscarían para vengarse de ella. A ellos no les esperaba una cárcel de recuerdos, sino la libertad de hacer lo que les diera la gana, con la certeza de que las mentiras y la injusticia siempre los ampararían.

Millicent desenvolvió el inacabado traje de novia y se lo puso. La tela se ajustó a sus hombros con un susurro antes de caer hasta el suelo. Era de un color crema muy claro con florecitas hechas de cinta cosidas al canesú y recogidas para formar un ramillete en el talle. No llegaba a los cordones que había en la espalda, pero tampoco importaba.

Se estudió en el espejo durante unos minutos y después salió sigilosamente de la habitación. El taburete estaba en el porche. Lo cogió y bajó casi sin pensárselo al jardín.

Se quedó mirando el cielo estrellado, el reflejo de la luna sobre el agua y las formas que dibujaban las hojas que se mecían en los árboles y le invadió una extraña sensación de calma. Notaba los pies húmedos por el rocío y el dobladillo de su precioso vestido estaba empapado. Pero ni siquiera se dio cuenta de ello cuando entró en el cobertizo de Ezra y cogió una soga. Luego se subió al taburete que había dejado justo debajo del árbol más robusto.

Una vez todo estuvo listo, Millicent echó una última mirada nostálgica a la casa que había considerado su hogar y dio un paso hacia la eternidad.

Ciudad de Sydney, 3 de mayo de 1793

Ernest llegó a las afueras de la ciudad dos días después del juicio. Había esperado poder subirse a algún carro que pasara por ahí, pero no se había cruzado con nadie en ese camino solitario y tardó cinco días en recorrer toda la distancia a pie. Siguiendo una ruta tortuosa para evitar que lo vieran vestido solamente con su ropa interior, sucio y harapiento, llegó a la casa de sus padres justo después del amanecer.

Se encontró con un silencio que no presagiaba nada bueno. Las puertas y las ventanas estaban cerradas como si quisieran tapar la luz trémula del cielo tormentoso. Subió los dos peldaños de madera que conducían al porche nuevo. Como de costumbre, la puerta no estaba cerrada con llave y Ernest entró en la casa.

Una extraña quietud desprendía un olor dulce que no supo identificar. Permaneció en la cocina y miró los platos sucios que había sobre la mesa y los cacharros que llenaban el fregadero. Su madre nunca saldría de casa dejándola en un estado tan lamentable. Algo no iba bien. El miedo le secó la boca y su corazón empezó a latir con fuerza mientras imaginaba lo peor. Fue de habitación en habitación buscando consuelo. Pero el silencio se mofó de él y después de comprobar que la casa estaba vacía, se puso unas botas, una camisa y unos pantalones que su madre había dejado en la sala de costura. Necesitaba encontrar a Millicent.

Se lavó a toda prisa y salió con el pelo todavía húmedo y con un pedazo de pan y queso en la mano. Vaciló, sin saber por dónde comenzar la búsqueda. Millicent tenía que estar con sus padres, pero ¿adónde habrían ido a estas horas un sábado por la mañana? Después de dudar unos instantes más, echó a correr por la colina hacia la ciudad. Lo más probable era que su padre hubiera ido a la iglesia para preparar la misa del día siguiente.

El sol se ocultaba tras una espesa capa de nubes y el viento que subía del mar era frío y cortante. Mientras Ernest se abría paso entre las multitudes que se habían congregado en los callejones y el muelle, cayeron las primeras gotas de lluvia, que pronto se convirtieron en un chaparrón, dejándolo empapado. La camisa se le quedó adherida como una segunda piel y los pantalones se le pegaron a las piernas, pero Ernest siguió caminando a toda prisa hacia la iglesia sin darse cuenta de la incomodidad de su ropa mojada. Tenía que encontrar a la chica que amaba y asegurarse de que estaba bien.

Los muros de la iglesia se levantaron ante él. Los ladrillos rojizos relucían bajo la lluvia. Estaba a punto de abrir la pesada puerta de roble cuando algo llamó su atención. A través del diluvio, distinguió un pequeño grupo de personas refugiadas bajo sus paraguas al otro lado de la valla divisoria, en el cementerio donde enterraban a los presidiarios ejecutados y los suicidas, expulsados para siempre del terreno sagrado.

Se estremeció y estuvo a punto de apartar la vista cuando se dio cuenta de que una de las dolientes le resultaba familiar. El corazón le latía de forma tan dolorosa contra las costillas que apenas podía respirar. A pesar de tener las manos y los pies entumecidos de frío, atravesó los charcos y forcejeó con el pestillo de la verja sin quitarle ojo a la mujer.

—¿Madre?

Solo salió un susurro que se ahogó en la lluvia y se perdió en los truenos que retumbaban encima de su cabeza.

Susan se acercó a él y le cogió las manos. Tenía el rostro desencajado de dolor, los ojos oscurecidos de sufrimiento.

—Ernest —murmuró—. Mi querido hijo. Lo siento. No sabes cuánto lo siento. Envié a un mensajero para que te advirtiera de lo que había pasado, pero seguramente os habéis cruzado sin daros cuenta.

Ernest miró por encima de su cabeza, buscando a Millicent. Se fijó en su padre. Por las profundas arrugas de tristeza que le surcaban el rostro, supo que no iba a encontrarla. Se separó de su madre y se acercó a la tumba.

El agujero se le antojó muy profundo y ya estaba llenándose de agua. Dentro estaba el ataúd, solo y abandonado salvo unas cuantas rosas empapadas. Ernest se arrodilló en el fango intentando asimilar lo que había pasado, sus lágrimas disolviéndose en las gotas de lluvia que le corrían por la cara.

—¿Millicent? —sollozó—. Millie, ¿por qué? Te amo. Siempre te amaré. No me dejes. Por favor, no me dejes.

—Ya se ha marchado, cariño —susurró Susan, arrodillándose a su lado y rodeándole los hombros con un brazo—. No pudo quedarse más tiempo.

El pastor Johnson carraspeó y siguió con las exequias mientras su esposa cubría a madre e hijo con un paraguas. Ezra permaneció al lado de la tumba con el semblante sombrío y la mirada perdida. Ya no quedaba nada de su fe y la congoja que sentía era tan insoportable que no hallaba nada que pudiera servir como consuelo para su esposa y su hijo.

23

Cala de Sydney, agosto de 1793

Durante los tres meses posteriores al funeral de Millicent, el ambiente en casa continuó siendo igual de aciago. Ernest aún hervía de rabia contra los Cadwallader y contra la justicia que había traicionado a su amada inocente. Ezra era una presencia fantasmal. La angustia constante reflejada en su rostro evidenciaba la batalla interior que estaba librando contra su pérdida de fe en Dios. George había regresado a Hawks Head horas después de su llegada, el mismo día del funeral, incapaz de soportar la melancolía y el silencio.

Susan miró por encima del agua que parecía un vidrio verdoso en la bahía. Estaba confusa porque se había visto obligada a enfrentarse a muchas verdades difíciles de digerir. Ahora se preguntaba si su familia iba a reponerse de las mentiras y los engaños que la habían acosado y que por poco la habían llevado a un punto sin retorno.

Recordó con un suspiro tembloroso cómo Ernest había exigido que le contara todos los detalles del juicio que había provocado el suicidio de Millicent. Ezra ya estaba al corriente, dado que Susan le había revelado todos los pormenores en cuanto se encontraron solos esa terrible noche, pero aun así, en el momento en que había tenido que reunir cada gramo de valor que le quedaba para confesar a su hijo que había enviado una carta amorosa a Jonathan Cadwallader hacía tantos años atrás, había visto el dolor de nuevo en los ojos de su esposo.

No soportaba hacerle daño a su hijo, pero era inevitable. La carta a su amante había sido el punto de inflexión en el juicio y el escándalo sería un auténtico festín para las malas lenguas. Era mejor que se enterara por ella, aunque semejante revelación acabara destruyendo lo poco que quedaba de la unidad familiar. El odio que había visto en los ojos de Ernest había sido un duro castigo para ella y sabía que le iba a costar trabajo perdonarla.

A Susan no le quedaban lágrimas. Su marido estaba tan agotado y desalentado como ella, y su hijo la evitaba. La batalla para salvar su familia y mantenerla unida iba a ser larga y dura, sobre ese punto no se hacía ilusiones, pero estaba resuelta a luchar porque aunque los demás no fueran conscientes de ello, la necesitaban más que nunca.

Miró sin llorar hacia la orilla opuesta y buscó el papel que había guardado en el bolsillo del delantal. La carta de despedida de Millicent se había sumado a la carga que ya llevaba, amenazando incluso con quebrar su resolución. Después de todo, la chica había resultado tener poco que ver con la víctima inocente que había visto Ernest en ella, pero Susan no iba a ser quien hiciera estallar su burbuja. Dio gracias a Dios de que fuera ella quien encontró la misiva porque no quería ni imaginarse el daño que le hubiese hecho a Ezra o a Ernest si la hubiesen hallado primero.

La sacó del bolsillo. Iba a leerla por última vez antes de entregarla al fuego, donde correspondía. Le había costado descifrar la letra, y la gramática era más que cuestionable, pero el mensaje era claro e incluso ahora la seguía llenando de rencor. Susan alisó la hoja arrugada con la mano temblorosa y miró a su alrededor para asegurarse de que estaba sola.

> ¿Todavía puedo llamarte amiga, Susan?
>
> ¿O me acogiste por alguna emoción retorcida de deber después de que te dieras cuenta de quién era? Florence me contó lo de tu aventura con el señor. No quería creer que fueras capaz de haber traicionado a Ezra, pero la verdad es que explica la amargura que siente Florence hacia ti y el motivo por el que me cobijaste en tu casa.
>
> Sin embargo, yo también tengo una confesión que hacer: he mentido. No solo a ti sino a todos. John Pardoe y yo éramos amantes. Una noche encontramos al señor borracho y despatarrado debajo de un ár-

bol y John se lo llevó hasta la mansión. Cuando descubrí que estaba embarazada, John Pardoe se negó a hacerse cargo de nosotros. Poco después, se marchó a una casa en Devon. Yo sabía que iban a despedirme en cuanto se descubriera mi estado, y que mi madrastra nunca me acogería en su casa. Hice una cosa terrible, Susan. Acusé al señor, confiándome en que no se acordaría de nada de aquella noche. Entonces no tenía idea de su pundonor y no me siento orgullosa de lo que hice. Pero necesitaba dinero para seguir adelante. El señor me dio las dos guineas por pura amabilidad y no entiendo por qué dijo en el juicio que yo las había robado. No quise creer a Florence cuando me contó lo que había pasado entre tú y él porque ella tiene tendencia a tergiversar la verdad. Pero me temo que esta vez está en lo cierto. Podrías haber sido sincera conmigo, Susan, porque me he sentido muy reconfortada y feliz aquí con vosotros. Me habéis dado una casa con amor y calor y os doy las gracias.

Espero que puedas perdonar las mentiras que te he contado, igual que yo te perdono las tuyas.

Cuando leas esta carta, ya no estaré. Dile a Ernest que lo amo y que lo siento, pero no me veo capaz de seguir enfrentándome a este mundo.

MILLICENT

A pesar del calor que hacía, Susan se estremeció. Rompió la carta en pedazos. La maraña de mentiras los había atrapado a todos y había viciado su buen juicio. Respiró hondo y estrujó el papel dentro del puño. Florence estaba lejos. Había ido al norte con un grupo de misioneros. Cuánto le hubiese gustado poder hablar con ella, explicarle su versión e intentar hacer las paces con su hija. Cuánto le hubiese gustado poder decirle a Jonathan que lamentaba haber dudado de su honor, que lamentaba haber creído el chismorreo de Florence y las mentiras de Millicent, y que lamentaba haberlo condenado sin más.

Se protegió los ojos del reflejo del sol en el agua, decidida a no llorar. No había nada que justificara las calumnias que había levantado sobre su persona, ni la destrucción deliberada del amor que habían compartido, ni las consecuencias que habían sufrido su marido y sus hijos a causa de sus acciones. Eso nunca se lo perdonaría.

La tristeza le pesaba en el ánimo. Si Millicent no hubiese mentido, seguramente nunca hubiese venido a Australia y nunca hubiera formado parte de sus vidas.

Durante los días posteriores, Susan se movió por la casa realizando las tareas domésticas como una sonámbula. Su hogar estaba tan silencioso, tan lleno de angustia y de recuerdos que resultaba casi inaguantable. Nadie había ido a visitarlos, ni siquiera el pastor Johnson, y ninguno de ellos se había alejado mucho de casa, aunque los chismosos seguramente ya habrían pasado a otro tema más sabroso. Había llegado al final de otro día interminable y decidió que no podían continuar así.

Ernest se encontraba en el jardín, cortando madera con una energía furiosa que apenas le servía para sofocar la rabia que aún ardía en su interior. Ezra estaba en el porche con la Biblia en el regazo y la mirada perdida en algún lugar al que nadie más podía penetrar.

—No podemos seguir así —dijo, mientras salía de la casa y cerraba la puerta mosquitera—. Ha llegado la hora de hacer un balance y realizar algunos cambios.

Ernest incrustó el hacha en un tronco y se secó el sudor de la frente con la manga.

—Ya hemos sufrido bastantes cambios —respondió, evitando mirarla como ya venía siendo habitual.

Susan se giró hacia su marido en busca de apoyo, pero él estaba absorto en su propio mundo.

—Ernest, tienes que reconstruir la granja. Debes hacerlo no solo por tu hermano sino también por ti mismo.

Ernest tomó un trago de agua y luchó con el hacha hasta sacarla de la madera.

—George ya se las arreglará sin mí.

A Susan se le acabó la paciencia.

—No, Ernest. No se las arreglará sin ti —soltó, mientras bajaba del porche y se plantaba ante su hijo, haciendo caso omiso de la hoja afilada y las astillas que salían volando de la madera—. No eres el único que lo está pasando mal, y ya es hora de que te des cuenta de lo mucho que todo esto ha afectado a tu padre.

Ernest miró de reojo a Ezra y siguió cortando.

—¿No te parece un poco tarde para empezar a tenerlo en cuenta después de todo lo que ha pasado? —espetó.

—Tu padre me perdonó hace mucho tiempo, Ernest —le dijo—, y no voy a permitir que te desquites conmigo. Él nos necesita. A los dos. Y si nos peleamos entre nosotros no vamos a ayudar a nadie.

Al joven se le encorvaron los hombros y la barbilla le cayó hasta el pecho. Luego hundió el hacha de nuevo en el tronco y se irguió.

—Ya lo sé —respondió—. Pero ¿qué quieres que haga?

Susan se preguntó cómo podía ser tan doloroso amar a otro. Era un dolor que nunca la abandonaba, y a la vez, una carga que llevaría con mucho gusto si con ello consiguiera aliviar su sufrimiento.

—Necesita irse de aquí —dijo en voz baja—. Todos tenemos que marcharnos de aquí.

Ernest levantó la cabeza. Le brillaban los ojos de las lágrimas no derramadas.

—¿Y dónde quieres que vayamos?

—A Hawks Head Farm.

—Allí no hay nada.

—Aquí tampoco.

Los dos permanecieron en silencio. Ernest se quedó mirándola fijamente.

—Papá es demasiado mayor para volver a empezar de nuevo y las tierras de aquella zona son durísimas. No es una vida apta para una mujer.

—He sobrevivido a este sitio —respondió Susan—. Te recuerdo que cuando llegamos, pasamos cinco años viviendo en una tienda de campaña y durmiendo encima de unos jergones de paja. Tampoco me hizo ningún daño. —Por un momento se atisbó en su rostro una expresión de comprensión. Susan dio un paso hacia él y puso una mano en el brazo musculoso de su hijo—. A tu padre no le queda nada por hacer aquí —susurró—. La Iglesia ya no le aporta el consuelo que necesita y la oración tampoco. Su fe en Dios ha quedado aniquilada, Ernest, y se ha sumergido en un mundo inhóspito al que no puedo acceder. Temo por su cordura, hijo. Tengo que sacarlo de aquí.

Miró por encima del hombro al hombre callado y ausente que era su marido.

—Pero Hawks Head Farm no es un lugar adecuado para vosotros —protestó Ernest de nuevo—. Lo más seguro es que vuelvan a aparecer los negros y además, no ha quedado nada después del incendio, ni siquiera una casa.

—Los dos sabemos de sobra que los almacenes del gobierno nos darán todo lo que nos haga falta —replicó enojada—. ¿Por qué tanta reticencia a volver? Hemos de aprender a tomarnos cada día como venga —continuó con voz queda—. Tienes que olvidarte de los planes que habías hecho con Millicent, aunque eso no implique que no la mantengas viva en tu recuerdo. —Se tragó el nudo que tenía en la garganta. Quería infundirle nuevas esperanzas, a pesar de la amargura que le producían sus propias palabras—. Siempre permanecerá con nosotros en espíritu —consiguió decir.

—Pero... —empezó Ernest.

—Nada de excusas —cortó Susan bruscamente, para ocultar la ola de emoción que amenazaba con dominarla—. Iremos a los almacenes del gobierno hoy mismo y les pediremos todo lo que podamos necesitar durante los próximos seis meses. Será mejor que prepares una lista.

Se apartó de él y se acercó a Ezra. No se había movido del sillón y continuaba con la mirada fija en algún punto lejano. Le besó la frente arrugada y le apartó el pelo ralo del rostro.

—Yo te cuidaré —susurró.

Ezra no reaccionó y Susan dudaba de si era consciente de su presencia. Suspiró y entró dentro de la casa. Había muchas cosas que hacer si realmente deseaban marcharse pronto, y qué mejor que un poco de trabajo duro para ayudarla a no pensar.

Durante las dos semanas siguientes, hubo una tenue transformación en Ernest. Caminaba de forma más ligera y se le notaba cierto brillo en los ojos cuando pedía provisiones, ganado y semillas. Ojalá pudiera decir lo mismo de Ezra, pensó Susan con tristeza, cuando paró a descansar durante unos momentos. Seguía sin despegarse del sillón del porche, refugiándose en el silencio y en la soledad, completamente ajeno al ajetreo a su alrededor. Solo deseaba que su nueva vida en Hawks Head Farm le brindara la oportunidad de recuperarse, de ver las cosas de otra forma y de redescubrir la fe que tanta falta le hacía.

—¡Madre!

Susan se dio la vuelta y por primera vez en muchos meses, su rostro se iluminó y sonrió con alegría al ver al apuesto joven que saltaba de un caballo que no cesaba de hacer cabriolas.

—¡George! —gritó, bajando las escaleras y corriendo hacia él.

George la rodeó con sus brazos musculosos y la levantó del suelo. Susan se rio tanto que le costaba respirar. A pesar de sus casi diecinueve años de edad, George aún conservaba el mismo entusiasmo juvenil de siempre.

—Suéltame —jadeó Susan—. No está bien visto que trates así a tu madre.

George la dejó en el suelo y la agarró de las manos.

—¿Cómo están todos? —preguntó con una solemnidad poco habitual.

Ella le puso al corriente de la situación y le dio un abrazo. Qué alto estaba, pensó, y qué fuerte y robusto después de los años que había pasado en la granja. Y qué guapo, con ese cabello castaño tan abundante, ese bigote y esos ojos risueños. No le extrañaba que toda la población femenina lo aclamara cada vez que aparecía por ahí.

—¡No sabes cuánto me alegro de verte! —exclamó—. Tu padre se pondrá muy contento también.

—¿Y Ernie?

—Ha ido a buscar las últimas provisiones que hemos pedido. Nos vamos todos a Hawks Head —le explicó—. Todos empezaremos de cero. Tu hermano ya tiene ganas de enfrentarse al desafío.

George se alisó el bigote y sonrió.

—Llevamos tres meses trabajando como demonios —dijo—. La casa está casi terminada. Ya era hora de que alguien viniera a prepararnos un plato como Dios manda. A este paso voy a quedarme en los huesos.

Susan se rio, fijándose en su pecho y hombros anchos. George también soltó una carcajada y luego le desveló el motivo de su visita:

—Traigo una noticia que quizá anime un poco a papá —adelantó, introduciendo la mano en el bolsillo del abrigo—. El pastor Johnson me ha pedido que le entregue esto.

Susan leyó la nota. Era una invitación para acudir a casa de los Johnson y conocer al gobernador Grose. Querían hablar de la posibilidad de fundar una misión en el río Hawkesbury. Richard Johnson debía de ser adivino. ¿Cómo había sabido que acabarían yendo a vivir allá?

Observó a Ezra, que seguía sin darse cuenta de lo que ocurría a su alrededor. Quizá fuera la respuesta, una oportunidad de volver a empezar con un reto nuevo. Pero ¿lo aceptaría?

—Ya ves cómo está —dijo a George, desanimada—. No sé si tiene las fuerzas, y aún menos la fe necesaria para embarcarse en algo así.

George le dio un beso en la mejilla.

—No te preocupes, mamá —replicó—. Déjalo en mis manos y ya verás como de aquí a nada estará saltando de impaciencia.

Se dio la vuelta y cruzó el jardín con los andares de un hombre que ha pasado mucho tiempo subido a un caballo. Susan lo observó y, cuando se sentó al lado de Ezra, no pudo evitar compararlos. George era tan alto como su padre, pero allí acababa toda la semejanza entre ambos, pues mientras que a Ezra se le veía demacrado y derrotado, George irradiaba tanta vitalidad y ganas de vivir que incluso a Susan le iluminaba el alma.

Cuánto se alegraba de tenerlo aquí, pensó sonriendo. Su presencia la había llenado de un nuevo brío y estaba convencida de que infundiría los mismos ánimos a su padre. El ambiente ya se había despejado y por fin podía mirar hacia el futuro con ilusión.

Lowitja se había acostumbrado a visitar la casa de Susan con asiduidad. Siempre traía a sus hijos pequeños y a sus nietos para que se entretuvieran jugando en el jardín y comiendo los manjares que les ofrecía. Sabía que estaban seguros con la mujer blanca y aunque todavía le costaba mucho comunicarse con ella, ya había aprendido suficientes palabras de ese lenguaje tan raro para defenderse.

Ahora estaba de pie, sola a la sombra de un árbol, mirando el bullicio en el jardín. Reconocía los indicios y sabía que Susan y su familia no tardarían en marcharse. Su amiga no dejaba de entrar y salir de la casa y Lowitja se alegró de que hubiera vuelto a encontrar su espíritu, pues había sido testigo de la angustia que tanto le había pesado en el alma y en su forma de caminar después de que encontraran a la chica joven colgada del árbol.

Lowitja se sentó en cuclillas y recordó esa noche hacía muchas lunas cuando había pasado por delante de su casa al volver de una expedición de caza. Había oído unos pasos y el susurro de la hierba. Al darse cuenta de que alguien se movía por el jardín, se quedó paralizada de miedo. La chica se movía por el jardín como la Diosa Luna cuando se desliza hacia el viento del oeste, y Lowitja se escondió entre las sombras más oscuras, intrigada por saber qué estaba haciendo.

Recordaba con claridad el crujido de la rama y el extraño silencio que se hizo cuando la gruesa cuerda se apretó alrededor de la palidez de su cuello. Había esperado, intentando averiguar de qué clase de juego se trataba, pero al ver que la chica no se movía, salió de su escondite y se acercó al cuerpo exánime. Por mucho que tratara de comprender lo que estaba pasando, todo le pareció tan extraño que finalmente regresó al campamento, inquieta.

Se giró de nuevo hacia la actividad que llenaba el jardín y vio cómo Susan se despedía de su esposo y de sus hijos antes de que bajaran la colina que llevaba a la ciudad. Lowitja esperó hasta que desaparecieron y entonces salió de su escondite. Todavía se sentía muy intimidada por los hombres blancos, aunque nunca hubieran intentado hacerle daño.

—Susan —susurró mientras se aproximaba.

El rostro de su amiga se iluminó al verla.

—Susan *alonga* hombres —dijo Lowitja—. Susan *alonga* lejos.

Susan asintió con la cabeza.

—Sí —respondió—. Mañana nos vamos a Hawkesbury. Ezra ha aceptado fundar una misión cerca del río y viviremos con nuestros hijos en su granja.

Lowitja captó poco de lo que le estaba diciendo, pero entendió que no se había equivocado. Susan se iba. Pero ella también tenía que darle una noticia. Por eso había venido a verla. Señaló hacia el norte y dijo:

—Lowitja *alonga* Meeaan-jin. *Alonga* Meeaan-jin yo —repitió para recalcar lo que quería comunicarle—. No hombre blanco *alonga* Meeaan-jin, bueno para gentes Lowitja.

Susan frunció el ceño e intentó pronunciar la extraña palabra que Lowitja reiteraba con insistencia.

—¿Meeaan-jin? Nunca he oído hablar de ese lugar. ¿Dónde está?

Lowitja volvió a señalar hacia el norte, sacudiendo el dedo huesudo para que Susan la entendiera mejor.

—Gente Turrbal. Meeaan-jin. Gran río. Caza buena.

—Claro. Me estás hablando de Brisbane.

Lowitja dio una patada en el suelo, sin saber que Brisbane era el nombre que el hombre blanco le había dado a Meeaan-jin.

—¡Meeaan-jin! —gritó.

Susan sonrió.

—No importa —dijo—. Las dos nos vamos de aquí y lo más seguro es que nunca volvamos a vernos. Estarás más segura lejos de este lugar y podrás proteger mejor a tu familia. Me alegro mucho por ti. —Entonces cogió la mano de su amiga—: Voy a echarte de menos, Lowitja, y a los niños también. Cuídate mucho.

Aunque no comprendiera las palabras, Lowitja captó el sentimiento de la mujer. Le apretó la mano y le sonrió:

—Ve con la protección de los Espíritus Ancestrales.

Pronunció la bendición consagrada en su propio idioma, pero no le cupo ninguna duda de que Susan la entendía perfectamente.

Permanecieron juntas durante unos momentos más y después Lowitja se alejó sin mirar hacia atrás y se dirigió al campamento. La tribu partiría al día siguiente al amanecer y todavía le quedaba mucho por hacer. Era necesario apaciguar a los Espíritus Ancestrales y bendecir a Garnday por su gran sabiduría en estos tiempos turbulentos que corrían, pues había aparecido en uno de sus sueños y le había dicho que tenía que abandonar su lugar sagrado del *Dreaming* e ir a las tierras de los Turrbal, y del *Dreaming* de la abeja.

Tahití, agosto de 1793

Tahamma miró a su esposa y luego el puñal que le había regalado. Llevaba algo más de cinco meses fuera de la isla y aunque habían encontrado muchas perlas, se alegraba de estar de nuevo a casa. Su regalo de bienvenida era bonito, pero la cuchilla estaba deslustrada y los vidrios de colores ya se estaban despegando del mango.

—¿Por qué lo has cambiado? —le preguntó.

La sonrisa de Solanni se desvaneció.

—¿No te gusta?

Tahamma volvió a guardar el puñal en la funda y notó que no pesaba nada.

—Si lo utilizo para destripar pescado o para abrir ostras, se desmontará —contestó.

Tahamma la observó y cuando se dio cuenta de que le esquivaba la mirada, empezó a inquietarse.

—¿Cómo lo conseguiste?

—Me lo dio uno de los vendedores de la playa —masculló, cogiendo a su hijo pequeño y arreglándole el pelo.

Tahamma siguió escudriñándola, cada vez más receloso hasta que, de pronto, lo comprendió todo. En dos zancadas había llegado al otro lado de la choza, donde comenzó a escarbar en la arena. La caja de hojalata seguía en su sitio y por un instante se tranquilizó. Pero cuando la abrió, descubrió que estaba vacía. Se volvió de nuevo hacia Solanni.

—¿Dónde está el reloj? —dijo, en tono peligrosamente bajo.

Solanni se lamió los labios.

—Es que... Yo...

Se quedó callada.

Su marido la agarró de la barbilla, obligándola a mirarle a los ojos.

—Lo has cambiado por el cuchillo.

Las palabras le salían entrecortadas y estaba haciendo un gran esfuerzo por no dejarse llevar por la ira.

Solanni asintió con la cabeza. Una lágrima le caía por la mejilla.

—Pero el cuchillo es útil —soltó—. Ese chisme siempre estaba en la caja. Nunca lo usabas. No creí que te importara.

—¡Claro que me importa! —rugió, lanzando la caja vacía a un rincón de la choza—. No tenías derecho a regalarlo. —De repente se dio cuenta de que había asustado a sus hijos, que ahora estaban llorando. Procuró atemperar el tono de su voz—. El último deseo de mi madre antes de morir fue que me lo quedara yo —dijo, en voz más baja pero cargada de ira—. Mi tía murió protegiéndolo y tú te crees con el derecho de canjearlo por un pedazo inútil de chatarra.

Solanni permaneció mirándolo pasmada. Las lágrimas rodaban por sus mejillas.

—Ese reloj era lo único que tenía para acordarme de la cara de mi madre fallecida y del hombre que me engendró. Mi tía juró que lo protegería y yo prometí al espíritu sagrado de mi madre que lo conservaría para nuestros hijos, y sus hijos, y las futuras generaciones de nuestra sangre.

—Perdóname, Tahamma —sollozó—. No tenía ni idea.

Tahamma la miró con asco.

—Ya te expliqué lo que significaba para mí antes de que nos casáramos, pero a ti te importaban tan poco las tradiciones de mi familia que ni siquiera me escuchaste —dijo, tirando al puñal a la arena—. Ahora quiero que te vayas de aquí.

—Pero, ¿adónde voy a ir? —preguntó alarmada, mientras extendía la mano hacia él—. Te lo ruego, esposo, no me eches.

Tahamma permaneció erguido y orgulloso, impasible frente a sus súplicas.

—Tienes a tus hermanas y a tus padres. Ellos te acogerán —replicó con frialdad—. Iré a verte cuando te haya perdonado.

No movió ni un dedo mientras su esposa recogía las pocas pertenencias que tenía y sacaba a los niños a la luz del sol. Tardaría mucho tiempo en perdonarla e incluso entonces no podría olvidar cómo había traicionado todo lo que él veneraba. La pérdida del único vínculo que tenía con su madre y saber que había roto su promesa sagrada lo habían dejado paralizado de dolor.

Cala de Sydney, agosto de 1793

Cuando Lowitja desapareció entre los árboles, Susan suspiró y entró en casa en busca de un chal. Ezra y los chicos habían ido a ultimar los detalles de la misión con Richard Johnson y por primera vez desde hacía meses, estaba sola. El frescor del atardecer le resultó muy agradable después del calor sofocante del día, y la tentación de bajar a la orilla era demasiado grande para no sucumbir a ella. Le apetecía dar una vuelta para ordenar sus pensamientos y despedirse del lugar en el que se había sentido tan consolada y tan abatida a la vez.

La playa se encontraba desierta. No había ni una huella en la arena y cuando Susan llegó a la duna herbosa, asimiló con una claridad alarmante el daño que había hecho el hombre blanco a Lowitja y a su gente. Nadie había tocado la belleza salvaje y natural de este país vetusto desde el principio de los tiempos. Luego había llegado la Primera Flota. Ahora el silencio que solo el canto de las aves y los gritos tribales habían roto se había llenado del estrépito de hachas y martillos, de latigazos y disparos. La muerte y la destrucción habían alcanzado este paraíso del sur. No le extrañaba que Lowitja quisiera alejarse de allí.

Susan bajó a la arena con temor. Comenzó a caminar por la playa, mirando de vez en cuando hacia atrás. Aunque sus pisadas delataban su recorrido, sabía que pronto desaparecerían con la marea y que no quedaría ni rastro de su paso por ahí. Era una idea que le placía. Se levantó el dobladillo de la falda y caminó más deprisa, disfrutando de la brisa que procedía del agua y de la libertad de estar sola sin sentirse sola.

Respiró el aire limpio y salado y se fijó en una bandada de loros de colores, que chillaban y se peleaban entre las ramas de las acacias amarillas que se inclinaban sobre la orilla. Se rio de sus payasadas y dio una palmada para ver cómo todos salían volando en una nube de alas que batían ruidosamente. Ahora oía el gorjeo suave de las urracas y lo que Lowitja llamaba los *kurrawongs*, que tenían un trino infinitamente más dulce que cualquier pájaro cantor que hubiese escuchado en Cornualles.

Siguió caminando y pensó en los acontecimientos de los últimos meses, dejándose inundar por el perfume embriagador de las acacias y los eucaliptos. La luz había vuelto a los ojos de Ezra ahora que había recuperado la convicción de que su Dios no lo había abandonado y que ahora lo necesitaba para poner en marcha su misión. Susan le estaba muy agradecida al pastor Johnson, y también a George, que había conseguido sacar a su padre de su estupor y le había hecho entender lo mucho que lo amaban y lo necesitaban

Susan sonrió al pensar en el nuevo entusiasmo con el que miraba hacia el futuro. Siendo la única presencia femenina, iba a sentirse sola en el Hawkesbury, pero la compañía de Ezra y los chicos lo compensarían con creces.

No pudo reprimir un suspiro cuando pensó en Florence. No habían tenido ninguna noticia de ella desde que se marchó a la misión que estaban fundando en el norte del país. Lo único que deseaba era que algún día volviera con su familia para que pudieran empezar a curarse las heridas y forjar una relación más comprensiva.

Se secó la frente con el pañuelo. A pesar de la brisa, estaba sudando. A sus cuarenta y un años, no debería caminar a un ritmo tan acelerado, y menos aún en una playa desierta, pero las viejas costumbres no se perdían fácilmente. Ni se le hubiese pasado por la cabeza si estuviera en Cornualles. Hizo una mueca. Se estaba haciendo demasiado mayor para enfrentarse a los trastornos y cambios que le esperaban. Jamás hubiera imaginado que la vida fuera tan dura, ni siquiera cuando trabajaba en el muelle de Mousehole, y notaba los efectos de los años que había luchado para sobrevivir en este país. Se sentía cansada más allá del agotamiento y solo pensar que tenían que partir de cero, le entraban ganas de llorar.

Estaba a punto de volver hacia casa cuando lo vio. Estaba de pie en una duna observándola. Cuando sus miradas se encontraron, dejó el caballo y se acercó con vacilación hacia ella.

Susan se quedó petrificada. El corazón le latía de forma descontrolada y notaba cómo le ardía la cara. Esperó.

—¿Susan?

Le dio una bofetada, un golpe que le dejó las marcas de los dedos en su mejilla escocida.

Los ojos de Jonathan se ensombrecieron, pero no se inmutó.

Susan le propinó otra bofetada.

—¡Maldito seas, Jonathan! Maldito seas por haberme difamado en el tribunal y por haber mentido y por haber hecho trampas y por haber expuesto delante de todos nuestros secretos más íntimos. Rompió a llorar. Los sollozos sacudían todo su cuerpo mientras continuaba aporreándole el pecho—. ¡Lo has destrozado todo! —Jonathan permaneció inmóvil como una estatua—. Jamás te perdonaré por lo que has hecho —gimió—. Jamás.

Tras agotar toda la rabia que sentía, Jonathan le agarró los puños y los sujetó.

—Me merezco cualquier castigo que me impongas —dijo en voz baja—. Pero no me niegues tu perdón, Susan. No puedo vivir sin él.

—Entonces, ¿por qué lo hiciste? —replicó, levantando el rostro y mirándolo a los ojos—. Tuve que explicar a Ezra y a mis hijos lo de la carta. ¿Puedes imaginarte por un solo momento el daño que les hizo?

—Sí, mejor de lo que piensas.

Susan dio unos pasos hacia atrás.

—No tienes ni idea de nada —espetó—. Y si de verdad te arrepentiste de tus acciones, ¿por qué no viniste a pedirme perdón y a justificarte?

—Lo intenté —confesó—, pero no has estado sola hasta hoy. Sabía que debías de estar muy dolida y créeme, Susan, comparto tu dolor.

En sus ojos vio que era verdad, pero optó por no darle ninguna importancia.

—Las palabras son fáciles, Jonathan. Podrías haber escrito una carta.

—Tienes razón —admitió—, pero las cartas son muy frías. Necesitaba hablar contigo, mirarte a los ojos y decirte lo mucho que me arrepiento del daño que te he causado. —Ahí estaba, su figura una imponente silueta negra contra el cielo rayado de tonos rosáceos—. Por favor, perdóname, mi amor.

La rabia se desvaneció con la misma rapidez con la que había surgido. Lo miró de nuevo e intentó hablar, pero no encontró las palabras que expresaran la confusión que sentía. Le habían salido canas y tenía algunas arrugas en la cara, sin embargo, solo acentuaban todavía más su atractivo. El anhelo que veía en su rostro la estaba desgarrando por dentro, pero se había jurado que nunca volvería a fiarse, que nunca se dejaría influenciar por el amor que todavía sentía hacia él.

Jonathan pareció comprender su conflicto porque después de vacilar unos segundos, volvió a tomar sus manos y se las llevó al pecho con una ternura exquisita, como si fueran la carga más preciada y frágil, los dos objetos más importantes de su vida.

—Te he amado desde que tengo uso de razón —empezó a decirle—. Te he llevado en mi recuerdo por todo el mundo y me ha servido de consuelo y paz en mis horas más nefastas. Lamento profundamente el daño que te he hecho. Te ruego que me digas que me perdonas.

Su súplica se clavó en el fondo de su alma y supo que estaba definitivamente perdida.

—Por supuesto que te perdono —suspiró—. Oh, Jonathan, amor mío, ¿cómo hemos llegado a esto?

—No lo sé, cariño, pero parece que el destino se ha empeñado en mantenernos separados.

Susan se apartó de él. La tristeza le impedía hablar.

—No eres el único que tiene que pedir perdón —dijo.

Jonathan frunció el ceño y Susan se apresuró a contarle lo de la carta de Millicent.

—Te he juzgado mal. Nunca debí creer el cotilleo que circulaba por ahí.

Jonathan seguía apretándole las manos, sin separar sus ojos de los de ella.

—Lo que tú consideras pecado es tan ínfimo comparado con lo que yo te he hecho que no tengo nada que perdonarte.

—Nunca debí dudar de ti.

Jonathan negó con la cabeza.

—Ya me imaginé que te habrían llegado los rumores y aunque me dolía no saber nada más de ti, lo comprendí —dijo, mientras llevaba a sus labios las manos de ella y las besaba con la misma suavidad que el roce del ala de una mariposa—. Oh, Susan. Ojalá las cosas hubieran sido de otra manera. Hemos sido tan bobos.

—Bobos, sí —reconoció—, pero también hemos compartido tantas alegrías...

—Siempre las llevaré conmigo en el corazón.

Permanecieron en silencio y Susan se dejó perder en sus ojos, que todavía tenían el poder de hipnotizarla. Luego contempló su boca, ansiando besarla aunque solo fuera una vez más. Nunca había dejado de amarlo y había una parte de ella que siempre le pertenecería.

—Aún eres tan hermosa —susurró Jonathan, acariciándole las mejillas y los cabellos—... Tus ojos me recuerdan el mar salvaje de Cornualles y tus cabellos brillan como un campo de trigo dorado. Ojalá pudiéramos regresar a aquellos días de nuestra juventud.

Por primera vez en muchos años, Susan se sonrojó.

—Este sitio hace envejecer a las mujeres —dijo con voz queda—, y sé que tengo la cara repleta de arrugas y el cabello encanecido.

Lo que le atraía hacia él eran unos lazos invisibles de los que nunca podría desprenderse. Sabía que si no se separaba ahora de él, estaría perdida.

—Es tarde —afirmó, dando un paso hacia atrás—. He de irme.

—Todavía no —le imploró—. Hay tantas cosas que quiero contarte, tantas cosas que tenemos que decirnos antes de que te vayas.

—¿Ya sabes lo de Hawkesbury?

—Sydney es un lugar pequeño. Las noticias vuelan. —Susan intentó sonreír pero le resultaba difícil hablarle de sus planes para el futuro—. ¿Por qué no vuelves a Cornualles?

A Susan le sorprendió la pregunta.

—Nunca se nos ha ocurrido pensar en ello. George y Ernest se encuentran muy a gusto aquí y Florence tiene que poder llegar a nosotros si nos necesita...

Sus palabras se desvanecieron y le abandonó todo pensamiento coherente cuando Jonathan se inclinó hacia ella y la besó. Se arrimó a él y le devolvió el beso con una avidez que ya le resultaba muy familiar. El anhelo era casi insoportable. Apenas podía hacer frente a la necesidad que tenía de yacer con él, de sentir cómo sus manos y su boca le recorrían la piel, de dejarse llevar por la dicha de amar y ser amada.

—No —jadeó—. No. —Le dio un empujón y comenzó a temblar—. No debemos hacer esto.

Jonathan le sonrió con melancolía.

—Ya lo sé —susurró—, pero ¿cómo quieres que me resista si te amo?

—Debemos ser fuertes —replicó Susan, alisándose el vestido con las manos temblorosas—. Ezra me ha perdonado y aunque no es consciente de la magnitud de mi traición, lo único que deseo es ser una buena esposa para él. Te he amado desde siempre, pero el amor que siento por Ezra está basado en algo mucho más sólido. Después de lo que pasó en Cornualles, no puedo traicionarlo de nuevo.

Jonathan la miró perplejo.

—¿Ezra ya sabía lo nuestro antes del juicio?

Susan asintió con la cabeza y le contó por encima lo que había ocurrido a raíz de su relación con él.

—Sin embargo, hay cosas que no sabe —dijo finalmente, intentando impedir que se le quebrara la voz—. No pude decirle toda la verdad porque lo hubiera destrozado, o mejor dicho, hubiera destrozado todo lo que teníamos, todo lo que me ha costado tanto conseguir a lo largo de los años.

Jonathan la miró preocupado y de manera inquisidora.

—¿A qué te refieres?

Las lágrimas le corrían por la cara, pero alzó la cabeza para mirarlo. Tenía que decirle la verdad, lo necesitaba y solo sería capaz de desvelar el secreto que había guardado durante tanto tiempo a la única persona en la que podía confiar para que no la traicionara.

—Me quedé embarazada —susurró—. Tuve a nuestra hija.

—¿Nuestra hija? —preguntó, quedándose lívido—. ¿Tenemos una hija?

Susan asintió con la cabeza, incapaz de hablar, cegada por las lágrimas.

Jonathan la estrechó entre sus brazos y no la soltó hasta que dejó de llorar.

—Amor mío — suspiró—. No sabía nada. Ni siquiera sospeché que... —Tuvo que hacer una pausa antes de continuar—: ¿Por qué no me lo dijiste? Hubiera podido... ¿Y dónde está?

Susan hundió su cara en el abrigo de Jonathan. No aguantaba ver su dolor.

—No está, Jonathan. Nuestra hija ha desaparecido para siempre.

Jonathan la abrazó con más fuerza y gimió.

—Pobrecita. Pobre Susan. Me resulta insoportable pensar que hayas pasado por algo así sola.

A Susan ya no le quedaban fuerzas, ni lágrimas. El dolor y el recuerdo la habían dejado extenuada. Se desprendió de sus brazos y aceptó su pañuelo.

—No estaba sola —replicó, mientras enjugaba sus lágrimas—. Mi amiga Ann me cuidó. Volví con Ezra justo después de... después de... Intenté continuar con mi vida como si no hubiera pasado nada pero... pero notaba un vacío tan grande entre los brazos...

Los ojos se le inundaron de lágrimas y Jonathan la rodeó de nuevo entre sus brazos, intentando consolarla.

—Has guardado este secreto todos estos años —murmuró, acariciándole el pelo—. Eres tan valiente, tan fuerte. Nunca podré compensártelo... Ni a nuestra hija...

Sus besos rozaron su frente mientras el sol desaparecía detrás de las colinas. Se les mezclaron las lágrimas que derramaron por la felicidad que les habían arrebatado y la hija que habían perdido.

Pasaron los minutos y el sol se acercaba cada vez más al horizonte. Finalmente, Susan se sonó la nariz, se secó los ojos y respiró hondo.

—Me alegro de que por fin sepas la verdad —dijo suavemente—, pero me ha dolido tanto decírtela como haberla callado durante todos estos años. Siento causarte más dolor.

Jonathan carraspeó.

—Quiero que me digas dónde está enterrada. Así me encargaré de que alguien cuide siempre de su tumba.

Susan negó con la cabeza.

—Es mejor que dejemos que Dios cuide de ella —contestó, contemplando las llamas que rayaban el cielo justo antes de que desaparecieran los últimos rayos del día.

—Como quieras —contestó desconsolado—. Imagino que sabrá que sus padres la amaban. Las flores solo sirven de consuelo a los vivos.

Introdujo la mano en el bolsillo y sacó su cigarrera. Tras encender un puro, pareció recomponerse y se irguió. Solo sus ojos delataban el dolor que sentía.

—Yo también pienso marcharme de aquí —dijo—. Quiero ir al norte y reunirme con Watpipa y su gente.

Susan aprovechó el cambio de tema.

—Espero que los encuentres en mejores condiciones que los pobres desgraciados que viven en esta zona. Cómo envidio tu libertad para viajar y explorar este país salvaje.

—Ven conmigo —la tentó, tirando el puro medio fumado a la arena y tomándola de nuevo de las manos—. Podremos vivir la aventura de la que tanto hablamos en Cornualles. —Los ojos de Jonathan estaban llenos de esperanza y apretó las manos de Susan contra el pecho—. Cásate conmigo, Susan. Deja a Ezra y ven a vivir conmigo como si fueras mi esposa hasta que seamos libres para casarnos.

—Ojalá pudiera acompañarte —suspiró—, y me encantaría haberme casado contigo porque sé que hubiéramos sido muy felices. —Intentó desprenderse de él, pero Jonathan la tenía agarrada con tanta fuerza que no consiguió escapar de sus brazos—. Sin embargo, no soy libre, Jonathan. Nunca seré libre. Ya le he hecho bastante daño a Ezra.

—Pero yo te amo, Susan. Siempre te he amado.

—Ya lo sé —susurró, acariciándole la mejilla y estremeciéndose por el roce de sus labios en la mano—. Yo tampoco he dejado de amarte, pero ahora ya es demasiado tarde.

Tocó su mejilla, recorriendo con los dedos la mancha en forma de lágrima que tenía en la sien y que tanto adoraba. Con un beso casi imperceptible se apartó de él por última vez. Las lágrimas inundaron sus ojos y echó a correr sobre la arena.

—Adiós, amor mío —susurró al viento.